votre santé par la

diététique
et l'alimentation saine

Dix-septième édition

collection ˮPsycho - somaˮ

(le corps et l'esprit)

OUVRAGES DU MÊME AUTEUR
(chez le même éditeur)

Collection « Psycho-soma » :

Votre santé par la diététique et l'alimentation saine.
L'enfant. Guide pratique pour les parents et éducateurs.
Qui ? Découvrez qui vous êtes et qui sont réellement les autres.
Psychothérapie par les méthodes naturelles.

Collection « Santé naturelle » :

L'argile pour votre santé.
La santé de vos yeux.
Traitements naturels des troubles digestifs.
Traitements naturels des affections respiratoires.
Traitements naturels des affections circulatoires.
Rhumatismes et arthrites : traitements naturels.
Maladies des reins, vessie, prostate : traitements naturels.

Dr André Passebecq

votre santé par la
diététique
et l'alimentation saine

guide pratique d'application immédiate
avec 194 recettes pour mieux vous porter

93ᵉ mille

Éditions Dangles

18, rue Lavoisier
45800 ST-JEAN-DE-BRAYE

L'AUTEUR :

André Passebecq est, en France et dans maints pays étrangers, tant d'expression française (Canada, Belgique, Suisse...) qu'en Angleterre, Italie, Espagne, Portugal, etc., reconnu comme l'un des pionniers les plus actifs des méthodes naturelles de santé.

Il a acquis une connaissance large et précise des problèmes physiologiques et psychologiques au cours des diverses orientations de sa vie. C'est à 30 ans qu'il abandonne une carrière professionnelle du fait de la maladie (ulcère gastrique en plateau, rhumatisme articulaire aigu, arythmie cardiaque, troubles cutanés, etc.). Fort heureusement, il trouva sur son chemin des guides grâce à qui il évolua avec sûreté dans le champ immense des méthodes orthobiologiques.

Docteur en médecine et en psychologie, diplômé de naturopathie, de physiothérapie, d'osthéopathie, de rééducation visuelle (méthode Bates), il est également diplômé d'organisation scientifique du travail (facteur humain), de graphologie, etc. Il a contribué à la création de l'association Vie et Action-CEREDOR à Vence (France) dont les cours sont déclarés à l'Académie de Nice, ainsi qu'à celle de l'Institut de psychosomatique naturelle de Lausanne (Suisse). Vie et Action assure la formation de nombreuses personnes de tous les milieux professionnels et sociaux, grâce à des cours par correspondance, des stages pratiques, des séminaires de groupe, des congrès... Une brillante équipe de collaborateurs assure, avec dynamisme et compétence, la vie de cette association, de ses groupes régionaux et de ses éditions.

Récemment, André Passebecq a été chargé des cours de naturothérapie à la faculté de médecine Paris-XIII.

Tous les livres écrits par cet auteur — seul ou en collaboration — synthétisent donc le fruit d'une expérience peu commune.

ISSN : 0397-4294
ISBN : 2-7033-0167-7

REMERCIEMENTS

Je voudrais ici exprimer ma gratitude envers ceux qui ont, directement ou non, participé à la réalisation de ce livre : à M. le Professeur Raymond Lautié, docteur ès sciences, directeur scientifique de « *VIE et ACTION-CEREDOR* », dont les travaux scientifiques servent de base solide à notre action ; à mon épouse, Jeanine Passebecq, à Mme Louise Florin-Bonnet, à Mmes Benhaim, Cathala et Paître ; à MM. et Mmes Secondé, Joanny et Schmitt ; à Michel Jodin ; au Docteur Gillard, homéopathe, acupuncteur et agrobiologiste ; aux animateurs des groupes régionaux de « *VIE et ACTION* », qui enseignent les règles de l'alimentation et de la vie saines. Du travail d'équipe ainsi réalisé, les résultats sont probants. Les méthodes naturelles apportent la santé, l'harmonie et la joie chez ceux qui les enseignent comme chez ceux qui les appliquent.

A. P.

L'alimentation et la vie

La vie matérielle de l'homme est conditionnée par trois grands facteurs : la **nutrition**, la **motilité** (1) et la **reproduction**.

La nourriture est donc l'un des trois besoins fondamentaux de l'homme. En permanence, les êtres vivants doivent ingérer ou absorber de la nourriture et une des préoccupations essentielles de l'être humain était, depuis ses origines, la recherche des aliments.

D'abord probablement frugivore, c'est-à-dire mangeur de fruits, l'homme a dû s'adapter à des modifications de climat et de végétation ; petit à petit il est devenu mangeur de graines puis de viande.

Nomade ou sédentaire, il a cueilli, extrait de la terre, pêché, chassé, pillé pour survivre.

D'abord crue, la nourriture a été de plus en plus apprêtée : conservée, transformée, cuite, etc.

D'abord parfaitement « naturelle », cette nourriture a subi, avec la progression de la civilisation technique, des altérations par les substances chimiques de synthèse destinées à accroître le rendement des cultures, à les protéger des animaux, des parasites et des prédateurs, des champignons, etc.

L'individu soucieux de sa santé doit maintenant **opérer un choix** parmi les nourritures qui lui sont présentées, et dont beaucoup sont de faux aliments, toxiques, déminéralisants, producteurs de mauvaise santé.

Il y a également lieu d'apprendre les **règles d'une nutrition correcte**. L'homme des origines savait se nourrir instinctivement ; nous avons perdu l'instinct. Notre goût est dépravé par la sophistication dans laquelle excelle l'industrie alimentaire.

---

1. Faculté de se mouvoir.

Une bonne partie de la population souffre de troubles de santé à cause d'une nutrition incorrecte et, souvent, d'une malnutrition, d'une **sous-nutrition au sein de l'abondance**, situation paradoxale dans une société qui regorge de biens mais ne connaît que très peu l'art de les utiliser à bon escient.

Combien de maladies aiguës et chroniques, de troubles catarrhaux, digestifs, hépatiques, rénaux, cardiaques et pulmonaires, nerveux, glandulaires, cutanés, osseux... sont dus à la transgression de règles pourtant simples.

Mais aussi combien de **guérisons inespérées** sont les fruits d'une remise en ordre alimentaire sensée, en dehors de tout esprit sectaire.

L'alimentation obéit à des règles mais celles-ci n'ont pas à être contraignantes. Il faut éviter en effet de transposer dans le domaine alimentaire des problèmes psychologiques en rapport avec la culpabilité ou le complexe dit oral, par exemple.

Le jeûne ne doit pas être subi par autopunition mais envisagé comme mesure normale de régularisation, d'harmonisation et de bien-être.

Un cas permettra de montrer, de calculer quels bénéfices nous pouvons tirer d'une réforme alimentaire bien conduite. Un homme âgé de 29 ans souffrait depuis de longues années de *constipation* et de troubles cutanés ; par suite de *rhumatisme articulaire aigu* contracté la première fois à l'âge de 25 ans, il était traité par des médicaments tels que le salicylate de soude et ses dérivés ; le tabac, l'alcool et une alimentation mal réglée avaient également contribué à l'installation de *troubles digestifs* graves, se traduisant par un *ulcère gastrique proche de la perforation*. Traité par de multiples drogues, son état empirait. Se tournant vers les méthodes naturelles, cet homme appliqua pendant quelques mois un programme de soins caractérisé notamment par un jeûne puis par une réforme alimentaire. En peu de temps, il fut délivré de ses troubles et actuellement, plus de 25 ans après, il est en parfaite santé, ignorant depuis un quart de siècle les troubles quels qu'ils soient, ignorant aussi les drogues et médicaments.

Un autre cas intéressant : un homme d'une soixantaine d'années, souffrant de *cataracte* (opacification du cristallin) et promis à une opération chirurgicale, se rétablit presque entièrement par le jeûne, l'alimentation de désintoxication et un régime alimentaire équilibré.

Un cas exemplaire maintenant, dans le domaine cardio-vasculaire : un homme avait été *opéré* d'une jambe par suite d'*artérite* et il devait incessamment subir l'ablation de la seconde jambe. Sans aucun médicament, uniquement par le réglage alimentaire et la rééducation cardio-respiratoire, il a gardé sa jambe, et cela depuis une bonne quinzaine d'années.

Même dans les *troubles nerveux et mentaux*, le *diabète*, certaines formes de *cancer*, etc., la remise en ordre alimentaire a pu opérer des « miracles ». Mais pourquoi attendre les échéances difficiles ? N'est-il pas plus simple de prévenir les troubles et, dès l'enfance, d'apprendre les lois de la vie et de la santé et de les suivre, ce qui se révèle facile ?

Point n'est besoin de devenir un ascète. C'est ce que nous avons voulu montrer dans cet ouvrage destiné à une information de base.

Nous avons tenu à présenter une large variété de menus et recettes agréables et même, pour beaucoup, succulents afin de montrer que l'alimentation équilibrée n'est pas synonyme de régime monastique, froid, sans joie.

Nous espérons que cet ouvrage sera lu par de nombreuses personnes, notamment par les **parents** soucieux de leur santé et de la santé de leur famille. Les **responsables de collectivités** y trouveront aussi des informations utiles. Nous nous adressons aussi, cela va sans dire, aux **médecins**, aux **conseillers hygiénistes-diététiciens**, aux **infirmières**, aux **assistantes sociales**, aux **kinésithérapeutes**, aux **maîtres d'éducation physique** et à **tous ceux qui ont à éduquer et à conseiller jeunes, adultes et personnes du troisième âge.**

Les observations et les suggestions de tous seront les bienvenues et nous remercions par avance ceux qui participeront ainsi à la mise au point des futures éditions du présent ouvrage.

ANDRE PASSEBECQ

Les acquisitions nouvelles

Chaque jour apporte son lot de « nouvelles acquisitions ». Des aliments, oligo-éléments et vitamines miracles apparaissent, font florès puis disparaissent, pour être remplacés par d'autres qui captent l'attention privilégiée du consommateur, mais pour un temps.

La mode existe dans les aliments, les compléments alimentaires, les médicaments, comme dans les autres domaines.

La recherche anxieuse des dernières nouveautés n'est certainement pas un facteur d'harmonie et de santé.

L'essentiel réside dans l'application de quelques principes fondamentaux que vous trouverez exposés et appliqués tout au long de ce livre.

A.P.

la table et
la santé

1. Déséquilibres et carences des aliments actuels

Ceux qui, il y a seulement cinq ans, émettaient des doutes sur la qualité biologique de l'alimentation « civilisée » étaient considérés comme peu sérieux, ignorants, rétrogrades.

Aujourd'hui, cette situation a bien changé. Les nutritionnistes s'interrogent sur l'opportunité de soutirer aux aliments les parties les plus riches en minéraux, vitamines et enzymes, substances éminemment protectrices.

Céréales hyperdécortiquées, farine blanche, pain blanc, riz blanc, sucre industriel, huiles surraffinées, transformations, conservation, aromatisation et même production obtenus à l'aide d'une débauche de substances chimiques (engrais, pesticides, hormones, vitamines de synthèse) répondent apparemment à des impératifs commerciaux de notre société de consommation.

L'antibiothérapie médicamenteuse souvent contestable se double d'une plus contestable encore introduction de vitamines synthétiques dans certains aliments (pain, lait, fromages, poissons, volailles, bananes, etc.).

En réalité, c'est le problème de la santé des végétaux, des animaux et des hommes qui est posé ici.

La santé physique et mentale souffre considérablement des erreurs de l'alimentation moderne.

Les intérêts financiers attachés à ces méthodes nouvelles et dangereuses s'opposent à toute remise en question. Sous le prétexte fallacieux de bénéficier du progrès technique ou d'assurer l'écoulement des stocks, des toxiques sont chaque jour déversés par milliers de tonnes dans nos aliments et nos boissons, directement ou lors de leur production. Prenons, par exemple, le problème de l'acide borique, interdit depuis plusieurs années en France mais que l'on continue à ajouter au beurre, sous prétexte que les réserves du Marché Commun ne sont pas épuisées !

Les margarines sont fréquemment aromatisées à l'aide du diacétyl de synthèse, dont l'utilisation est interdite en France depuis 1935 mais qui continue à être toléré pour des raisons obscures... Indépendamment de la toxicité des corps gras saturés qui entrent dans la composition des margarines, le diacétyl est accusé de favoriser les athéromes graisseux si néfastes pour la santé du système cardio-vasculaire.

Autre exemple : celui du fluor, toxique ajouté à l'eau de boisson ou à certains aliments dans des pays où les stocks de cette substance, provenant de l'industrie de l'aluminium, doivent être écoulés à tout prix.

Egalement : les céréales stockées et conservées à l'aide de fongicides très toxiques, ou séchées directement au brûleur à mazout (cancérigène) dans les silos. On sait aujourd'hui que certaines vitamines synthétiques ajoutées aux aliments lors des processus industriels peuvent être très dangereuses. Par exemple, le surdosage en vitamine D pendant la grossesse a des effets tératogènes, c'est-à-dire qu'il est responsable de la naissance de bébés malformés (sténose cardiaque supra-valvulaire, hypercalcémie infantile, retards mentaux, anomalies du crâne, des oreilles et des yeux, etc.). Attention aux produits laitiers enrichis en vitamine D !

Non seulement l'aliment carencé et adultéré est inadéquat pour une nutrition normale, mais encore il affecte la santé physique et mentale des individus et du corps social tout entier.

L'individu dont l'éducation a été « manquée », dont la vie affective est troublée, qui doit travailler trop ou trop peu dans un milieu malsain et qui ne reçoit guère que des aliments carencés et empoisonnés, celui-là voit rapidement son équilibre psychosomatique se perturber et il se trouve prédisposé à recourir aux stimulants ou aux sédatifs (tabac, alcool, café, boissons dites toniques, tranquillisants, drogues...). C'est une des voies conduisant le plus sûrement à la dépression et aux diverses maladies physiques et mentales de dégénérescence.

Cette échéance n'est pas seulement d'ordre somatique. Les cellules génétiques risquent souvent de s'en trouver altérées, ce qui contribuera à accroître la cohorte des enfants tarés, épileptiques, idiots, agités, mongoliens, etc., selon une progression effrayante. Actuellement, un enfant sur 25 naît débile mental en France et bien d'autres le deviennent dans les dix premières années de leur vie. Quelle charge écrasante pour notre société !

Un autre exemple nous a été récemment fourni par les cyclamates. Ces sucres industriels sont utilisés dans la fabrication des boissons sucrées, aux Etats-Unis et dans bien d'autres pays, et pour celle des « aliments » destinés aux diabétiques. Des recherches viennent de montrer que, comme certains pesticides employés dans l'agriculture, comme aussi le L.S.D., comme probablement le fluor, les cyclamates entraînent une dislocation des chromosomes, causant la naissance de bébés-monstres.

Et qu'en est-il de l'irradiation que subissent certains aliments (viande, lait, pommes de terre, etc.) en vue de leur conservation ? Les travaux de laboratoire effectués objectivement dans ce domaine sont plutôt pessimistes. Par exemple, aux U.S.A., la « *Food and Drug Administration* » vient d'interdire la conservation des aliments par irradiation.

Nous ne parlerons pas ici des hormones anticonceptionnelles, des détergents utilisés pour le nettoyage du linge et de la vaisselle, des résidus de la combustion du plomb tétraéthyle ajouté à l'essence automobile, etc., substances dont les effets tératogènes sont possibles.

La thalidomide n'est donc pas seule en cause dans la production en masse des enfants malformés. Des milliers d'autres substances sont tératogènes et, parmi elles, figurent indéniablement de nombreux produits destinés à intervenir dans la production, la transformation et la conservation des aliments des animaux et des hommes.

C'est pourquoi nous luttons de toutes nos forces pour que la chimie nocive n'ait plus à intervenir dans le domaine alimentaire.

Les agressions par les aliments sophistiqués, les médicaments et les toxiques sont parmi les plus préjudiciables à la santé du corps et de l'esprit. Une importance toute particulière doit être accordée aux travaux prudents des biologistes et des nutritionnistes qui œuvrent en collaboration avec nous et ont le constant souci de sauvegarder le capital d'immunité naturelle inhérent à chaque être vivant.

2. Notre alimentation empoisonnée

Les différents traitements que subissent nos aliments depuis leur production jusqu'à leur préparation culinaire ne sont assurément pas tout à fait favorables à notre santé. Nous n'en donnerons que quelques exemples.

Les **nitrites**, utilisés pour stabiliser la myoglobine des produits de *charcuterie* et les pigments naturels des produits d'origine marine, sont toxiques à l'état résiduels. On les remplace maintenant par des **nitrates**, prétendus non toxiques mais susceptibles de donner des nitrosamines dont certaines sont cancérigènes.

Les *fromages* fondus sont additionnés de **polyphosphates**.

Le **colza** donne une huile qui a été reconnue provoquer des lésions cardiaques aux animaux d'expérience. L'*acide érucique* a été mis en cause par les producteurs français. Des expériences récentes ont cependant montré que le danger existe même avec le colza prétendu « alimentaire » et non toxique.

Les **enzymes** utilisés pour hâter la maturation de fromages produisent des allergies. Gare aux fromages de fabrication douteuse !

La **tyramine**, substance chimique capable d'*augmenter la tension artérielle* et que l'on trouve *dans certains fromages*, peut produire des maux de tête chez les sujets sensibles.

Les amateurs de cuisine chinoise peuvent souffrir du « syndrome du restaurant chinois », réaction due à une substance, le *glutamate monoso-*

dique, présente dans certains mets chinois (presque tous les composants des mets chinois, en Europe, sont des conserves).

Un allergologue américain, le Dr Feingold, a déclaré que les **colorants artificiels à base de salicylate,** introduits dans les aliments, provoquent chez les enfants américains des *perturbations de comportement* qui peuvent aller d'une simple *agitation* à un complet manque de contrôle et à la difficulté d'apprendre à l'école. L'alimentation est sans doute pour une part dans les troubles nerveux qui affectent actuellement la jeunesse. Selon le Dr Feingold, l'Association de neurologie de Californie a estimé que, pendant les 5 dernières années, le pourcentage d'enfants souffrant d'agitation excessive est passé de 2 % à 40 % dans les écoles de cet Etat américain. La tendance est à l'augmentation car il y a sur le marché toujours plus de produits contenant des colorants et des additifs.

La *viande* elle-même est souvent imprégnée de toxiques (vaccins, médicaments, aliments empoisonnés, reçus par les animaux). Le veau industriel, par exemple, a une existence lamentable. Séparé de sa mère peu après sa naissance, il est bourré de tranquillisants afin de ne pas ressentir le choc de la séparation. Le gavage commence aussitôt : du lait reconstitué (lait en poudre écrémé avec adjonction de saindoux et de suif). Privé de lumière, d'air et d'exercice, le veau en batterie est un animal déséquilibré, très sensible aux agressions microbiennes et aux maladies. Chaque année en France un million de veaux meurent pendant les 4 premières semaines (affections respiratoires et digestives, colibacillose...). Tous les laits reconstitués destinés aux veaux sont supplémentés en antibiotiques et en vitamines divers. Les œstrogènes de synthèse, dont les veaux étaient bourrés, sont maintenant interdits mais « **il est notoire qu'il s'en fait partout un énorme trafic malgré leur danger pour la santé de l'homme** » (« *Science et Vie* »). On sait que ces hormones sont cancérigènes.

Beaucoup d'animaux tels que les vaches et les porcs sont « *tranquillisés* » par des médicaments avant leur abattage.

Même si nous nous réfugions dans l'alimentation végétarienne, nous avons du lait souvent toxique, des œufs provenant de poules dont l'alimentation est plus ou moins empoisonnée, etc. Les légumes et les fruits sont traités d'une manière souvent anarchique en dépit des contrôles dont ils sont l'objet de la part des services des fraudes alimentaires (bien insuffisants en nombre). **La seule solution est le recours aux méthodes orthobiologiques, à partir de l'agriculture naturelle.**

Dans cette perspective, le présent ouvrage vise à vous apporter les informations pratiques qui vous sont devenues nécessaires.

3. Qu'est-ce que l'aliment vivant ?

Il y a de nombreuses années, les biologistes Richet, Lecoq, etc. ont démontré que les vitamines pharmaceutiques synthétiques n'ont aucune puissance nutritive et qu'elles se bornent à exercer une action excitante fonctionnelle.

Le même reproche peut être adressé à de nombreuses substances minérales d'origine synthétique et censées pouvoir combler des carences chez l'animal ou chez l'homme.

En effet, pour qu'une substance soit assimilée par l'organisme animal, il est nécessaire qu'elle ait été préalablement transformée, vitalisée par son passage dans un végétal.

La cellule animale ne peut assimiler qu'une nourriture vitalisée, composée de substances colloïdales. Les cristalloïdes sont inassimilables par l'animal et s'accumulent dans l'organisme où ils causent de nombreux troubles.

Il existe un cycle naturel qui ne peut être modifié : le végétal absorbe le minéral puis est lui-même absorbé par l'homme ou l'animal et retourne à l'état minéral.

L'homme et l'animal ne sont pas capables de synthétiser les protides, les glucides ni les lipides à partir d'éléments bruts : azote, carbone, oxygène, etc.

Le minéral, dans sa forme inassimilable (cristalloïde), non vitalisée par la phase végétale, n'a pas sa place dans l'alimentation humaine. Il encombre les cellules, les tissus, le sang et il est à l'origine de la majorité des processus de dégénération. Il est donc toxique. Calcium, fer, sodium, arsenic, vitamines, etc, doivent être absorbés sous une forme adéquate et non sous forme minérale brute, que leur origine soit naturelle ou synthétique. L'état de pureté chimique n'ajoute rien. La matière doit, pour être assimilable par l'homme, avoir été vitalisée par son passage dans le végétal.

Nous concevons donc l'erreur capitale commise par ceux qui ingèrent des minéraux à l'état « inorganique », non biologique, non vitalisé. Une carence minérale ne peut être comblée que par l'absorption de végétaux qui en contiennent. Tous les aliments de l'homme doivent venir, directement ou indirectement, du règne végétal.

Le Dr Barnett Sure, de l'Université d'Arkansas, constata que les animaux d'essais recevant une dose de vitamines synthétiques B étaient tout particulièrement altérés, car ils transmettaient à leur progéniture un caractère extrêmement défavorable : celle-ci était stérile, les générations successives étaient châtrées chimiquement.

Prenons le cas du glucose. Ce dérivé de l'amidon de maïs (dextrose), produit chimique synthétique obtenu en cuisant l'amidon avec un acide minéral, est un édulcorant et un produit d'addition connu pour prédisposer au cancer, bloquer l'assimilation du calcium et causer le diabète.

Les corps gras synthétiques obtenus par hydrogénation des huiles provoquent une élévation du cholestérol sanguin et un accroissement de la tension sanguine et des maladies cardio-vasculaires, tandis que les huiles alimentaires naturelles, vierges, maintiennent le cholestérol à un taux normal et contribuent à prévenir de tels troubles de santé.

Nous concevons l'erreur consistant à ajouter des vitamines synthétiques à notre alimentation, par exemple de la vitamine D à certains produits dérivés du lait (notamment yoghourt). Il peut en résulter des troubles rénaux extrêmement graves, le ramollissement cérébral, une calcification pathologique prédisposant l'enfant aux maladies séniles, cardio-vasculaires, etc.

Voici quelques-uns des principaux accidents imputables aux vitamines synthétiques : douleurs variées, insomnies, troubles cutanés, hydrocéphalie, crises convulsives, malformations à la naissance (yeux absents, cécité, etc.), hypertension, anorexie, fatigue accentuée, soif inextinguible, choc anaphylactique, délire, coma, mort.

Mais l'aliment biologique, vitalisé, « organique » (ou plus exactement organisé) peut devenir inorganique :

— Par la **cuisson**, qui précipite les colloïdes et entraîne leur floculation. (La cuisson entraîne donc des surcharges toxiques et, en revanche, des carences minérales, enzymatiques, vitaminiques.)

— Par les **produits chimiques** (y compris l'acide acétique du vinaigre, peut-être aussi le sucre pur qui, par combinaison avec ces substances organiques, les dénature). Sont donc nocifs les produits chimiques, dits chimiquement purs, utilisés en pharmacie, en médecine, en industrie alimentaire.

— Par **putréfaction**, dessiccation extrême, combustion lente ou rapide. (La putréfaction peut se produire à l'intérieur ou à l'extérieur de l'organisme ; la mauvaise digestion est une cause de putréfaction des aliments).

— Par **antagonisme**. Certaines substances sont dites antagonistes, c'est-à-dire que leur mélange ou leur ingestion simultanée cause leur altération.

Le problème du fluor se comprend mieux à la lumière de ces enseignements. Les substances « inorganiques » utilisées pour la fluoration de l'eau de boisson et des aliments sont des poisons dont l'administration risque de déclencher des processus pathologiques redoutables (dents durcies mais friables, rachitisme et déminéralisation, altération de la descendance, notamment mongolisme). Les expériences menées actuellement sur des dizaines de milliers d'enfants nous paraissent représenter un risque considérable.

Chacun sait aussi que l'administration de calcium synthétique à la femme enceinte cause une hypercalcification pathologique chez le nouveau-né, sénile dès la naissance. Dans le cas de fractures, le calcium chimique utilisé se dépose fréquemment sur les os et les artères, les sclérosant anormalement. Il semble y avoir une relation entre les minéraux pharmaceutiques et les troubles cardio-circulatoires tels que hypertension, athérome, artériosclérose, etc.

Rappelons brièvement, pour terminer, une des expériences du Dr Pottenger relative à l'insuffisance du lait pasteurisé et de la viande cuite comme aliments. Il remarqua que le sol des parcs d'élevage des chats nourris avec de tels aliments était incapable de produire des végétaux normaux. Des légumineuses cultivées à l'extérieur de ces parcs donnaient une récolte luxuriante mais, dans les parcs où avaient été élevés les chats incorrectement nourris, il retrouvait à peine ses graines. Le sol avait été dégradé par les déjections des animaux mal alimentés. Indirectement donc, la cuisson et la pasteurisation conduisent à la ruine du sol.

La première condition d'une alimentation correcte consiste donc à rechercher des aliments biologiques, c'est-à-dire assimilables et non dégradés. Méfions-nous donc des aliments chimiques, improprement récoltés, conservés, transformés, dont les propriétés vitalisantes ont été ruinées.

4. Qu'est-ce que la culture orthobiologique ?

Beaucoup de consommateurs se sont émus à la perspective des troubles qui peuvent être provoqués par les substances chimiques de plus en plus libéralement utilisées dans l'agriculture, l'élevage et l'industrie alimentaire.

L'excessive fertilisation chimique conduit paradoxalement à la dégradation des sols par destruction des micro-organismes qui font partie intégrante de l'humus. Ces micro-organismes détruits, la terre devient stérile et il est alors indispensable, pour garder ou accroître les rendements, de recourir à des doses croissantes d'engrais chimiques.

Cependant, les végétaux qui ont été ainsi poussés artificiellement sont plus fragiles. Ils constituent une proie de choix pour les parasites et les champignons, qui ont vite fait de détruire les récoltes.

Pour se protéger contre ces parasites et champignons, l'agriculture dispose de pesticides et de fongicides eux aussi de plus en plus puissants — mais de plus en plus nocifs.

Le Bulletin d'information du ministère de l'Agriculture reconnaissait d'ailleurs, déjà, en 1958 que : « *En diffusant dans le végétal, les pesticides systémiques peuvent atteindre les parties consommables de la plante, les fruits par exemple. Ils peuvent même s'y accumuler ; il y a donc là un danger pour les consommateurs.* »

Pour l'homme qui consommera des produits chargés intérieurement et extérieurement de toxiques, un problème se pose : **comment faire autrement ?**

Les mêmes difficultés interviennent au niveau des élevages d'animaux de boucherie. Vivant sur des sols empoisonnés, recevant des médicaments, des vaccins, des tranquillisants et d'autres toxiques, ils ne peuvent que présenter un danger pour la santé du consommateur.

Une réaction s'est fait jour. Devant une agriculture et un élevage chimiques, il s'agissait de mettre en œuvre des méthodes conformes aux voies de la vraie biologie, de la biologie correcte, et cette agriculture, qui se veut réellement biologique, peut être plus exactement qualifiée d'orthobiologique (ortho = *droit* ; bios = *vie*).

Les circuits de diffusion des produits orthobiologiques se mettent progressivement en place. Des organisations plus ou moins importantes s'en préoccupent. Il y a aussi, pour ceux qui habitent la campagne, la possibilité de cultiver par eux-mêmes ou de s'approvisionner en produits sains. En ville, les magasins diététiques sérieux sont approvisionnés en aliments d'origine orthobiologique, qui coûtent fréquemment un peu plus cher mais peuvent être consommés en moindre quantité, d'où, en définitive, pour une même dépense, des économies de santé considérables.

Nous y reviendrons à plusieurs reprises au cours de cet ouvrage, pour des explications théoriques mais surtout en vue de la pratique de l'alimentation saine.

vos aliments
et vous

5. Classification des aliments

En fonction de leur composition chimique, les aliments peuvent être classés en 7 groupes :

1 — **Les protides** (ou protéines, ou azotés).

2 — **Les glucides** (ou hydrates de carbone) ; farineux, amidons, sucres, celluloses.

3 — **Les lipides** (huiles et graisses).

4 — **Les vitamines**

5 — **Les sels minéraux organiques**

6 — **L'eau.**

7 — **Le soleil-aliment.**

6. Les protides

Fonctions ; sources

Ce sont pour ainsi dire les briques de notre organisme. Ils représentent des facteurs d'édification indispensables. Ils entrent également dans la composition de nos enzymes et, notamment, de nos sucs digestifs. Mais ils ont encore bien d'autres fonctions vitales.

Les protides se trouvent en plus grande proportion dans : la viande et le poisson, les œufs et le fromage, les fruits oléagineux (noix, noisettes, amandes, pignons, pistaches...), les légumineuses (haricots, pois, fèves, lentilles, soja, arachides, cacahuètes...).

Ce ne sont pas les seules sources de protides : les fruits et les végétaux en général qui ne font pas partie des légumineuses contiennent aussi des protides mais la proportion de ceux-ci est de beaucoup moindre. Par exemple, les céréales et leurs dérivés (pain complet, pâtes, riz, etc.) en renferment jusqu'à 3 ou 4 % ; les légumes verts également jusqu'à 1/2 et même 1 %.

Les protides servent de matériaux de construction et de réparation des cellules, lors de la croissance et pour le remplacement des cellules usées ou endommagées.

Les protides doivent, au cours de la digestion, être réduits en substances plus simples : les *acides aminés.* Cette transformation s'opère par des processus très complexes. Dans l'estomac, la pepsine du suc gastrique agit sur les aliments protidiques ingérés. Dans le duodénum, les aliments subissent une nouvelle désintégration grâce à la trypsine qui se trouve dans le

suc pancréatique déversé dans l'intestin. Le processus se termine normalement dans l'intestin grêle, sous l'action de l'érepsine fournie par les parois
de cette partie de l'appareil digestif. Les acides aminés résultant de cette action chimique peuvent alors traverser les parois intestinales, ils sont absorbés par le sang et la lymphe et transportés par ceux-ci vers les cellules.
Chaque cellule reconstruit, à l'aide des acides aminés, des protides vivants,
de composition variable suivant les divers organes et parties du corps où
s'effectue cette nouvelle synthèse.

Les 3 catégories de protides

1°) Les protides de première classe, ou complets : ils sont aptes à satisfaire tous les besoins azotés de l'organisme. Ils contiennent tous les
acides aminés indispensables à la vie : valine, thréonine, leucine, isoleucine,
méthionine, phénylalanine, tryptophane et lysine. Lorsqu'un de ces acides
aminés indispensables n'est pas fourni en quantité suffisante dans la ration,
les autres acides aminés risquent de n'être pas assimilés ou de l'être insuffisamment. **L'absence d'un élément entraîne donc la perte des autres. D'où la
nécessité de fournir à l'organisme, à chaque repas, une alimentation aussi
équilibrée que possible en acides aminés de première classe.** Ceux-ci se
trouvent notamment dans le lait, l'œuf, la viande, etc. Le grain de blé est
carencé en lysine : il faut donc prendre au cours du repas, pour apporter
cette lysine manquante, du fromage ou de l'œuf ou de la viande ou du poisson ou des légumineuses ou des fruits oléagineux.

2°) Les protides de deuxième classe sont uniquement aptes à couvrir le
besoin d'entretien mais incapables d'assurer la croissance ou la reproduction des cellules. On les trouve dans les légumineuses, notamment.

3°) Les protides de troisième classe sont très insuffisants. Ils n'assurent qu'une faible proportion de nos besoins en protides : la gélatine des os,
la gliadine du blé, la zéine du maïs, etc.

Nous concevons donc que, pour l'enfant, le convalescent, la femme
enceinte ou allaitante, ou encore pour ceux qui souhaitent grossir, une alimentation comportant des acides aminés de première catégorie en équilibre
et en suffisance est nécessaire. D'où l'utilité de connaître cette notion et de
l'appliquer, et surtout de ne pas tenter sur les enfants des expériences d'alimentation carencée comme certains régimes le proposent trop fréquemment.

On considère, grossièrement, que la quantité d'acides aminés nécessaires à l'organisme chaque jour correspond au millième du poids du corps :
1 g de protides pour 1 kg de poids. Il en résulterait qu'un homme de

70 kg doit recevoir chaque jour une ration de 70 g de protides. Cette ration serait un peu trop forte pour un homme normal mais assez adaptée aux besoins des enfants, des convalescents et des femmes enceintes ou allaitantes.

Effets de la carence protidique

L'insuffisance d'aliments comportant des protides de première et deuxième classes entraine l'amaigrissement par fonte musculaire, l'asthénie, les difficultés de concentration et de mémoire, les difficultés digestives par faiblesse des sécrétions gastriques et autres.

Lorsque cette carence intervient chez le fœtus, par suite d'une nutrition insuffisante de la mère, ou chez le bébé, dans les premiers mois de la vie, il peut en résulter un déficit intellectuel plus ou moins grave et irréductible. D'où le niveau intellectuel assez bas des populations très carencées en protides et en aliments protecteurs.

Effets de l'excès d'aliments protidiques

Lorsque la ration alimentaire est trop riche en viande, poisson, œuf, fromage, etc., le sang et les cellules se chargent de purines, d'acide urique et d'autres toxiques, le foie et les reins s'altèrent progressivement. Il en résulte, à échéance plus ou moins longue, des troubles rénaux et hépatiques, arthritiques, cardio-vasculaires, etc. Un excès d'aliments protidiques coûte cher car ces aliments sont souvent les plus coûteux (viande, fromage notamment).

7. Les glucides

Fonctions ; sources

Ces aliments sont également appelés hydrates de carbone. Ils sont surtout contenus :
— dans le blé, l'orge, l'avoine, le riz, le seigle, le maïs et les autres céréales ;
— dans les légumes racines : carottes, panais, etc. ;
— dans les tubercules : la pomme de terre, le topinambour, etc. ;
— dans certains fruits : marrons et châtaignes, notamment.
Notons qu'il en existe également dans la majorité des autres aliments (par exemple dans les légumineuses : pois, fèves, lentilles, haricots, etc.) et sous forme de cellulose, qui forme la paroi cellulaire des fruits et des légumes et qui se trouve également dans l'enveloppe extérieure des céréales.

Digestion

La digestion des amidons commence dans la bouche, sous l'action d'un ferment de la salive : la ptyaline. Cette prédigestion ne peut s'effectuer qu'en milieu alcalin ou mi-acide. Une mastication prolongée et une suffisante imprégnation des aliments par la salive assurent la prédigestion qui facilite le travail digestif à intervenir au niveau de l'estomac et de l'intestin.

La digestion des amidons se poursuit en effet dans l'estomac, sauf lorsque celui-ci est trop acidifié (par l'acide chlorhydrique), élément constitutif important du suc gastrique. Une fois qu'ils ont quitté l'estomac, les hydrates de carbone subissent l'action des ferments sécrétés par le pancréas puis par la muqueuse intestinale. Ils sont alors transformés en sucres simples : glucose, fructose, galactose, qui peuvent être absorbés par la paroi intestinale et transportés au foie où ils sont à nouveau transformés en glycogène pour être utilisés par les cellules ou stockés dans le foie ou encore transformés en graisse.

Quant à la cellulose, elle peut être digérée en partie, plus ou moins faible, grâce à l'action du *colibacille* qui se trouve à l'état normal dans l'intestin. Cette digestion de la cellulose produit notamment des vitamines du groupe B (équilibre nerveux) et K (coagulation sanguine) mais, lorsque l'intestin n'est pas en bonne santé pour des raisons physico-psychologiques, le colibacille intestinal ne peut pas remplir son rôle bienfaisant : la cellulose n'est pas digérée et il ne se forme pas de vitamines B et K.

Dans la catégorie des glucides figurent également les sucres qui sont : le sucre de canne (extrait de la canne à sucre), le sucre de betterave, les mélasses et les sirops (produits industriels résultant de la cristallisation du sucre de canne et de betterave), le lactose (sucre de lait), le fructose, le miel, etc. Afin d'être utilisable, le sucre industriel doit être dissocié dans l'organisme mais les sucres de fruits, frais ou secs, sont directement assimilables.

Effets d'une alimentation trop riche en glucides

Hyperglycémie, surmenage hépatique, excès de calories conduisant à l'obésité, à la surcharge graisseuse entre les fibres musculaires et sous la peau, aux fermentations gastro-intestinales avec production de gaz et d'alcool, à la destruction, au cours de ces fermentations, d'une partie de la ration alimentaire. L'activité intellectuelle s'alourdit et se ralentit ; l'individu devient plus lent lui aussi et se lymphatise.

Effets de l'insuffisance d'hydrates de carbone

Perte de tonus, manque de résistance à l'effort physique, besoin pour l'organisme d'extraire les hydrates de carbone des aliments protidiques, d'où un surmenage du foie et des reins, avec production d'ammoniaque, que ne peut pas aisément éliminer le rein. D'autre part, l'insuffisance d'hydrates de carbone conduit à une hypoglycémie ; l'organisme mobilise tant qu'il le peut ses réserves mais, pour son fonctionnement harmonieux, des hydrates de carbone sont nécessaires en permanence, et une bonne partie de la ration doit être composée d'hydrates de carbone de digestion lente (pain et céréales), en ne prenant qu'une ration très modérée de sucres à digestion rapide (miel, fruits secs, etc.).

Les aliments hydrocarbonés étant parmi les moins chers, un abus dans ce domaine est fréquent. Lorsque cet abus va de pair avec une insuffisance d'aliments protidiques, dès la première enfance, il peut orienter le tempérament vers l'apport lymphatique accentué, avec tendance « incurable » à l'obésité chez l'enfant, l'adolescent et l'adulte.

Cette éventualité a moins de chance de se réaliser avec les fruits frais et secs, riches en sucres rapidement assimilables, apportés à l'organisme dans un contexte naturel qui les valorise et les dynamise.

La cellulose

La cellulose constitue la membrane de toutes les cellules végétales ; elle se rencontre dans le son des céréales, dans les légumes et dans les fruits.

Nous ne la digérons que difficilement et partiellement (sauf certaines formes d'hémi-cellulose situées dans les parties blanches et très tendres des salades) faute de posséder l'enzyme (le ferment) qui l'attaque. Les bovins, par contre, la possèdent et leur intestin transforme la cellulose en sucres simples et assimilables.

Mais si la cellulose est un élément inerte, elle est pourtant nécessaire. Elle joue un rôle important dans la digestion en assurant le ballast du bol alimentaire, elle accélère le transit intestinal. La cellulose des légumes et des fruits irrite moins le tube digestif que celle des céréales et des légumes secs. Aux différentes raisons qui font conseiller la consommation quotidienne des légumes frais riches en vitamines et en sels minéraux, ajoutons qu'ils stimulent les fonctions de l'intestin.

Quand la cellulose des légumes est dure, il faut la mastiquer soigneusement pour faire éclater la gaine non digestible qui enrobe les substances nutritives ; on permet ainsi le contact de ces substances avec le suc digestif et leur utilisation par l'organisme.

8. Les lipides (huiles et graisses)

Fonctions ; sources

Les lipides peuvent être trouvés dans l'alimentation d'origine végétale ou animale.

Les végétaux les plus riches en graisses sont les fruits oléagineux : noix, noisettes, amandes, pignons, pistaches, olives, noix de coco, noix du Brésil, etc. ;

Les légumineuses (soja, arachides...). Ajoutons-y les graisses de palme, les graisses contenues dans de nombreux aliments même glucidiques, tels que les céréales.

Des graisses végétales peuvent être transformées, et nous citerons comme exemple les margarines, parfois d'ailleurs additionnées de graisses animales et solidifiées par hydrogénation, chauffage excessif qui en réduit fortement la valeur biologique. Des produits alimentaires appelés *shortenings* sont couramment ajoutés en industrie alimentaire, notamment dans la fabrication des biscuits, des cakes, etc. Ce sont des produits chimiques soupçonnés d'être toxiques ; on les dit fabriqués à partir de graisses d'équarrissage, notamment. Ils servent à faire des biscuits à pâtes non liées, granuleuses. Nous pouvons dès à présent mettre en garde contre leur consommation.

Les graisses d'origine animale habituellement consommées sont contenues dans le lait, le beurre, l'œuf, les graisses de viande (saindoux, lard, etc.). Les aliments contiennent de la graisse en proportion variable : pour le beurre : environ 80 % ; pour les fromages : de 20 à 40 et même 60 % ; pour les fruits oléagineux : de 40 à 60 %. Le pain n'en contient guère que 1 % et les châtaignes 2 %.

Les lipides fournissent une partie des calories dont nous avons besoin. Ils sont environ 2 fois plus riches en calories que les glucides, à poids égal. Certaines graisses, telles que la lécithine, servent aussi à l'édification de substances qui entrent dans la composition des cellules et tissus nerveux.

Digestion

Les lipides sont digérés dans le duodénum puis dans l'intestin grêle. Une petite proportion est dissociée en acides gras et glycérine, qui sont absorbés par la muqueuse intestinale. De là, les canaux lymphatiques les entraînent dans le sang où ils sont transformés en réserves lipidiques, qui seront utilisées au fur et à mesure des besoins organiques.

Ce qu'il faut savoir aussi, c'est que les graisses utilisées sont oxydées pour une bonne part au niveau des poumons. Si l'alimentation est trop riche en graisse, des dépôts lipidiques s'accumulent dans les cellules pulmonaires, qu'elles encrassent et où elles peuvent être à l'origine de troubles catarrhaux, bénins ou graves : catarrhes, bronchites... Peut-être même jusqu'à certaines formes de tuberculose. D'où l'utilité de la respiration oxygénante.

Lipides animaux ou végétaux ?

Si les aliments proviennent de sources contaminées par la chimie, les graisses tendent à retenir les toxiques. Le Pr Lautié a pu déclarer : **« Les graisses animales sont trop souvent des exutoires où se concentrent microbes, déchets de désassimilation, ptomaïnes, médicaments, pesticides, etc. Le lipide végétal paraît plus sûr et d'une digestibilité plus grande. Donnons la priorité aux corps gras végétaux (au moins 2/3 de ceux-là contre 1/3 de corps gras animaux). »**

Nous n'insisterons pas ici sur la distinction biochimique entre les corps gras dits saturés et insaturés. Sachons seulement que les insaturés sont les plus recommandables et qu'on les trouve plus sûrement dans les aliments d'origine végétale : les huiles d'olive, d'arachide, de tournesol, etc.

Nous ne recommandons pas l'huile de colza, suspectée, avec quelque raison, de provoquer des altérations cardiaques.

Les aliments contenant des acides gras insaturés sont plus sensibles à la lumière, à l'humidité et à certains ferments et micro-organismes. Ils prennent alors un goût désagréable et deviennent toxiques et irritants pour les intestins et le foie. D'où la nécessité de conserver les huiles et graisses à l'abri de la lumière, de l'air, de l'humidité et à température suffisamment basse. Il faut rejeter tous les aliments rancis, y compris les fruits oléagineux vieux ou mal conservés.

Nous admettons qu'une proportion de lipides équivalents en poids à 5 % de la ration totale est nécessaire et suffisante dans l'alimentation humaine.

Nous veillerons à ce que ces aliments soient de provenance saine et n'aient pas été contaminés par les engrais chimiques, les pesticides, les conservateurs, arômes, etc., et qu'ils n'aient pas subi une cuisson excessive. En effet, chauffés au-delà de 160, 180 ou 200°, les lipides se transforment partiellement en composés indigestes et cancérigènes (l'acroléine et divers goudrons, notamment).

En ce qui concerne spécialement l'huile de table, elle doit être vierge, c'est-à-dire extraite à froid et sans solvant chimique. Il faut se méfier des traitements que l'on dit être purifiants.

Les graisses et le cholestérol

La question du cholestérol est très complexe et nous la simplifions au maximum.

Le cholestérol est particulièrement abondant dans certains aliments : les œufs, les « fruits de mer » et les abats.

Indépendamment de l'apport extérieur par les aliments riches en cholestérol, celui-ci peut également se former, dans l'organisme même, à partir de l'ingestion de certains glucides. Notamment lorsque l'état nerveux est perturbé, une forte production de cholestérol peut s'élaborer à l'intérieur de l'organisme et être une des causes de l'hypercholestérolémie.

Le cholestérol participe à la formation des sels biliaires. Il est également, au niveau de la peau, transformé par le rayonnement ultraviolet (celui du soleil, principalement) et il est alors une des sources de la vitamine D.

La régulation du métabolisme du cholestérol dépend de ses combinaisons avec les acides gras fournis par les aliments. De la stabilité de ces combinaisons dépend la propension du cholestérol à s'accumuler, à participer à la formation d'athéromes, affectant les tuniques intérieures des vaisseaux sanguins. Un excès de cholestérol peut donc être néfaste à la circulation sanguine en rendant les vaisseaux durs, rigides, et même en y suscitant des altérations internes.

Plus forte est la consommation d'acides gras saturés, plus le cholestérol qui entre en combinaison avec eux est difficile à dissocier. En revanche, la combinaison entre le cholestérol et les acides gras insaturés est facile à dissocier.

La cholestérolémie s'abaisse quand on remplace les graisses animales par des graisses végétales dont le taux en acides gras insaturés est plus élevé : huile de noix (75 %), de tournesol (60 %), de maïs (55 %), de soja (50 %), d'arachide (25 %), d'olive (15 %).

Avant tout, nous devons nous préoccuper d'obtenir le cholestérol à partir de sources insaturées.

9. Les vitamines

Fonctions

Les vitamines sont des substances organiques fragiles qui se trouvent en quantité infinitésimale dans la plupart de nos aliments. Certaines peuvent d'ailleurs être élaborées par l'organisme, pour ses besoins propres.

Leur rôle et leur action n'ont pas encore été parfaitement définis. Nous en sommes encore au stade des hypothèses.

Quoi qu'il en soit, nous savons que la carence en telle vitamine entraîne généralement tels troubles. Par exemple, la carence en certaines vitamines du groupe B entraîne le béribéri, maladie nerveuse.

Les quantités de vitamines nécessaires sont extrêmement faibles ; souvent, elles agissent plus comme des *catalyseurs*. Ce ne sont pas des matériaux de construction ni des producteurs d'énergie.

Les vitamines assurent le fonctionnement de mécanismes vitaux, en association avec des oligo-éléments.

Certains aliments ne fournissent pas directement des vitamines mais des *provitamines*, qui seront ensuite transformées dans l'organisme même pour fournir des vitamines. Par exemple, l'ergostérol des plantes qui s'accumule sous l'épiderme évolue en vitamine D sous l'action du rayonnement solaire. Autre exemple : dans un intestin normal où les microbes sont en symbiose avec les muqueuses, certains bacilles peuvent élaborer les vitamines K et B en quantité suffisante.

D'une manière générale, les vitamines sont instables et fragiles. Certaines sont détruites par la chaleur, d'autres par le froid, d'autres encore par le bicarbonate de soude, le vinaigre, etc. **L'idéal serait de consommer les aliments dans leur forme brute, crue et non apprêtée.**

Les manipulations industrielles de l'aliment ont des conséquences souvent défavorables sur les vitamines et les oligo-éléments. La farine blanche, le riz décortiqué, le sucre blanc sont appauvris en facteurs vitaux. Cette alimentation carencée est pour une bonne part à l'origine des désastres que nous pouvons observer dans nos pays industriellement avancés.

Peut-il y avoir hypervitaminose ?

Les vitamines données en quantité excessive peuvent-elles être nocives ? L'expérience et l'observation ont montré qu'il n'y a guère de risques d'excès vitaminiques par l'alimentation naturelle. En revanche, **si l'on recourt aux vitamines chimiques (de synthèse), les risques d'hypervitaminose sont réels.** Il suffit parfois d'une très faible dose de vitamine D synthétique pour entraîner des troubles graves, qui peuvent aller jusqu'au ramollissement cérébral et à des troubles rénaux irréversibles. **Les vitamines de synthèse ne sont pas des aliments normaux**, naturels, convenant parfaitement aux besoins de l'organisme.

En principe, une alimentation équilibrée, comportant une large ration de nourriture crue, apporte en quantité suffisante et en proportions correctes les vitamines dont nous avons besoin. Nous donnerons ci-après des indications plus précises sur les sources vitaminiques mais **il faut éviter de se polariser sur ce problème**, de consulter à chaque instant le tableau des vitamines pour savoir si la ration est suffisamment riche en tel ou tel facteur. Les indications que nous donnerons peuvent servir de référence générale afin d'éviter qu'un facteur manque totalement ; quant à l'importance même de la ration, elle ne peut pas être déterminée scientifiquement ; les données de laboratoire relatives aux vitamines sont chaque jour remises en cause.

Notons encore que certaines vitamines sont solubles seulement dans l'eau, d'autres dans l'huile, etc. Certaines sont mises en réserve (les vitamines A, D, E par le foie ; la vitamine C par l'hypophyse, etc. Beaucoup de vitamines doivent être prises régulièrement car l'organisme ne les synthétise pas ni ne les stocke. D'où l'importance d'une ration comportant **chaque jour** suffisamment de vitamines à l'état naturel ; dès à présent, nous concevons l'importance des crudités prises en bonne abondance en tête d'un ou deux repas chaque jour.

Les principales vitamines et leurs sources

La **vitamine A** (liposoluble) intervient dans la croissance, la santé des muqueuses et de la peau, la circulation, l'eczéma, le psoriasis, l'hypertension.

La carence en vitamine A entraîne des altérations des muqueuses de l'œil, la réduction de la vision nocturne, la sécheresse de la peau.

On la trouve surtout dans les verdures et crudités : salades, légumes verts, carottes ; dans les fruits (surtout la cerise noire, la prune reine-claude, les groseilles et cassis, les framboises, les myrtilles, les mûres, les abricots. En sont riches également les corps gras : beurre cru, huile d'arachide et d'olive, jaune d'œuf et lait.

Les vitamines du groupe B sont hydrosolubles.

La **vitamine B1** conduit l'influx nerveux. Elle maintient le tonus nerveux.

Sa carence entraîne le béribéri (paralysie nerveuse) et des troubles digestifs.

On la trouve dans le péricarpe des grains (blé, riz, etc.), ainsi que dans le pain complet ou semi-complet.

La **vitamine B2** (riboflavine) intervient dans les processus d'oxydation cellulaire (respiration).

Sa carence entraîne un arrêt de la croissance et des troubles de la peau et des muqueuses. On la trouve dans les grains, le lait et les levures. La levure alimentaire sèche en est particulièrement riche.

La **vitamine B6** (pyridoxine) active le métabolisme des graisses et des substances protidiques.

Sa carence entraîne des troubles d'irritation cutanée et une surcharge graisseuse du foie.

On la trouve surtout dans le jaune d'œuf ainsi que dans les levures, le soja et les pommes de terre.

Dans ce groupe B, mentionnons également une vitamine appelée *amide nicotinique,* qui protège la peau, joue un rôle dans le métabolisme des sucres et des acides gras, et intervient dans les troubles des muqueuses.

Sa carence entraîne la pellagre (dermatite, stomatite, troubles nerveux).

On trouve cette vitamine dans le foie de veau, de bœuf, dans les levures de brasserie et dans les champignons.

Une autre vitamine B1 (*acide pantothénique*) qui joue un rôle dans la protection de la peau, des cheveux et des ongles.

Sa carence entraîne une altération du système pileux, de la peau et du foie.

On la trouve dans la levure, le son, l'œuf, le foie des animaux, les huîtres et le lait.

Dans le groupe B encore, l'*acide folique*, qui a une action antianémique.

Sa carence ralentit la croissance et favorise l'anémie.

On la trouve particulièrement dans les épinards, les carottes, le blé, les levures et le foie.

La **vitamine H** (biotine) intervient dans le développement de l'organisme et la transformation des corps gras ainsi que des protides. Elle est utile pour la santé des cheveux et de la peau.

Sa carence entraîne une altération de la peau (dermatose avec séborrhée), l'atrophie des papilles de la langue, l'asthénie psychique.

On la trouve principalement dans les levures, l'huile d'arachide, les choux, les champignons et les pois frais.

La **vitamine B12** intervient dans la formation des globules rouges du sang.

Sa carence entraîne une anémie grave, pernicieuse. Chez l'homme, c'est l'anémie de Biermer.

On la trouve surtout dans le foie d'animal et les légumes verts. Les fruits rouges, notamment l'abricot, en contiendraient également, du moins sous une forme un peu « semblable ».

La **vitamine C** (acide ascorbique, hydrosoluble) intervient comme tonique cellulaire et dans les processus d'oxydo-réduction.

Sa carence entraîne des troubles de croissance ainsi que le scorbut avec altération des os et des dents. Elle est indispensable aux nourrissons privés de lait de mère. Il faut leur donner des jus de fruits doux chaque jour en quantité modérée.

On la trouve dans la plupart des légumes et des fruits, surtout l'orange et le citron. Il faut préférer les fruits doux de saison. Autres sources très importantes : persil, carotte, chou-fleur, épinard. Elle figure en quantité importante dans le lait de femme.

La **vitamine D** (liposoluble) est antirachitique et régularise l'équilibre phospho-calcique.

Sa carence entraîne des troubles osseux, notamment le rachitisme.

On la trouve dans le lait, les œufs, les huiles de poisson, le foie de veau, le beurre. Ces aliments apportent des stérols qui se transforment en vitamine D sous l'action des rayons ultraviolets du soleil.

La **vitamine E** (liposoluble) a une action sur la fertilité. Elle favorise la formation d'ovules et de spermatozoïdes. Elle est également utile dans les processus cardio-vasculaires.

Sa carence entraîne des troubles des ovaires, de l'utérus, du testicule ainsi que des troubles musculaires et cardio-vasculaires. Elle est utile dans les avortements à répétition et l'arrêt de développement des glandes sexuelles.

On la trouve principalement dans l'huile de germe de blé et de maïs, dans la salade verte, le persil, les épinards et les pois, dans l'huile d'arachide et l'huile d'olive.

La **vitamine F** intervient dans le métabolisme des cellules et la santé de la peau.

Sa carence entraîne des troubles cutanés avec irritation. Elle est indiquée dans les eczémas, notamment chez l'enfant.

On la trouve dans les acides gras non saturés (linoléique, arachidonique), notamment dans l'huile de germe de blé, également dans l'huile de foie de morue ou de flétan.

La **vitamine K** a une action sur la coagulation du sang.

Sa carence entraîne des hémorragies, le purpura, une chute de la thrombine du sang, donc une faiblesse de la coagulation sanguine.

On la trouve principalement dans les épinards frais, les tomates, les pois frais, les pommes de terre, la fraise.

La **vitamine P** a une action essentiellement sur la perméabilité des cellules. Elle permet à la vitamine PP (amide nicotinique) d'être plus active. Sa carence ralentit les phénomènes cellulaires (circulation et métabolisme).

On la trouve surtout dans les fruits.

Bien d'autres vitamines existent encore : par exemple, la **vitamine U**, que l'on trouve notamment dans les choux et qui intervient dans la santé des muqueuses, digestives et autres.

10. Les minéraux et les oligo-éléments

Fonctions

Les minéraux entrent dans la composition intime de tous les tissus du corps. En effet, le corps humain n'est pas seulement fait de glucides, lipides et protides mais aussi de métalloïdes et de métaux, de bases et d'acides, d'ions positifs et négatifs.

Ces corps ne représentent qu'environ 3,5 % du poids total de l'organisme mais cette proportion ne doit pas les faire sous-estimer : ces éléments sont de la plus haute importance au point de vue physiologique.

Les os et les dents contiennent de nombreux sels minéraux : phosphate tricalcique (85 %), carbonate de calcium (9 %), fluorure de calcium (4 %), phosphate de magnésium (2 %).

Les minéraux nous sont fournis par l'eau, les fruits, les légumes, les céréales, les levures, les laitages, les fromages, les poissons et les viandes. Leurs rôles sont très divers et nous les citons d'après le Pr Lautié :

1°) Ils peuvent rendre conductrice l'eau du sang et des lymphes.

2°) Ils peuvent assurer la construction et la réparation de l'ossature, des dents, des structures cellulaires.

3°) Ils peuvent, soit seuls, soit associés à des vitamines et des enzymes, assurer la fixation de l'oxygène de l'air et du gaz carbonique de désassimilation.

4°) Ils peuvent, soit seuls, soit associés à des enzymes, catalyser des hydrolyses, des réductions, des oxydations dans les multiples processus chimiques des cellules qui assurent la synthèse de composés personnalisés, la dégradation de substances et la libération d'énergies typiques.

Ils sont essentiels et indispensables. **Les carences minérales risquent d'être aussi dangereuses, aussi dramatiques que les carences protidiques, lipidiques ou vitaminiques.**

On admet que la nourriture quotidienne doit permettre le maintien constant du rapport calcium-phosphore à 1,5 pour le nourrisson, 1 pour l'enfant et 0,7 pour l'adulte, faute de quoi les os se fragilisent, les équilibres cellulaires se dérèglent, les nerfs s'irritent, le sang nourrit mal et le cerveau faiblit. Malheureusement, nous connaissons très imparfaitement les besoins minéraux de l'organisme.

D'autre part, pour être assimilés correctement, il est préférable que les minéraux soient pris sous une forme organique, c'est-à-dire qu'ils soient passés par l'intermédiaire du végétal. Si nous prenons les minéraux sous la forme synthétique, provenant de la chimie, ils risquent d'être mal assimilés, pris dans des contextes déséquilibrés, et ils peuvent alors donner lieu à des troubles parfois très graves, par hyperminéralisation, par exemple.

Nomenclature

Le **calcium** est absorbé par l'intestin. Il est stocké par les os et les dents. Il intervient dans la coagulation du sang et dans les fonctions neuro-végétatives. Son équilibre dans le corps dépend de certaines hormones. Si l'acidité totale des aliments est trop grande, le calcium est mal assimilé. En revanche, **pour son assimilation, il nécessite un pH légèrement acide**. Il est donc bon de prendre chaque jour une vingtaine de gouttes de jus de citron ou encore un peu d'aliments ayant subi une acidification lactique.

Sont riches en calcium les fromages, les fruits gras (amandes, noisettes), le jaune d'œuf, les olives noires, les fruits, les salades, le germe de blé, le seigle complet.

Le **phosphore** est également indispensable. Il doit être en bon équilibre avec le calcium, l'un permettant la fixation de l'autre. Les besoins moyens de l'organisme en phosphore sont environ d'un gramme par jour. Les aliments suivants sont riches en phosphore : lait, fromage, œuf, certains légumes, l'amande des céréales, efficace contre l'acidose et la décalcification.

Les aliments carnés, les céréales complètes tendent, chez les sujets prédisposés, à accentuer l'acidose et la décalcification, s'ils sont mal préparés.

Par exemple, le son du blé est riche en acide phytique qui, pris à dose trop importante, est déminéralisant. Si le blé complet est panifié correctement à l'aide du levain, l'acide phytique se transforme en phytates, neutres, donc non déminéralisants. D'où la nécessité de ne pas prendre de farine complète non panifiée au levain. Au passage, nous en concluons que l'utilisation des pâtes alimentaires complètes paraît être un non-sens diététique.

Le **potassium** est un alcalin intracellulaire en équilibre avec le sodium à travers les membranes cellulaires. Sa présence influence le taux de magnésium. Il intervient dans la vie des globules rouges et dans le transport du gaz carbonique de désassimilation. Il joue un grand rôle dans la transmission de l'influx nerveux et dans la contractibilité cardiaque. La fatigue et l'asthénie peuvent être dues à une carence potassique. La surconsommation d'aliments potassiques peut perturber l'équilibre minéral du sodium, du potassium, du calcium et du magnésium.

Sont riches en potassium : la pomme de terre, le haricot sec, les pois, les lentilles, l'épinard, l'amande et la noisette, la datte, la châtaigne, le blé complet, le seigle complet, la banane, le miel, le champignon, la carotte, etc.

Le Pr Lautié écrit : « *Le végétal est avide de potassium. Cette « goinfrerie », qui force sa croissance, a le grave défaut de déséquilibrer son complexe minéral, par exemple d'en chasser le magnésium. Par conséquent, les engrais trop potassiques et solubles dénaturent les récoltes et font de mauvais aliments qui provoquent une hyperkaliémie chez les animaux et l'homme, avec troubles nerveux, cardiaques et rénaux. Les agriculteurs orthobiologiques emploient les dérivés potassiques à doses modérées. Les habitudes de culture actuelles consistant à pousser les végétaux à l'aide d'engrais potassiques, par exemple pour les épinards et les carottes, sont à déconseiller.* »

Le **chlore** est le principal anion du sang, de la lymphe et de la grande majorité des liquides de l'organisme. Il constitue l'acide principal (acide chlorhydrique) du suc gastrique. Il faut donc en ingérer quotidiennement. Sont riches en chlore : l'huître, le gruyère, les dattes, le céleri, l'œuf entier, la farine de maïs, la banane, le poisson, le bœuf, le jaune d'œuf, l'épinard, la laitue, le germe de blé, la farine d'avoine, le blé complet, la noisette, le chou-fleur, le haricot vert, les lentilles, le navet, la noix, la carotte, la tomate, etc.

Le **sodium** prédomine dans le sang et les liquides intercellulaires. L'organisme en élimine par la sueur et l'urine. Il aiguise l'appétit, stimule l'esprit et le muscle. D'où la nécessité de le consommer sous forme de chlorure de sodium et d'autant plus que la température extérieure entraîne une plus forte sudation. Cependant, il ne faut pas en prendre en excès sous peine de surmener les reins et d'entraîner une soif trop importante. On trouve le sodium dans le sel (marin de préférence) ainsi que dans le sérum de Quinton. Le sel est également présent dans la plupart de nos aliments. Le riz en contient très peu, d'où son intérêt dans les régimes sans sel.

Les aliments qui contiennent le plus de sodium sont le fromage de Hollande, la choucroute, le germe de blé, l'huître, le pain blanc, le gruyère, le blanc d'œuf, l'épinard, le pois, la carotte, le haricot vert ou sec, le céleri, le jaune d'œuf, les poissons, le chou-fleur, la châtaigne, le lait de vache, la farine d'avoine, la lentille, le navet, la datte, le bœuf, le blé entier, la farine de maïs, l'abricot, etc.

Le **magnésium** est un constituant essentiel de la chlorophylle, il active la défense organique, dynamise les globules blancs, intervient dans les catalyses enzymatiques de la digestion et dans les métabolismes de vitamines telles que la vitamine C. Il participe plutôt à l'équilibre minéral intracellulaire avec le potassium.

Il est considéré comme anti-infectieux, anti-cancéreux, anti-athéromateux. Il purifie le sang, décontracte le système nerveux et freine la sénescence, d'après le Pr Lautié, qui lui a consacré spécialement un ouvrage.

La ration minimale se situe aux alentours de 0,1 g par jour. En ration normale : 0,4 g par jour ; jusqu'à 0,5 g pour la femme enceinte ou allaitante.

On le trouve dans le sérum de Quinton (eau de mer), dans le sel marin complet, dans les légumes correctement cultivés, dans le pain complet ou bis (mais très peu dans le pain blanc), dans la viande des animaux bien nourris (les pâturages carencés en magnésium sous le mauvais effet d'engrais excessifs en potassium rendent les animaux fragiles et leurs tissus anormaux et peu nutritifs).

Le Pr Lautié conseille, pour assurer une ration convenable de magnésium en période d'épidémies, pendant les convalescences, chez les vieillards, etc., de prendre au réveil, 3 semaines par mois, une demi-heure avant le petit déjeuner, 100 cc de la solution du Pr Delbet à 12 ‰ de chlorure de magnésium.

Le **fer** existe dans les muscles, les enzymes, le sérum sanguin et surtout dans l'hémoglobine des globules rouges où il joue un rôle de première importance dans la fixation et le transport de l'oxygène. Il intervient encore dans le métabolisme du foie, dans la moelle osseuse et la rate. Certaines hyposphyxies, les anémies hypochromes proviennent de l'insuffisance d'hémoglobine ferrugineuse dans les globules rouges. Par contre, l'excès de fer peut causer le nanisme, ainsi que les dystrophies ostéo-articulaires.

La ration minimale est de 0,015 g. La ration normale est d'environ 0,020 g, et même un peu plus chez la femme enceinte.

Sont riches en fer : le jaune d'œuf, la lentille, le haricot sec, le pois, le gruyère, le blé complet, la noisette, l'amande, le seigle, la farine d'avoine, l'épinard, le bœuf, le champignon, la datte, l'œuf entier, etc.

Le **fluor** est un constituant des os et des dents. Sa fixation dépend du phosphore, du magnésium et du calcium présents dans le corps, de même

VOS ALIMENTS ET VOUS

que des vitamines D et C. On suppose qu'il joue également le rôle de frein dans certaines tumeurs.

L'administration de fluor par différentes méthodes a été préconisée pour lutter contre la carie dentaire. On a prétendu que les méfaits du sucre pourraient être combattus par l'ingestion ou l'administration de fluor. Cependant, l'excès de fluor peut être très dangereux : il jaunit les dents, les rend dures et facilement cassantes ; il peut entraver le développement du squelette et affaiblit la résistance des os aux chocs.

L'eau buvable ne doit pas contenir plus d'un milligramme de fluor au litre, faute de quoi elle devient dangereuse et même toxique pour l'homme.

Il semble bien préférable de prendre le fluor sous forme organique, c'est-à-dire dans les aliments, dont certains en sont riches : farine d'orge, farine de blé complète, riz, asperge, abricot, tomate, raisin, radis, figue, sucre roux, millet, cresson, etc. Par les aliments, il semble que l'excès de fluor ne soit pas à craindre.

Le **silicium** est un des constituants des os, des cheveux, du cartilage, à de faibles doses, sous forme de silice. Il favorise les processus de calcification et son rôle serait positif dans la tendance au cancer.

On en trouve dans l'ail, les céréales complètes, l'épinard, les haricots, les lentilles, le millet, l'ortie, la prêle (utilisée en tisane).

Le **zinc** est nécessaire à l'activité de l'insuline sécrétée par le pancréas pour régler l'utilisation énergétique des glucides. Quand sa carence apparaît, on assiste à des troubles divers, tels que des formes diabétiques. Il est également un régulateur de l'hypophyse. Certains auteurs lui attribuent un rôle dans la fécondité.

En sont riches les céréales, l'épinard, la laitue, le maïs, le pois, la pomme de terre, la tomate, etc.

L'**aluminium** est un cation dangereux à dose relativement forte. Il est cependant nécessaire comme oligo-élément à très faible dose, pour éviter l'anxiété, l'insomnie et diverses névrites.

Il est présent dans le blé complet, la carotte, le chou blanc, l'épinard, le foie, le haricot, le maïs, le melon, l'œuf, le pois, la pomme, la pomme de terre, le seigle, le topinambour, etc.

Le **cuivre** intervient dans la formation des globules rouges. On le trouve dans l'avoine, le blé complet, la carotte, le chou blanc, l'épinard, le haricot, l'amande, la noisette, le cresson, la laitue, le pois, le seigle, la tomate, etc.

Le **brome** est utile dans les processus hypophysaires. Il facilite le sommeil et la détente nerveuse à très faible dose.

On le trouve dans le melon, l'asperge, l'artichaut, la tomate, le radis, la fraise, le topinambour, la mandarine, le céleri-rave, le chou, la carotte, etc.

Le **manganèse** est efficace dans les états allergiques. Sa carence provoque de la débilité, une certaine forme de stérilité et elle ralentit la croissance.

On le trouve en particulier dans le blé complet, la noix, l'arachide, l'orge, le riz, l'épinard, la betterave, la laitue, le cresson, l'abricot, le chou de Bruxelles, la prune, le céleri, la datte, etc.

Les végétaux préconisés par le Pr Lautié pour l'apport de manganèse sont notamment l'amande, l'aubier de tilleul, la levure alimentaire, la noisette, le pruneau, le raisin sec, le sésame, etc.

L'**iode** régit le métabolisme de la glande thyroïde et assainit le sang. Sa carence entrave le développement normal du fœtus, provoque des avortements et est responsable du goitre. Certains aliments, dans certaines régions, produisent des substances qui bloquent l'iode et, par ce fait, favorisent l'apparition du goitre. Ce serait aussi le cas, des eaux javellisées.

La ration se situe entre 1 et 3 milligrammes par jour. Elle devrait être un peu plus élevée pendant la puberté, surtout chez les filles, les anémiés, les cardiaques, les artérioscléreux.

On trouve notamment l'iode dans le sérum de Quinton, l'ail, l'ananas, l'asperge, la carotte, le citron, le cresson, la fraise, l'huître, l'oignon, l'orange, la pomme, la poire, le radis rouge, le seigle, la laitue, le blé complet, etc.

Il faut éviter de prendre des additifs chimiques à base d'iode sous le prétexte de prévenir le goitre, sauf sur avis médical, car on risque l'iodisme et l'irritation du tube digestif.

Le **nickel** est surtout important dans le diabète. Il ralentit la croissance des cellules cancéreuses, ce qui amène à rechercher les aliments qui en contiennent quand on établit le régime des précancéreux ou des cancéreux.

On le trouve dans la chanterelle, le chou, l'épinard, la carotte, la laitue, le sarrasin, la poire, la prune, l'abricot, la cerise, le blé, l'oignon, l'orange, la tomate, le cresson, le raisin, le riz glacé, les dattes, l'épinard, la levure, la noisette, le pain complet, le sésame.

Le **cobalt** est un grand activateur d'enzymes. Il est un des constituants de la vitamine B12 hypoglycémiante. Avec le magnésium, le calcium, le potassium, le sodium et le cuivre, il est nécessaire à la structuration de l'édifice cellulaire.

Il est présent surtout dans l'abricot, la carotte, la cerise, le champignon, l'épinard, la figue, le froment, le foie de veau, la laitue, la lentille, l'oignon, l'orange (écorce non traitée), la poire, la prune, le raisin, le sarrasin, la tomate, etc.

Les nitrates. Selon le Pr Lautié : « Il existe des substances minérales nuisibles dès qu'elles franchissent un seuil d'efficacité ou de tolérance. Au-dessus de ce seuil, ces substances entrent dans le domaine de la toxicité. C'est le cas de l'anion nitrique qui risque d'inactiver l'hémoglobine en méthémoglobine incapable de fixer l'oxygène. Il en résulte des anémies, des hyposphyxies et, chez le fœtus, des désordres graves pouvant aller jusqu'au mongolisme et même la mort. Donc, **l'agriculture chimique, qui gave et force les récoltes à coups de nitrates, peut être très dangereuse, aussi bien pour les bestiaux que pour les hommes.** Les excès nitriques déséquilibrent profondément la composition minérale de certaines plantes, comme le fait d'autre part l'excès potassique. Cela se remarque avec l'épinard et les salades. Par conséquent, portons notre effort sur la recherche de végétaux correctement cultivés, les seuls qui nous nourrissent bien sans nous nuire et nous carencer. **Leur qualité normale ne peut provenir que de cultures ortho-biologiques.**

11. L'eau et les boissons

Les eaux

L'eau est indispénsable à la vie. Elle représente environ 80 % du poids du corps humain.

La meilleure boisson est l'eau vitale des fruits et des légumes. Les eaux peu minéralisées — et minéralisées en proportion correcte — peuvent compléter cet apport souvent insuffisant.

Nous ne sommes pas favorables aux eaux minérales riches en substances dites « médicamenteuses » ; les minéraux qu'elles contiennent ne sont pas des substances biologiques, organiques, assimilables directement par les cellules.

En principe, les **jus** doivent se prendre frais, non apprêtés, sans intervention de conservants. Les meilleurs sont ceux que l'on extrait soi-même à la maison. Il existe aussi dans le commerce diététique des jus biologiques de bonne qualité.

Nous nous méfions d'autre part des **eaux gazeuses non naturelles,** de celles qui sont additionnées de produits chimiques pour les faire pétiller.

Les autres boissons

Le **café**, le **thé**, le **maté**, le **cacao** ne sont pas des boissons orthobio-logiques ; elles sont excitantes, indésirables par leurs purines, leurs alca-loïdes, leurs acides.

La plupart des boissons vendues comme « *toniques* », rafraîchissantes, etc., sont nocives ; elles contiennent souvent des acides, du sucre blanc ou un succédané de sucre, des excitants comme la coca, la cola, l'acide phos-phorique, la caféine, etc., **au risque d'acidifier l'organisme surtout chez les enfants, d'empêcher une bonne formation des dents, d'entraîner le rachitisme larvé ou nettement déclaré, de réduire le tonus physique et mental, c'est-à-dire de créer chez le jeune (enfant ou adolescent) les conditions de base de l'insta-bilité, du manque de concentration et de mémoire.**

L'alcool n'a pas sa place dans l'alimentation de santé. Cependant, quelques exceptions tolérables (à la limite) peuvent être considérées comme bénignes s'il s'agit de boissons provenant de culture orthobiologique : par exemple, un vin provenant de vignes cultivées dans des terres régénérées et non soumises à l'action des poisons chimiques, vinifié par les méthodes traditionnelles, peut être considéré comme acceptable, en ration modérée et exceptionnellement.

Les **eaux de cuisson des légumes** risquent d'être trop minéralisantes. Elles peuvent être récupérées et représenter la base de certains potages ou sauces. Il faut cependant se méfier de l'excès de ces jus de légumes.

Le **potage** léger, pris en tête du repas, favorise les sécrétions gastri-ques.

Le **lait** n'est pas une boisson mais un aliment.

Quand et comment boire ?

Il est préférable de prendre la boisson le matin à jeun et loin des re-pas (par exemple vers 11 heures et 18 heures). Si l'on a vraiment soif au cours du repas, boire mais peu et lentement.

Si l'on prend en bonne abondance des légumes et des fruits, la soif reste modérée.

Il faut éviter les boissons glacées, notamment après le repas. En effet, la digestion peut s'en trouver perturbée. D'autre part, du fait des contrac-tions violentes de l'estomac et des intestins en raison de la basse tempéra-ture de la boisson, les aliments peuvent être rapidement expulsés sans avoir été digérés ni assimilés. D'où également l'erreur de prendre des crèmes gla-cées en fin de repas.

AUTRE MISE EN GARDE : **méfions-nous de l'excès des jus de fruits acides**. Pris à contre-temps, ces jus se comportent dans le tube digestif comme des perturbateurs de la digestion. Ils acidifient excessivement le sang, et l'organisme doit faire intervenir, pour neutraliser cet acide, des bases telles que le calcium, qui sera soutiré aux os et aux dents, d'où des altérations dentaires et un affaiblissement des os, sensibles chez les enfants notamment.

Cet excès de fruits acides peut causer par ailleurs la frilosité, l'amaigrissement, la nervosité, l'asthénie, l'acétonémie chez les enfants et les adolescents. (Voir plus loin : « Aliments acidifiants et alcalinisants ».)

12. La chlorophylle et les jus végétaux

Qu'est-ce que la chlorophylle ?

La chlorophylle a été comparée par le Pr Lautié au sang. Il l'appelle « **le sang vert de la plante** ».

L'apparition de la merveilleuse chlorophylle sur la terre a été un bouleversement immense de la biologie. Elle a permis d'obtenir l'atmosphère oxygénée actuelle, la vie aérobie dans les mers et sur les continents. Sa disparition correspondrait à un cataclysme biologique et à notre mort.

La chlorophylle permet de capter l'énergie solaire et de former les sucres, les amidons, puis les protides.

« La chlorophylle fait nos légumes, nos fruits, nos céréales, nos bois. Elle entre dans la composition de nos aliments verts. C'est une source de magnésium assimilable. Elle aide notre organisme à synthétiser son hémoglobine. Elle combat efficacement l'anémie et accélère les convalescences.

« Elle purifie et dynamise le sang. Elle le fluidifie et elle active les globules blancs. Elle accélère la guérison des plaies et contribue à stopper les hémorragies. D'où son intérêt dans les maladies infectieuses, les troubles intestinaux, la tuberculose, le cancer.

« Le régime de la femme enceinte, de la nourrice, des artérioscléreux, des cancéreux doit comporter une ration importante de salades vertes crues (et non pas blanchies).

« La chlorophylle est très efficace contre les maladies cardio-vasculaires, les troubles hépatiques, la sénescence précoce, etc.

« Tous les repas doivent comporter des nourritures vertes dont une partie au moins est crue : cresson, salade frisée, laitue, pissenlit, chicorée, chou vert, épinard d'origine orthobiologique, etc., avec assaisonnement aux huiles vierges, au sel complet, à l'oignon doux, à l'ail, au persil, au citron et au basilic, suivant les goûts et les plats.

« La chlorophylle est un aliment qui améliore la digestion, combat les fermèntations intestinales et fluidifie la bile. Associée au persil, elle rend les viandes plus assimilables. Elle est un correctif indispensable du régime carné, surtout s'il est excessif. Elle facilite l'assimilation de divers oligo-éléments. » (1)

A bien des titres, donc, la ration de crudités que nous conseillons de prendre **en tête du repas** est donc précieuse.

Valeur des principaux jus de fruits et de légumes

Les travaux du Pr Lautié ont permis de préciser les indications relatives à l'utilisation et aux effets des jus végétaux. En voici un résumé.

Abricot. Riche en vitamine B. Favorise la construction du squelette et des tissus. Dynamise les cellules. Assure une verte longévité. Renforce les intestins.

Ail. Entre dans les cocktails de légumes, à faible dose. Par son soufre, améliore le foie. Antiseptique énergique des voies respiratoires. A conseiller dans les états précancéreux et cancéreux.

Airelle. Energique dans l'épuration du sang. Efficace dans les troubles hépatiques et intestinaux.

Ananas. Riche en iode, magnésium, manganèse et potassium. Appétissant, diurétique, désinfectant. Epure les humeurs. Dynamise le cœur. A conseiller aux thyroïdiens et aux lymphatiques.

Artichaut frais. Entre dans la composition de cocktails végétaux. Vitamines A et B. Abaisse le taux de cholestérol et d'urée. A conseiller aux hépatiques, aux diabétiques, aux rhumatisants, aux obèses.

Aubergine. Tonifie le pancréas, le foie et les reins. A conseiller aux diabétiques, aux hépatiques, aux rhumatisants.

Betterave rouge. Jus trop méconnu. Riche en phosphore, magnésium, oligo-éléments, vitamines B et C. Favorable à la formation du sang. D'où son efficacité dans les anémies. Favorable au système nerveux. Purifie le foie, le pancréas et les reins. A conseiller en particulier dans le diabète, les névrites, les états précancéreux et cancéreux, les anémies.

---

1. Pr R. Lautié.

Carotte jeune. Apporte du calcium, du magnésium, du sodium, du potassium, du phosphore, du fer, de l'arsenic, du carotène (provitamine A), des vitamines A, B, etc. Favorable à la formation du sang. Régularise les selles. A conseiller aux femmes enceintes, aux nourrices, aux convalescents, aux bronchiteux, aux rhumatisants, aux cancéreux, aux hépatiques. Fluidifie la bile et les humeurs. Facilite les éliminations des calculs biliaires. Combat les hémorragies intestinales et les ulcères au duodénum grâce en particulier à ses pectines adoucissantes. Stimule toutes les glandes. Intervient dans le traitement de l'impétigo et des catarrhes.

Cassis. Stimulant du foie et de la rate. Calme les diarrhées. Convient aux goutteux, aux rhumatisants, aux intoxiqués par abus de viande.

Cerfeuil. Diurétique et dépuratif. Laxatif doux.

Céleri en branches. Il contient une huile essentielle, des oligo-éléments et des vitamines. Il est un bon recalcifiant, un dépurateur et un draineur rénal. Il agit favorablement sur le foie, les surrénales et les bronches. Tonique des nerfs.

Céleri-rave. Seul ou associé au précédent il fortifie le cœur et les poumons. Grâce à son huile essentielle, il est un aromatisant et un désinfectant du sang et des humeurs.

Cerise. Elle est très minéralisée : potassium, sodium, calcium, fer, cuivre, manganèse, cobalt, phosphore et soufre. Elle constitue un fort bon minéralisant. Elle nettoie le sang, le fortifie et régénère les tissus. Porteuse de vitamines A et C, elle rajeunit les tissus, l'épiderme en particulier. Son lévulose, isomère du glucose, est un aliment glucidique favorable aux diabétiques. Voilà un jus très agréable, désaltérant et bénéfique.

Chicorée. Jus chlorophyllien minéralisé, véritable sang végétal. Il fortifie l'estomac, le foie, la rate et les reins.

Choux. Ils fournissent le sang vert qui rajeunit nos organes. Riches en chlorophylle, calcium, magnésium, iode, soufre, arsenic, en vitamines A, B et C. Ils sont dépuratifs, minéralisants et diurétiques. A conseiller dans l'acidité et l'hémogliase (sang trop visqueux).

Citron frais et bien mûr. Contient des vitamines A, B, C. Tonique des nerfs et du foie. Fluidifie et épure le sang. Combat la dysenterie. Favorable à l'estomac, aux intestins et aux nerfs. Le diluer à l'eau d'Evian ou de Volvic. Il permet, pris à doses modérées, l'assimilation du calcium. Si l'on en abuse, il devient décalcifiant et même acidifiant, surtout si sa maturité n'est pas suffisante. Il est recherché par les goutteux et les rhumatisants.

Concombre. Contient des dérivés du soufre et de la vitamine C. Eclaircit la peau et fluidifie le sang. Favorise l'élimination de l'acide urique.

Cresson (récolté dans des cressonnières surveillées). Riche en chlorophylle, calcium, phosphore, fer, arsenic, manganèse, cuivre, zinc, soufre, vitamines A, B1 et B2, C, E, etc. Reminéralisant, dépuratif du sang, favorable au foie, aux reins et aux bronches.

Epinard (de culture orthobiologique). Très riche en chlorophylle. Contient du calcium, du fer, de la ferritine (ferment d'assimilation du fer). Accélère la cicatrisation des plaies et des ulcères. Favorable dans l'anémie, les états précancéreux et les cancers, avec la betterave rouge, le cresson et le persil.

Fraise. Riche en lévulose nécessaire aux diabétiques. Favorable dans l'anémie et les affections nerveuses, l'arthritisme et les rhumatismes.

Framboise. Riche en lévulose. Efficace dans la goutte, les rhumatismes, les intoxications.

Groseille. Facilite la digestion de la viande. Elimine l'acide urique et l'acide oxalique du sang. Favorable aux arthritiques, aux rhumatisants, dans la sénescence précoce, la constipation. Bon minéralisant en potassium, calcium, phosphore et brome. Riche en vitamine C.

Laitue. Apport important de chlorophylle, vitamines A, B, C, D et E. Bon reminéralisant. Favorable dans l'insomnie et les troubles nerveux.

Mâche. Riche en chlorophylle. Epure le sang et fortifie les parathyroïdes. Efficace dans les maux intestinaux et la colibacillose.

Mandarine. Jus agréable et appétissant. Favorable aux nerveux.

Melon. Riche en vitamine A. Régénère les cellules. Laxatif et diurétique. A conseiller contre les hémorroïdes et les rhumatismes.

Mûre sauvage. Excellent dans l'anémie, les inflammations articulaires et l'inflammation des gencives, les aphtes et maux de gorge.

Myrtille. Favorable dans les périodes fébriles, les diarrhées, améliore la vision nocturne surtout en association avec le jus de carottes. Utile dans les affections intestinales, en particulier contre les amibes. Favorise l'élimination de l'urée.

Navet (feuilles et racines). Très minéralisant grâce au magnésium, au calcium, au potassium, au phosphore, à l'arsenic, au cuivre, au fer, à l'iode, aux vitamines A, B, C, etc. Très tonique et désinfectant. Dissout les calculs. Améliore l'asthme et l'emphysème.

Oignon. Jus reminéralisant grâce au sodium, au potassium, au calcium, au magnésium, au silicium, au phosphore, au soufre, à l'iode, au fer et aux vitamines A, B, C. Dissout l'acide urique, renforce le cœur, favorable dans la prostatite et les œdèmes. Dynamise le pancréas. Très utile aux diabétiques, bronchiteux, infectés, impuissants, ulcéreux, tuberculeux. Antiseptique de choix. Souverain en période grippale. Combat la sclérose. Réactive les glandes sexuelles. Aliment indispensable aux rhumatisants. (Ne pas faire cuire le jus.)

Orange mûre. Riche en calcium, potassium, magnésium, sodium, phosphore, brome, zinc, manganèse, vitamines B, C, P. Protège et assouplit les capillaires sanguins. Améliore les varices. Rend d'importants services aux anémiés et aux variqueux.

Pamplemousse. Jus apéritif. Facilite la production du suc gastrique. Améliore la digestion (le prendre avant ou après le repas). Réveille les intestins paresseux. Supprime peu à peu l'obésité.

Pêche. Jus très important par ses vitamines A, B, C, ses minéraux : calcium, magnésium, sodium, potassium, fer, manganèse, zinc, phosphore, soufre, brome. Diurétique très efficace. Laxatif doux. Stimule les glandes. Rajeunit l'épiderme. Très recherché par les gens dont le tonus décline sous les assauts des toxiques alimentaires.

Persil. Quelques gouttes de jus de persil améliorent tous les jus.

Pissenlit. Améliore la digestion. Fortifie estomac et intestins. Très chlorophyllien. Guérit la furonculose, abaisse le taux de cholestérol et épure le foie. A conseiller à tous les hépatiques, aux précancéreux et aux cancéreux.

Poire. Riche en pectines, en tanins, en vitamines A, B, C, en phosphore, soufre, chlore, sodium, potassium, magnésium, calcium, fer, manganèse, arsenic, iode, etc. Epure le sang, les reins. Active les glandes, les intestins. Normalise la tension artérielle. Renforce le cœur et les bronches. Assez bon antiseptique du sang.

Pomme. Par ses pectines et ses sels, son jus calme les intestins. Reminéralisant, reconstituant. Dissout les calculs urinaires. Soulage le foie, les reins. Combat la colibacillose, la goutte, les rhumatismes. Assainit les poumons. Efficace contre l'herpès, l'asthénie, l'anémie, l'avitaminose A.

Prune. Riche en phosphore et magnésium. Bon laxatif. Diurétique. Fortifiant de la cellule nerveuse et du cœur. A conseiller contre l'hydropisie, l'artériosclérose et l'anémie.

Radis rose et noir. Contient des essences sulfurées antiseptiques qui assainissent le sang et l'appareil respiratoire comme le fait celle de l'ail. Riche en vitamine C, en magnésium, en iode, en soufre. Bon pour les cellules hépatiques. Soulage les affections cutanées, améliore le développement des cheveux. Efficace contre la coqueluche, les maladies de la rate, l'arthritisme et la goutte.

Raisin. Un des meilleurs jus de l'été, très vitaminé (A, B et C), très minéralisé (calcium, potassium, magnésium, phosphore, sodium, arsenic, fer, manganèse, silice, etc.). Tonique de choix. Apaise les nerfs. Reconstituant énergique. Stimulateur des reins. Fortifie les bronches. D'une grande digestibilité, il améliore les intestins par ses mucilages et ses vitamines. On le conseille dans l'épuration générale, la reminéralisation, l'anémie, les crises cardio-rénales, la goutte, les rhumatismes, les néphrites et l'urémie.

Rave. Trop peu connu, le jus de rave est actif contre les affections cutanées, le rachitisme, la tuberculose et même le cancer.

Sureau. Jus agréable, très recommandé en période grippale. Calme l'inflammation de la gorge et épure le sang.

Tomate. Jus très vitaminé (A, B, C et E). Alcalinise les humeurs. Stoppe les fermentations intestinales. Assouplit les capillaires. Rajeunit les décrépits. Nourrit les diabétiques. Protège les précancéreux et entre dans le régime des cancéreux.

Cocktails

Sauf dans certains jeûnes ou hors des repas, au cours des périodes caniculaires, les jus de fruits et de légumes peuvent servir de vitalisants et de parfums des eaux potables, si on les utilise à doses réduites dans le mélange. Alors, ils ne sont plus des aliments mais des sortes de biocatalyseurs qui favorisent l'assimilation des ions de l'eau, qui les ennoblissent de l'empreinte vitale, qui les élèvent dans l'échelle des aliments assimilables. A ce titre-là, les jus frais jouent un rôle important.

Pour en varier le parfum, pour en intensifier les qualités, pour en multiplier les propriétés, les jus gagnent à être associés en cocktails végétaux, dépourvus d'alcools et de nervins, donc toujours sains. Suivant les goûts, les besoins diététiques, compte tenu des vertus particulières énoncées précédemment, on peut constituer de multiples mélanges, presque à l'infini.

En voici rapidement quelques exemples :

Cocktail dynamisant : Jus de carottes, céleri, chou, navet, persil (un peu), ail (un peu).

Cocktail apéritif : Radis rose, radis noir, céleri en branches, cresson, zeste de citron. Ou : raisin blanc, mûres, framboises, fraises des bois.

Cocktail draineur : Céleri-rave, chicorée, épinard, estragon, persil. Ou : prunes, purée d'amandes (un peu), purée de noisettes (un peu), citron.

Cocktail fortifiant : Raisin, mandarine, orange (zeste compris).

Cocktails stomachiques : 1) Ananas, pomme. 2) Fenouil, myrtille, poire. 3) Ananas, pamplemousse. 4) Ananas, raisin, pêche.

Cocktails revitalisants : 1) Coing, poire, tomate. 2) Betterave rouge, carotte, céleri-rave, citron, mâche, pissenlit.

Cocktails toniques : 1) Aubergine, chou, pomme, raisin. 2) Groseille à maquereau, cassis, myrtille, orange.

Cocktails stimulants : 1) Cerfeuil, concombre, chicorée, citron. 2) Cassis, raisin.

Cocktail régulateur : Ail, carotte, citron, persil, pissenlit.

Cocktails antihémorragiques : 1) Carotte, chou, citron, persil, oignon, raisin blanc. 2) Poire, coing, amandes en purée.

Cocktail reminéralisant, recalcifiant : Mélange à volumes égaux de jus de carotte, betterave, chou vert et navet.

Cocktail rafraîchissant : Carotte, chou, pissenlit, poireau.

Cocktail des vieillards : Aubergine, carotte, groseille, oignon, pêche, raisin.

Tous ces jus, tous ces cocktails, faits à froid, surclassent beaucoup de remèdes, à condition que la matière première provienne d'excellentes cultures et n'ait pas subi pesticides, colorants, conservants. En particulier, **on doit refuser les fruits traités au dyphényle et ne jamais employer leurs zestes.**

Les jus ne se conservent pas longtemps à la température ordinaire et guère plus dans les frigorifères. Ils ne possèdent leur pleine puissance biologique qu'au moment de leur préparation. Rapidement, à l'air, ils perdent leurs vitamines et, sous l'action de ferments anaérobies, fermentent et se dégradent, entre autres composés, en gaz carbonique inactif et en alcool éthylique. A ce moment-là, ils deviennent inconsommables et dangereux pour la santé.

Conservation industrielle

Dans l'industrie alimentaire, pour assurer une longue conservation, on doit les traiter soit physiquement, soit chimiquement. Dans ce dernier cas, beaucoup de conservants sont des additifs dangereux. D'abord, on doit interdire le lavage des fruits et légumes à l'alkylbenzyl-diméthylammonium et autres composés analogues, ensuite les infiltrations sous terre d'infusoires ou kieselguhr et alginates. Ensuite, on refusera les traitements à l'argent ionisé, à l'acétate de phénolamine, au trioxyméthylène, au chlorothymol, à l'acide salicylique, aux fluorures, aux benzoates, à l'acide citrique de synthèse, à l'acide sorbique, à l'acide borique, au borax, au gaz sulfureux, aux sulfites, aux hyposulfites, etc. Le dernier venu, le pyrocarbonate d'éthyle (dose inférieure à 300 mg par litre), n'est peut-être pas le plus mauvais ; mais on évitera tout de même de lui faire confiance.

Tous ces additifs, comme d'ailleurs la vitamine C de synthèse, sont plus ou moins préjudiciables et encore très mal connus dans leurs effets à retardement. Donc, un jus alimentaire en diététique ne contient aucun conservant, aucun colorant, aucun sucre d'addition, aucune vitamine complémentaire, aucun parfum. Il provient directement du fruit sain frais ou du légume frais.

Nombreux sont les traitements physiques de conservation proposés, justement pour éviter les effets de substances chimiques introduites qui risquent d'inhiber des fonctions de nutrition, des systèmes enzymatiques, donc de mal nourrir, d'intoxiquer à la longue et même de cancéroser.

La conservation par rayons ionisants du type radio-cobalt ou rayons-X est à proscrire dans l'état actuel des connaissances, même sous vide, après élimination de l'air. La pasteurisation et la tyndallisation soigneusement conduites semblent aujourd'hui les deux seules méthodes valables, bien qu'elles désorganisent plus ou moins le complexe végétal et qu'elles détruisent des vitamines. En pratique, le chauffage sous rayons infrarouges ou par ondes courtes, doit être le moins élevé possible et le plus court possible. Question délicate qui réclame de l'industriel, dans chaque cas, beaucoup de science et de conscience pour ne pas dévaloriser ses produits par trop de température et trop de durée d'exposition. En jouant sagement de ces deux facteurs, il conservera longtemps des jus imparfaits mais tout de même encore acceptables. Autant que faire se peut, il devra **s'appliquer à cuire le plus bas possible, au-dessous de 72°, pour respecter au mieux le complexe vivant.** Ensuite, il retiendra que, même privé par le chauffage de ferments et de microbes, un jus en bouteille close continue de vieillir et perd peu à peu les dernières qualités laissées par la cuisson.

13. Comment sont digérés nos aliments

La fonction de digestion des aliments n'est pas simple à exposer. Quelques notions nous suffiront, et elles ne sont données qu'à titre indicatif. Il serait en effet nocif pour la qualité de notre digestion de trop s'en préoccuper. Il faut laisser l'organisme libre d'accomplir son travail de la manière qu'il juge la plus favorable. **Faire confiance à son corps,** telle est la règle d'or en hygiène naturelle.

On a dit que le tube digestif est une sorte d'usine chimique ; chaque particule d'aliment ingérée est soumise à des liquides contenant des substances biochimiques très variées concourant à la dissociation de cette molécule, à sa transformation en éléments assimilables, c'est-à-dire absorbables par les cellules.

Cette digestion sera d'autant plus correcte et aisée que l'aliment conviendra bien à la cellule et qu'il sera pris à un moment où le corps le désire.

Des processus psychologiques interviennent et font en sorte que les sucs digestifs nécessaires à la digestion des aliments ingérés se présentent au moment voulu et en quantité voulue. Il s'agit donc là de phénomènes involontaires ou réflexes dont nous ne devons pas troubler le cours par une intellectualité excessive.

Facteurs physiologiques : les sucs digestifs

Les lèvres, les dents et la langue interviennent en premier lieu pour couper et mettre « en forme » les aliments qui vont tout d'abord recevoir la salive (pour les amidons) ou être préparés en vue d'une digestion plus facile par les sucs digestifs qui apparaîtront dans l'estomac et l'intestin.

La ptyaline contenue dans la salive digestive émise par les glandes salivaires, dans la bouche, est un agent de digestion des amidons. **Deux autres** formes de salive sont destinées, pour leur part, à neutraliser ou diluer des substances ingérées mais considérées comme plus ou moins toxiques.

Les aliments sont alors mis dans l'estomac par l'intermédiaire de l'œsophage. L'estomac se contracte tout en émettant un mucus de défense et d'autre part un suc gastrique formé d'acide chlorhydrique, de pepsine (ferment qui commence la transformation des protides), de présure (qui coagule le lait chez l'enfant), de lipase gastrique (ferment de digestion de certaines graisses).

Après cette digestion gastrique, les aliments constituent une masse que l'on appelle le **chyme stomacal** ; lorsqu'un certain degré d'acidité est obtenu, la muqueuse du pylore se relâche et le sphincter pylorique se déclenche, rejetant le chyme dans l'intestin grêle.

Alors intervient la **bile** émise par le foie et stockée dans la vésicule biliaire. La bile est émise à raison d'un litre par jour ; elle contient des sels biliaires, des pigments biliaires et du cholestérol. Elle émulsionne les corps gras, c'est-à-dire qu'elle les divise en particules infimes de manière à permettre l'action du suc pancréatique et du suc intestinal. Notons aussi que la bile neutralise l'acidité du chyme et permet l'action de la **trypsine** qui n'agit qu'en milieu alcalin pour la digestion des protides.

Le **suc pancréatique**, qui est très alcalin, transforme l'amidon en maltose puis en glucose assimilable. Dans l'intestin également, nous trouvons la **lipase** qui transforme les lipides en glycérine, acides gras et savons, directement assimilables ; nous trouvons aussi la **trypsine**, qui continue l'action de la pepsine pour transformer les protides en molécules plus petites, c'est-à-dire en acides aminés.

Il existe d'autres **ferments** ou **diastases** ou **enzymes**, par exemple l'**entérokinase**, qui transforme les protides et l'érepsine qui achèvent la décomposition des protides en acides aminés.

C'est au niveau de l'intestin grêle que les aliments sont absorbés ; suffisamment modifiés par les sucs dont nous venons de parler, ces aliments traversent la muqueuse intestinale, passent dans le sang et la lymphe pour être admis au niveau des cellules, pour la nutrition de celles-ci.

Certains aliments fournis en excédent (les sucres et les graisses) sont stockés, les premiers dans le foie, les seconds dans certaines régions du corps où ils forment les masses graisseuses caractéristiques de l'obésité. Notons au passage que ces masses graisseuses sont le lieu de stockage privilégié de certains toxiques (les organo-chlorés, utilisés en agriculture par exemple) et que ces toxiques sont libérés lors du jeûne ou de l'amaigrissement pour repasser dans le sang ; si cette opération se réalise trop rapidement, le foie peut être submergé et le patient intoxiqué ou empoisonné d'où la nécessité de faire précéder le jeûne par un régime de désintoxication lorsqu'il s'agit d'un sujet présentant un niveau d'intoxication élevé.

Les aliments qui n'ont pas été assimilés au niveau de l'intestin grêle passent dans le gros intestin ou gros côlon d'où ils sont envoyés vers l'anus puis à l'extérieur sous forme de matières fécales.

Grâce aux hôtes intestinaux microbiens de l'intestin, certaines vitamines sont élaborées au cours de la digestion, notamment les vitamines du groupe B (équilibre nerveux) et les vitamines K (coagulation sanguine).

A l'état normal, les bactéries et la micro-flore intestinale combattent les constipations microbiennes importantes. Lorsqu'elles sont submergées par des erreurs alimentaires et l'ingestion de médicaments et de toxiques, l'intestin ne remplit plus que partiellement ses fonctions et des intolérances digestives ou diverses maladies peuvent se produire.

Un mot de l'appendice, souvent considéré comme un organe inutile. L'appendice joue un rôle important de réserve de bactéries utiles pour l'intestin (à l'état normal) et de « burette à huile » destinée à faciliter la progression des matières fécales dans le côlon. Lorsque l'appendice est enflammé, c'est que l'intestin est en mauvaise santé ; sauf dans des cas exceptionnels, il est possible de rectifier cette situation, sans opération, par les méthodes naturelles.

Facteurs psychologiques

Nous avons dit que la digestion est en bonne part sous l'influence de facteurs psychologiques. Les expériences de Pavlov, médecin russe, sont trop connues pour que nous les rappelions en détail. Une émotion peut suspendre certaines activités sécrétoires importantes et ralentir ou arrêter totalement les processus digestifs.

Il est donc bon de prendre le repas dans une ambiance détendue, après s'être soi-même relaxé. Après le repas, la détente est encore souvent indispensable, notamment chez les personnes sujettes aux ptoses (descentes d'organes).

L'appétit est stimulé par la vue de plats bien préparés, par l'odeur des mets, par les conditions d'ambiance sociale. Sans aucun doute, l'ancienne habitude de la prière prononcée en commun avant le repas était bienfaisante sur le plan de la digestion, de l'assimilation et de la santé.

14. Aliments acidifiants ou alcalinisants

Equilibre de la ration

Les aliments sont classés comme acidifiants ou alcalinisants selon la réaction qu'ils entraînent dans l'organisme.

1°) Sont alcalinisants les aliments qui, après oxydation, donnent un résidu alcalin, c'est-à-dire comportant une grande proportion d'éléments alcalinisants : sodium, calcium, magnésium, potassium.

2°) Sont acidifiants les aliments qui, après oxydation, laissent un résidu acide comprenant une grande proportion d'éléments acidifiants tels que soufre, phosphore et chlore.

En général, les fruits acides ne causent pas de réaction acide. Au contraire, leur oxydation dans l'organisme produit une réaction alcaline due au sel alcalin qu'ils contiennent.

Certains fruits sont cependant acidifiants : les prunes, certains pruneaux, les airelles...

Des fruits alcalinisants peuvent devenir acidifiants lorsqu'ils sont cuits ou ingérés en combinaisons indésirables (par exemple avec des amidons) ou pris en excès.

En effet, **certains individus, les acido-sensibles, tolèrent mal les acides alimentaires ;** ils les métabolisent incorrectement soit parce qu'ils ne disposent pas des bases suffisantes pour neutraliser l'acidification, soit parce que leur sang est faiblement oxygéné, ce qui entraîne une insuffisance d'oxydation.

Pour l'individu normal, une alimentation équilibrée doit comprendre 60 à 70 %, en poids, d'aliments alcalinisants et de 30 à 40 % en poids d'aliments acidifiants.

Pour les nerveux, les maigres, les déminéralisés, les frileux, pour les enfants qui ont tendance aux caries dentaires, qui grincent des dents en dormant, pour ceux qui ont tendance aux convulsions ou aux spasmes nerveux, il est préférable d'augmenter la ration d'aliments alcalinisants et de réduire celle des aliments acidifiants.

Les aliments acidifiants seront choisis d'origine biologique, non cuits. Les fruits doivent être bien mûrs : citron, orange, pamplemousse insuffisamment mûris sont très déminéralisants et peuvent être à l'origine de catarrhes, d'acétonémie, de fendillements des coins des lèvres, etc.

Certaines substances dites alimentaires sont nocives et particulièrement acidifiantes : l'alcool, le vinaigre, les vins non biologiques ou fabriqués à partir de fruits verts, certains jus de fruits traités, les boissons dites toniques et comportant des toxiques tels que l'acide phosphorique, la kola, etc., des médicaments chimiques, des vitamines synthétiques.

L'acidification est accrue par la tension nerveuse constante, par la sédentarité, le tabac et les toxicomanies.

Il est déconseillé de prendre des jus de fruits acides en période de fièvre, notamment chez l'enfant. La fièvre persiste alors et les signes de troubles de santé s'accentuent en même temps que le patient s'affaiblit. En cas de catarrhe ou de grippe, d'otite, de mastoïdite, supprimer totalement les fruits acides et jeûner purement et simplement.

Des fruits acides peuvent être utiles et bienfaisants dans certaines situations pathologiques, notamment dans le rhumatisme et l'arthrite, chez les sujets puissants et florides. Les lymphatiques et les nerveux, au contraire, risquent d'être dénutris par ces fruits.

Classification

Voici pour terminer une liste d'aliments alcalinisants et acidifiants.

1) Aliments alcalinisants :

D'une manière générale : FRUITS, LEGUMES ET LAITS.
— tous les légumes verts sauf l'oseille, la rhubarbe et la bette ;
— l'amande, la noisette, le sésame, la noix du Brésil ;
— les carottes, radis, salsifis et légumes-racines ;
— la pomme de terre ;
— le lait ;
— la tomate, bien mûre, prise en quantité modérée ;
— les fruits frais bien mûrs sauf les airelles, certaines prunes et pruneaux acides ;
— le melon ;
— les fruits secs (datte, raisin sec, figue sèche...) ;
— les légumineuses.

2) Aliments acidifiants :

D'une manière générale : VIANDES, ŒUFS ET CEREALES.
— blé, orge, seigle ;
— certaines prunes, certains pruneaux, airelles ;
— oseille, rhubarbe, bette ou poirée ;
— arachide ;
— café, thé, cacao et chocolat ;
— pain blanc ou complet (notons cependant que le pain bis fabriqué au levain a perdu une bonne partie de son acide phytique) ;
— pâtisseries ;
— fromages ;
— fruits oléagineux (sauf l'amande) ;
— viande et poisson, extraits de viande ;
— graisse végétale hydrogénée, margarine, végétaline ;
— œuf ;
— confiture ;
— vinaigre, moutarde ;

Spécifications

Sont très alcalinisants : abricot, carotte, épinard, lait, orange, raisin sec, salade, tomate.

Sont très acidifiants : céréales, fromage, poisson, viande, fruits verts.

Peuvent être considérés comme neutres : les huiles et graisses, le sucre complet, le miel et le tapioca.

Le Dr Carton a bien mis en relief l'importance de cette question dans la santé de l'homme. Lorsqu'il y a déminéralisation, décalcification et *intolérance aux acides,* il déconseille avant tout les groseilles à grappe, les cerises aigres, les agrumes sauf certaines variétés très douces, les framboises, les mûres, les abricots secs, les pêches sèches, certaines variétés de pommes et de poires ; les légumes acides même en potage : oseille, cresson, rhubarbe, pourpier, aubergine sauf certaines variétés, choucroute, tomate sauf si elle est très mûre et en très petite quantité ; les jus de fruits du commerce fabriqués incorrectement ; les confitures, pâtes et compotes de fruits acides ; le sucre concentré pris en excès, les graisses de viande, le jambon, la charcuterie, le canard, le poisson gras, la graisse de coco (végétaline) et toutes les graisses industrielles qui en contiennent, ainsi que les produits chimiques utilisés en pâtisserie et biscuiterie.

Il met en garde également, dans le cas de déminéralisation, contre les légumes blancs ou artificiellement blanchis : navet, crosne, salsifis, céleri-rave, haricot beurre, rutabaga, chou-fleur (sauf les verts et les brocolis), l'endive, certaines variétés de pommes de terre blanches, l'excès de lait acidifié (yaourt, kéfir), l'excès de beurre, surtout cuit ; l'excès de fruits, même relativement doux ; l'excès de protides, notamment de la viande ; l'excès de pain complet.

Les fruits suivants sont recommandés en cas de sous-minéralisation (tout en étant pris avec modération) : les abricots bien mûrs, les cerises douces (bigarreaux, jaboulay, napoléon noir de Tartarie...) ; les guignes, le kaki, la figue, la châtaigne, les groseilles à maquereau, l'amande, la noisette ; les pêches non acides (reine des vergers, brugnon, nectarine...), les pommes bien mûres : reinette du Mans, reinette clochard, reinette grise du Canada, reine des reinettes, golden, red delicious...

La banane est un fruit très recommandable mais à condition de provenir de culture correcte, de n'avoir pas subi trop de traitements chimiques en surface et, pour les enfants et les estomacs délicats, d'être passée au four doux, avec la peau, de manière à transformer les hydrates de carbone en sucres rapidement assimilables.

étude des aliments

Vous trouverez en fin d'ouvrage, sous forme de dépliant détachable, un grand TABLEAU RECAPITULATIF DES ALIMENTS, mentionnant pour chacun, sa composition, sa digestibilité et son intérêt nutritionnel.

15. Le blé, le pain et les céréales

Les céréales les plus courantes sont le blé, le riz, le seigle, l'avoine, l'orge, le maïs, le millet, le sorgho.

En Europe, le blé dur et le blé tendre sont les aliments de base. En Orient, le riz est généralement plus consommé que le blé.

Nous prendrons ici l'exemple du blé pour montrer comment une céréale peut être traitée correctement pour servir à l'alimentation humaine.

Le grain de blé est formé de 4 couches :

— Une enveloppe cellulosique externe : le son, partie protectrice de l'ensemble.

— Sous le son, une autre couche protectrice précieuse qui donne le gruau ; on l'appelle la couche d'or ou couche merveilleuse car elle contient des cellules d'aleurone (protides de haute valeur biologique) riches en ferments, le gluten, le phosphore, le magnésium, le manganèse, le fer...

— Le germe, qui est un raccourci condensé de la future plante.

— Une amande centrale composée de substances hydrocarbonées qui fourniront la farine blanche.

Mouture ; blutage

Les procédés de mouture permettent d'obtenir diverses qualités de farines selon qu'elles correspondent à telle ou telle partie du grain de blé. Le blutage sera de 65, 80, 85 ou 90 % selon que l'on enlèvera plus ou moins de la mouture totale.

A partir de la farine, extraite à 65, 80 %, etc., le pain sera obtenu selon des procédés de fabrication variables. La panification présente une grande importance car c'est elle qui détermine une large part de la valeur du produit fabriqué : le pain. Le pain blanc est fait de farine blanche provenant de la mouture de l'amande centrale (blutage à 76 %). Ce pain est riche en calories mais il y manque des éléments essentiels.

Le pain bis comporte de la farine blutée à 87 % environ. Il contient tous les éléments du pain blanc mais en plus le germe du grain. Le poids de ce germe est minime mais on y trouve des substances d'une grande valeur biologique : de nombreuses vitamines y compris la vitamine E, des acides aminés, de la nucléine, des principes huileux... Le magnésium qui s'y trouve est précieux. Le Pr Delbet y a vu une substance indispensable dans la prévention du cancer et ses travaux sont confirmés par ceux du Pr Lautié.

Le pain total ou pain complet, contient tous les éléments précédents et, en plus, le gros son (en tout ou en partie). Son blutage est d'environ

95 %. La présence d'une cellulose assez indigeste pour l'homme peut être à l'origine d'irritations gastro-intestinales chez certains sujets assez sensibles. En effet, l'excès de gros son peut entraîner une excitation mécanique intense sur la muqueuse digestive. Une émission de mucus de défense peut alors se produire et la digestibilité du pain peut en souffrir.

La panification

Cependant, la panification correcte permet de rendre plus digestibles le pain bis et surtout le pain complet.

La panification à la **levure d'alcool,** employée universellement de nos jours à cause de sa simplicité et de sa rapidité, est loin d'être parfaite. Compte tenu des procédés actuels et des substances d'adjonction dont est prodigue l'industrie meunière et boulangère, la panification courante donne un pain de digestibilité réduite, provoquant trop souvent des fermentations gastro-intestinales.

Au contraire, la panification sur **levain naturel** prédigère le gluten et les autres matières azotées, d'où une libération d'acides aminés ; elle permet l'élaboration de produits complexes de haute valeur biologique ; elle transforme l'acide phytique en phytates neutres, assimilables ; elle stérilise les germes qui produiraient le pain filant et d'autres altérations.

La cuisson

La cuisson du pain présente elle-même une importance particulière. Les suies du mazout et même celles du chauffage au charbon et au bois, sont cancérigènes. La cuisson par panneaux rayonnants est la meilleure.

La cuisson du pain ne devrait pas excéder 70° dans la masse.

Les traitements chimiques utilisés pour la culture et la conservation du grain, le blanchiment chimique de la farine et les substances d'adjonction utilisées lors de la panification peuvent exercer une influence fâcheuse sur la santé du consommateur. On a pu ainsi noter des troubles de carence (rachitisme, par exemple) ; on a décrit également le syndrome de l'hémogliase, que l'on peut résumer par une expression : épaississement du sang ; ce trouble est dû notamment à la farine blanche et serait caractérisé par des somnolences, des maux de tête, de l'atonie mentale et sexuelle, des troubles digestifs, de la fragilité capillaire, de l'hypotension, des troubles oculaires avec, à plus longue échéance, la sénescence précoce, l'infarctus, l'hémorragie cérébrale, etc.

Nous devons donc rechercher un pain bis ou complet selon notre préférence gustative et nos possibilités digestives, fabriqué à partir de blés obtenus sur des sols cultivés orthobiologiquement et conservé dans des conditions saines, sans adjonction de produits chimiques ; un pain panifié au levain ; un pain cuit lentement, à l'abri des fumées cancérigènes.

Préparations à base de céréales

Le commerce nous offre d'autres formes de présentation des préparations à base de céréales.

Le **pain grillé** est un pain ordinaire coupé en tranches minces et soumis à une seconde cuisson au four ou sur un gril. Les amidons sont dextrinés. Cette préparation est donc plus digestible que le pain lui-même mais elle a pour contrepartie une destruction des vitamines et d'autres éléments minéraux. Les dyspeptiques et les insuffisants digestifs pourront, du moins momentanément, préférer le pain grillé, qu'ils trouveront plus « léger » que le pain non grillé.

La **biscotte** est un pain grillé préparé industriellement. Elle subit deux cuissons, parfois trois, conduites généralement avec précaution. Il s'agit d'obtenir un produit friable mais, dans ce but, des matières que nous considérons comme toxiques peuvent y être intégrées. Il est préférable de prendre des biscottes de marques connues comme utilisant des produits orthobiologiques et de s'abstenir de recourir à des ingrédients chimiques destructifs.

Le **pain d'épices** est fabriqué à l'aide de farine de seigle et de miel. On y ajoute des arômes : anis, cannelle, girofle, etc. Quelquefois même, on y incorpore des fruits confits et on le dore avec du jaune d'œuf ou on le glace au sucre glucosé. Il est très nutritif et il ne faut en consommer que très modérément.

Les **pâtes alimentaires** et **macaronis** sont fabriqués à partir de la farine de blés durs additionnés d'huile d'olive et d'œuf et parfois de safran. Ils sont très nourrissants et permettent la préparation de mets variés. Les insuffisants digestifs, les dyspeptiques, les diarrhéiques tolèrent généralement bien les pâtes alimentaires de bonne qualité, cuites correctement. Nous nous méfions cependant des pâtes complètes contenant du son riche en acide phytique, acidifiant et déminéralisant.

Nous parlerons du *tapioca* par ailleurs.

Disons ici un mot des **céréales germées**. Indépendamment du blé, dont nous parlons par ailleurs, il est possible de faire germer le riz, la graine de lin, l'avoine, de même que certaines légumineuses, notamment le soja. Les pousses ainsi obtenues sont très vitalisantes. Elles peuvent être conseillées aux personnes qui sont momentanément dans une situation difficile quant à la production de légumes verts.

16. Le blé germé, aliment miracle

Le blé, aliment de l'humanité

Si l'on en croit une très ancienne tradition persane, c'est en Iran que le blé fut cultivé pour la première fois, environ 6 000 ans av. J.-C. Il aurait été obtenu par les croisements de cinq autres céréales (orge, seigle, avoine, maïs et riz) en vue de donner à l'espèce humaine l'aliment le plus parfait qu'on pût créer pour son évolution.

Une autre tradition, d'origine hindoue, fait remonter bien plus loin dans la préhistoire ce « don des dieux aux hommes » et en fait l'une des conditions essentielles pour le développement de l'activité mentale de l'homme primitif.

Quoi qu'il en soit, le blé paraît bien être originaire du sud-ouest de l'Asie et, selon les archéologues, sa culture était déjà pratiquée en Egypte 4 000 ans av. J.-C. ; en Chine au moins 2 700 ans av. J.-C.

Il y a donc plusieurs millénaires que cette céréale joue un rôle important dans la vie physique de l'homme ; il suffit de considérer que sa culture atteint désormais 170 millions d'hectares, avec une production d'environ 170 millions de tonnes par an, donc avec un rendement moyen de 1 000 kilos par hectare, qui monte assez couramment à 4 000 kilos dans les régions les plus productives.

Mais sa longue existence paraît maintenant arrivée à un tournant. D'un côté, l'emploi d'engrais chimiques, la mouture industrielle, la panification basée sur l'emploi de levures artificielles et de substances nuisibles telles que les graisses (de rebut) hydrogénées, le glycol éthylénique, le phosphate bicalcique, ont porté le pain à ce degré de dégénération qui a été dénoncé par Georges Barbarin dans son livre « *Le scandale du pain* ».

D'autre part, de vrais savants, tels que le regretté Dr Carton et le Pr Tallarico, ont étudié un mode idéal de consommation du blé, sans passage par la mouture et la panification, qui donne le maximum de rendement dans l'alimentation humaine : le blé germé.

Composition du grain de blé

Pour mieux se rendre compte de ce que le blé nous offre et de ce que nous rebutons, il est utile de se reporter à une section schématique du grain (« caryopse ») tel qu'il se présente après le battage.

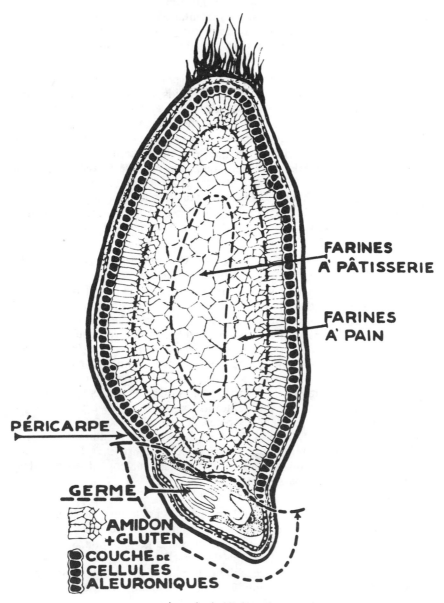

Le grain de blé (coupe)

A l'extérieur nous trouvons d'abord l'organe de protection de tout le grain, le péricarpe (environ 10,5 % du poids total) composé de plusieurs couches de cellules (cellulose et lignine) qui constituent une partie du son et qui ne paraissent pas avoir de valeur alimentaire pour l'homme, du fait que l'organisme humain n'héberge pas de microrganismes aptes à produire la digestion de la cellulose comme chez certains animaux surtout herbivores.

Ensuite on trouve une couche de cellules « aleuroniques » dite aussi « assise protéique » (environ 7,5 % du poids total), qui constitue une espèce de peau et presque un prolongement du germe : elle est formée de cellules cellulosiques renfermant — très jalousement, hélas ! — des substances azotées de haute valeur, spécialement l'aleurone qui est aussi appelé « caséine végétale ». La protection que les cellules cellulosiques exercent autour des cellules protéiques est telle qu'aucun procédé mécanique n'est à même de donner la liberté à ces dernières et de les rendre par conséquent utiles à l'alimentation humaine. On verra plus loin les tentatives qui ont été faites à cette fin. Pour le moment, on peut dire que cette couche se retrouve dans le son, au grand avantage des animaux d'élevage.

On arrive ensuite à la partie la plus volumineuse du grain (environ 80 % du poids total), formée de cellules amylacées (70-78 %) mêlées à d'autres cellules, de nature protéique, contenant le gluten (16-8 %). La différente teneur en gluten ne suffit pas à faire la distinction entre « blés tendres » *(Triticum vulgare)* et « blés durs » *(Triticum durum),* puisque bien des blés des deux espèces présentent les mêmes teneurs en protéines. Cette question est fort controversée, mais il semble que les protéines « insolubles », tout en étant formées des mêmes acides aminés, présentent une « architecture » différente dans les deux espèces de blé susdites. Cela donnerait des caractéristiques — surtout physiques — différentes, et par conséquent permettrait leur différente utilisation : les blés tendres pour la panification, les blés durs pour les pâtes. Il faudrait aussi tenir compte du différent comportement des blés des deux espèces à la mouture. Ce sont là des questions très complexes, où la science, l'industrie et le commerce jouent des rôles différents, dont le pauvre consommateur est le spectateur payant et presque toujours berné.

L'amidon et le gluten de l'endosperme (tel est le nom de la partie du grain qu'on vient d'examiner) sont des substances énergétiques, précieuses soit pour le développement de la plante lors de sa germination, soit pour la consommation alimentaire. Toutefois leur qualité — d'après Tallarico — « vient d'une base hiérarchique chimique, puisqu'elles sont facilement et rapidement obtenues par le simple travail de photosynthèse ».

Bien plus haut est le niveau des substances contenues dans le quatrième composant du grain, le germe ou embryon, qui constitue l'organe de la reproduction et représente environ 1,5 % du poids total du caryopse. Ces substances comme celles similaires de la couche aleuronique sont obtenues par une élaboration plus raffinée, plus longue, plus continue, partant dès le début de la formation du caryopse après la floraison, comme si les besoins de l'espèce avaient la priorité sur toute autre fin.

En comparaison avec la composition de l'endosperme, la teneur en amidon du germe est moindre (40-43 %), mais la teneur en protéines est beaucoup plus haute (32-35 %), et de plus il s'agit là de protéines complètes, contenant tous les acides aminés essentiels pour la vie des hommes et des animaux, comme il en est du lait, des œufs et aussi de la viande, aliments « plastiques » par excellence. Le rapport entre les deux acides aminés principaux, lysine et tryptophane, est égal à 6,4, donc même plus haut que celui du lait de femme (4,01) et de l'œuf entier (4,5). Ce sont là des protéines « privilégiées », destinées à bâtir les acides aminés présents dans le germe : arginine, histidine, tyrosine, phénilalanine, cystine, méthionine, leucine, isoleucine, valine, almine, acide aspartique, acide glutamique, proline, phréonine.

Le germe contient aussi :

— Un trésor vitaminique : provitamines A ou caroténoïdes (vitamine de la croissance ou antixérophtalmique ou anti-infection, importante dans la cicatrisation), dont la teneur est quatre fois plus grande dans le son que dans la farine blanche ; vitamines du groupe B, vitamine C, et surtout vitamine E.

— Un bagage d'éléments « plastiques » tels que le phosphore (plus de 200 mg par 100 g de germes), le calcium (de 50 à 70 mg), le magnésium (de 300 mg à 350 mg), le potassium (de 250 à 300 mg), le soufre (350 mg), le chlore (70 mg), et surtout d'éléments « estalytiques » tels que le fer, nécessaire à la croissance et à la formation de l'hémoglobine des globules rouges du sang, le manganèse, nécessaire à la croissance et à la formation du sang, le nickel, le cuivre, l'aluminium, le brome, l'iode, et d'autres « micro-éléments » ayant une grande importance dans la régularité de l'activité biologique.

— Des composés gras (lipides et lipoïdes), environ 10 % du poids du germe, très intéressants du fait qu'ils renferment les provitamines A et la vitamine E, et qu'ils comprennent des lécithines de haute valeur biologique.

— Nombreux enzymes ou pro-enzymes, qui jouent un rôle de la plus haute importance dans toutes les activités vitales : polysaccharase, dysaccharase, amylase alpha et bêta, pour l'utilisation biologique des substances amylacées, sucres, etc. ; lipase pour l'utilisation des substances graisses ; protéase pour l'utilisation des protéines ; catalase et oxydase qui règlent les réactions de scission non hydrolytique (l'oxydase du germe et de la couche aleuronique donne la teinte brune au pain complet).

Une perte absurde

Tout cet écrin aussi est exclu des farines, dont il pourrait troubler la conservation à cause de son excessive activité biochimique (fermentation, rancissement, etc.), si bien que le blutage repousse vers l'alimentation des animaux d'élevage justement les substances les plus nobles, les plus précieuses, les mieux qualifiées pour l'alimentation humaine.

Comble de folie, les farines les plus blanches, donc les plus chères, celles destinées à la pâtisserie, sont tirées de la partie la plus intérieure du noyau amylacé, comme il a été indiqué dans le croquis, et par conséquent elles présentent le plus bas rapport gluten/amidon, puisque ce rapport diminue à partir des couches extérieures vers le centre du grain. Les farines les plus blanches peuvent descendre jusqu'à une teneur de 7 % en gluten, alors que celles destinées à la panification donnent au moins de 9 à 10 % de gluten. Les farines pour la pâte, tirées des blés durs, donnent 11 % de gluten au minimum.

L'industrie alimentaire sur laquelle pèsent de très lourdes responsabilités dans la dégénération progressive de l'alimentation humaine — donc, de la race humaine, par conséquence inéluctable — s'est préoccupée seulement depuis quelques années de ce gâchis vraiment désastreux et, dans un but surtout commercial, a commencé à vendre (assez cher !) pour l'alimentation humaine les germes enlevés par le blutage, et aussi à produire des farines « enrichies »... de ce dont on les appauvrit au préalable. Les impératifs financiers de la meunerie et de la pharmacie y trouvent leur compte, au détriment de la santé publique.

Une autre tentative, plus logique, a été faite par un homme de science italien, le Dr Elio Perini, de Milan, qui depuis plus de vingt ans a étudié un procédé de récupération de l'aleurone du son par une action d'autolyse ; en effet, pendant une certaine période (1952-54), l'on a fabriqué du pain et des gressins « à l'aleurone », mais cette initiative s'est vite perdue, n'ayant pas obtenu l'appui des gros industriels de cette branche.

Le « pain complet » du commerce, même s'il contient bien tout le caryopse du blé, ce dont il est prudent de s'assurer si possible, ne présente pas l'aleurone en état d'être utilisé par notre organisme. S'il contient le germe, ce n'est malheureusement qu'un cadavre qu'on nous offre, puisqu'aucun organisme ne résiste à la cuisson au four.

Un remède : la germination

Il ne reste donc qu'une seule méthode pour s'assurer l'utilisation de tout — ou presque tout — ce que le grain de blé nous offre : la germination qui a été préconisée par le Dr Carton vers 1910.

La germination est le processus naturel par lequel le germe contenu dans une graine se développe pour donner origine à une plante, à un nouvel individu végétal. En ce qui concerne la consommation du blé germé dans l'alimentation humaine ou animale, il suffit, d'après les indications du Dr Carton, de prendre la quantité de blé prévue pour la consommation d'un jour ou deux, la tremper dans un bol avec suffisamment d'eau pour couvrir tous les grains même après l'absorption d'eau, la garder ainsi trempée pendant 48 heures environ, et ensuite la disposer étendue sur une assiette, avec de l'eau au fond, de façon à permettre le contact avec l'air ; après un autre jour ou deux de cette phase, la germination est d'habitude assez développée pour permettre la consommation. La gemme apparaît, d'abord blanche, ensuite verte. Il est à conseiller de bien laver le blé avant de le tremper, et de rechanger l'eau — après lavage du blé — toutes les 24 heures.

D'autres détails seront donnés à la fin de cette étude.

Effets de la germination

Quelles sont les modifications que la germination apporte aux substances contenues dans le grain de blé ?

D'après le Pr Tallarico, on peut noter deux séries de phénomènes : des simplifications de matériaux et des réveils de principes vitaux.

Dans la catégorie des simplifications donnant des substances plus prêtes à leur emploi dans les actions vitales soit de la plante, soit de l'organisme animal qui en fait sa nourriture, envisageons les processus essentiels :

— l'amidon, formé de molécules complexes et « enchaînées », se transforme en sucres solubles, prêts à donner leur énergie (thermobiochimique) à l'organisme ;

— les protéines du gluten, elles aussi à lourde architecture chimique, à la suite de l'action protéolytique des ferments déjà mentionnés, se transforment en des composés plus simples, solubles et diffusibles, mieux aptes à la formation des tissus organiques ;

— les graisses contenues dans le germe mettent en activité les stéarines, qui permettent l'utilisation des radiations solaires (surtout les rayons ultraviolets) ;

— les sels plastiques, notamment de potassium, de phosphore, de magnésium, paraissent prendre une organisation moléculaire plus active et plus apte à leur utilisation de la part de l'organisme (augmentation de la lécithine et de la phytine).

Dans la catégorie des réveils biologiques, qu'il n'est pas toujours possible de définir d'une façon scientifique, puisque les instruments dont la science dispose actuellement ne sont pas à même de déceler certaines énergies, telles que l'énergie vitale qui est évidemment à la base de tout phénomène organique, on peut retenir les phénomènes suivants :

1) Les principes enzymatiques, dont l'importance dans toutes les fonctions vitales se révèle toujours plus étendue d'après les recherches scientifiques, s'activent en passant de l'état de pro-enzymes à l'état d'enzymes.

2) Les vitamines déjà présentes dans le germe s'exaltent et se multiplient :

La vitamine B1 (ou thionine ou vitamine antibéribérique ou vitamine antipolynévritique, ou oryzamine ou toruline, la première isolée et baptisée « vitamine » par Funk en 1911), dont la teneur initiale est d'environ 2,5 mg par 100 g de germe, augmente de 50 %.

La vitamine B2 (ou riboflavine ou lactoflavine ou vitamine d'utilisation nutritive) dont le manque porte à l'arrêt de la croissance et à la dénutrition, et dont la teneur initiale est d'environ 0,20 mg par 100 g de germe, augmente d'environ 50 %.

La pyridoxine (anciens synonymes : vitamine B6, adermine, facteur préventif des troubles pellagroïdes du rat, facteur anticrodyne du rat, facteur H, facteur I) dont la teneur initiale est d'environ 4,5 mg par 100 g de germe, augmente de 100 %.

Les biotines alpha et bêta (ancienne vitamine H — de Haut = peau — ou co-enzyme R — respiration — ou facteur de prévention de la toxicité du blanc d'œuf), dont la teneur initiale est d'environ 0,07 mg par 100 g de germe, augmente de 100 %.

La nicotinamine (ou vitamine O.P., antipellagreuse, ou niacine), dont la teneur initiale est d'environ 5 à 7 mg/100 g, augmente de 100 %.

L'acide pantothénique (ou facteur préventif de l'achromotricité du rat et de la dermatite du poulet), dont la teneur est d'environ 9 mg/100 g, augmente de 100 %.

L'acide ascorbique (ou vitamine C ou vitamine antiscorbutique) dont la présence paraît particulièrement précieuse pour offrir à l'organisme les matériaux de défense contre toute infection venant de l'extérieur, passe d'une teneur inférieure à 10 mg par kilo de grains avant la germination, à une teneur double lorsque la gemme (coléoptile) atteint 14 mm de long.

Les vitamines E (tocophérols alpha, bêta, gamma ou vitamine anti-stérilitique ou de la reproduction ou de la fécondité ou de la jeunesse) augmentent elles aussi sensiblement leur teneur initiale qui est d'environ 30 à 40 mg par 100 g de germe.

3) Enfin (hypothèse très intéressante formulée par Tallarico), on peut penser à une activation de cette réserve d'énergie électromagnétique que les grains auraient absorbée de l'atmosphère à travers les pointes de l'épi, ainsi que d'autres formes d'énergie solaire absorbée grâce à la couleur de ses couches extérieures.

On pourrait dire tout court que la germination transforme en énergie actuelle l'énergie potentielle contenue dans le grain entier et surtout dans le germe : c'est là une différence analogue à celle entre l'énergie de position d'un poids placé en haut et l'énergie actuelle, cinétique, du même poids arrivant en bas après sa chute.

Pour évaluer la différence entre ces deux formes d'énergie, que l'on réalise qu'un grain peut donner naissance à une plante apte à donner à son tour environ 100 grains.

Une épreuve assez convaincante de la différente valeur du blé germé en comparaison du blé sec, à l'état de repos, a été donnée par les essais faits par le Pr Tallarico dans l'alimentation d'animaux domestiques. Avec le blé germé on a obtenu une croissance nettement plus importante, malgré la fraction de substances alimentaires (amidon et gluten) consommée dans le processus de germination. Pendant la dernière guerre, les animaux des parcs zoologiques se suffisaient de trois fois moins de blé germé que de blé en grains non germés. Les poules nourries au blé germé donnent des œufs bien plus abondants et plus jaunes.

Préparation du blé germé

Comme nous l'avons déjà vu, la préparation du blé germé est très facile : deux jours trempé dans un bol d'eau, deux autres jours mouillé dans une assiette, changement d'eau tous les jours. Certains appareils (germoirs) se trouvent dans le commerce à cet effet, mais l'opération peut bien se faire par les moyens habituels déjà mentionnés, bol et assiette.

Quelques observations s'imposent au sujet de la matière première, le blé.

L'idéal serait d'employer du blé tel qu'on peut l'obtenir en le cultivant chez soi, dans un petit champ (en culture biologique), en le battant à la main, en le conservant sans produits chimiques. On trouve aussi, dans certains magasins d'alimentation saine, des blés récoltés et conservés selon les bonnes règles.

Une autre observation peut aussi intéresser, ayant trait au « repos physiologique » du grain avant les semailles ou la germination en général. Il a été observé qu'en semant en automne, le blé mûri au début de l'été ou à la fin du printemps, on ne lui laisse qu'une courte période de « repos », tandis que tous les autres végétaux, en général, jouissent de plusieurs mois d'inactivité avant la reprise printanière. On a pensé par conséquent à deux solutions :

— L'une très simple : employer du blé de l'année précédente ; toutefois ce principe ne semble pas trop adapté à la pratique alimentaire dont il s'agit dans cette étude.

— L'autre plus scientifique : garder les grains à une température assez basse (environ 2° au-dessous de zéro), pendant quinze jours environ. Par ce moyen, on a observé une augmentation du rendement de la récolte d'environ 3 quintaux par hectare. Ce procédé a été particulièrement étudié par le Pr Tallarico, déjà mentionné, qui l'a appelé « hiémalisation du blé ». Un autre procédé de hiémalisation du blé après sa germination sera mentionné plus loin.

Utilisation du blé germé

Tout en anticipant sur notre conseil final, qui est de consommer le blé germé tel quel, sans aucune préparation de cuisine, on va passer brièvement en revue les différentes manières dont on a pensé utiliser le blé germé.

Il est à mentionner avant tout le procédé de panification à partir directement du blé, sans mouture, qu'on appelait justement « pain sans farine » et qui a été l'objet de tentatives assez importantes dans la période entre les deux guerres, de la part d'un groupe de réfugiés russes, dans un laboratoire près de Paris. On faisait germer une partie du blé destiné à la panification, on trempait une autre partie sans arriver à la germination, on hachait le tout, on y joignait de la levure, on renfermait le mélange dans un autoclave jusqu'au moment où l'augmentation de la pression (environ 5 atmosphères) donnait le signe de l'accomplissement de la fermentation. Enfin on ouvrait la valve de décharge, tout en gardant à l'intérieur de l'autoclave la pression voulue, à l'aide de l'air comprimé, afin d'obtenir par la brusque décompression, l'éclatement des cellules renfermant l'aleurone et par conséquent son utilisation alimentaire.

L'auteur de la présente étude a effectué aussi des essais suivant cette technique, d'après les renseignements donnés par la revue « *La science et la Vie* », il y a trente ans environ, et il a obtenu en effet du pain excellent, parfumé, à très longue durée de conservation, mais il n'a pas eu les moyens de contrôler si les cellules aleuroniques avaient été vraiment libérées de leur prison cellulosique.

Une autre forme d'utilisation a été suggérée par le Pr Tallarico : préparer une espèce de cocktail « polyvitaminique de ménage », en faisant germer des grains de blé, de seigle et d'avoine (mais cette dernière se trouve d'habitude en commerce privée du germe, donc inutilisable à cette fin) et en les comprimant pour en tirer un jus chargé de vitamines et de sels plastiques et catalytiques, à consommer après filtrage, nature ou mélangé au lait.

Toutefois, il paraît assez difficile de pouvoir utiliser couramment de cette façon les céréales germées, puisqu'il faudrait disposer d'un outillage qui est assez courant dans les laboratoires de recherches biologiques, mais qui serait peu commode à installer et à entretenir dans une cuisine de nos appartements modernes.

Un mode analogue mais plus simple, dont nous n'avons toutefois jamais eu l'occasion d'essayer la valeur, a été suggéré par le Dr Carton et ses disciples, pour l'alimentation du bébé : utiliser l'eau dans laquelle le blé est mouillé au cours de la deuxième phase de sa germination (celle dans l'assiette, après les deux journées dans le bol), pour la donner dans le biberon, entre les repas de lait. Sans aucun doute, il y a passage de substances du germe — voire, du grain entier — à travers les couches extérieures agissant en membranes semi-imperméables, mais il est difficile de dire, sans une série d'essais et d'observations, si cette pratique peut donner des résultats réels.

Une possibilité de progrès dans l'utilisation du blé germé a été aussi étudiée par le Pr Tallarico, en exposant à de basses températures, d'après les idées du savant russe Filatov, des céréales germées, en vue de leur faire produire des substances de défense, les « phytostimulines ». C'est peut-être quelque chose d'analogue à ce qui arrive naturellement dans la culture du blé dans les pays froids et qui justifie le dicton : « C'est sous la neige que le blé mûrit ». Des applications de ce principe ont été aussi faites dans le domaine des cosmétiques (Pr Rovesti, de Milan). Toutefois, il y a là des difficultés pratiques d'application qui ôtent beaucoup d'intérêt à cette méthode, en ce qui concerne l'alimentation humaine par le blé germé.

En définitive, nous pensons préférable **de consommer le blé germé nature, tel qu'il se présente du troisième au cinquième jour de sa préparation germinative. Une pincée de blé germé, sur une feuille de laitue,** sans aucun assaisonnement, c'est un petit délice pour un palais rendu délicat par le retour à l'alimentation naturelle.

L'avantage est double.

Avant tout, on ne dérange aucunement l'architecture dynamique du grain en cours de germination, et l'on en absorbe tous les éléments dans leur état originel, non dénaturé, le meilleur pour l'organisme humain (digestion et assimilation).

Mais il faudrait aussi faire la part d'une considération, qui peut laisser sceptique, mais qu'il est juste de proposer quand même. Le blé germé contient une forte concentration d'énergie vitale, celle que les ésotéristes appellent « Prâna ». C'est là le contenu le plus subtil du blé germé, comme de tout autre fruit — ou graine — « vivant ». **En consommant le blé, ainsi que tous les végétaux frais et les fruits, à l'état naturel, nous jouissons de leur contenu d'énergie vitale, que nous absorbons directement dans la bouche, à travers la langue.**

Cette énergie se disperse si nous faisons cuire le blé, et même si nous le « tuons » par toute autre pratique alimentaire, exactement comme il est inutile de semer des haricots cuits ou broyés, ou de couver des œufs à la coque.

L'analyse chimique donnerait toujours les mêmes résultats, avant et après la cuisson, mais c'est à peu près ce qui arriverait avec une montre en bon état de fonctionnement et la même montre broyée comme le faisaient les prestidigitateurs d'autrefois : les composants sont toujours les mêmes, mais la valeur de l'ensemble est bien différente.

Toutefois, si l'on n'a pas une bonne denture, apte à bien mastiquer les grains, on peut sacrifier une partie de la valeur vitale, et avoir recours à un hachoir pour réduire les grains en pâte. Dans ce cas, nous conseillerions de hacher aussi des légumes verts (la laitue convient parfaitement) pour en faire un mélange avec un peu d'eau : on peut chauffer légèrement jusqu'au point où l'amidon devient collant, sans faire bouillir.

Si l'on ne désire pas mélanger le blé aux légumes verts, il suffit d'ajouter un peu d'eau et de faire chauffer doucement comme dit plus haut ; pour les enfants, ajouter un peu de sucre roux, qui donnera aussi une couleur agréable ; on peut aussi ajouter quelques dattes écrasées (les rincer au préalable !), ou faire un mélange de blé et de carottes râpées, soit nature, soit un peu chauffé.

IDEE-BASE : **ne pas mélanger le blé avec des aliments acides** (fruits acides tels que citron, orange, ou mi-acides comme pomme, poire, pêche, prune, raisin, etc.), mais seulement avec des légumes verts, des carottes, du fenouil.

Nous voudrions aussi attirer l'attention sur un phénomène assez curieux que nous avons remarqué dans la germination du blé : il y a des périodes à germination rapide, où la radicule pointe déjà au deuxième ou au troisième jour de préparation, tandis qu'il y en a d'autres où il faut attendre de 4 à 6 jours avant de voir une manifestation de vie dans le grain. Puisqu'il s'agit toujours du même blé, dont le mélange peut se considérer comme pratiquement uniforme, et que les températures sont pratiquement constantes puisque la préparation s'effectue dans un appartement, il faut penser à des influences moins faciles à déceler, peut-être de nature cosmique. Toutefois les variations de germinalité ne paraissent pas coïncider avec les phases de la Lune. Il y a là un champ d'observation assez intéressant, qui pourrait porter à des découvertes d'une grande portée.

Si l'on veut consommer du blé germé même pendant la saison chaude, il faut parfois avoir recours à la germination dans le réfrigérateur, afin d'éviter les phénomènes de fermentation qui tendent à se produire surtout dans la deuxième phase de la préparation (dans l'assiette). On réalise de la sorte une espèce de « hiémalisation » analogue à celle dont il a été fait mention ci-dessus.

Il semble y avoir intérêt à employer un blé à petits grains car on obtiendra ainsi le maximum de germes dans le même poids de blé.

Comme quantité à consommer au cours d'un repas, les opinions varient. Certains conseillent de se limiter à quelques grammes ; d'autres admettent des quantités beaucoup plus importantes. De notre côté, nous avons trouvé que 50 g par jour constituent une bonne moyenne. Cela correspond *grosso modo* à 1 250 grains, donc à une quantité apte à donner origine à 125 000 grains, à la première récolte, ce qui donne une idée de la « puissance » de la dose indiquée. La dose variera avec l'âge, la capacité de digestion, la sensibilité, la dépense physique.

Si la consommation du blé s'opérait de cette manière, la production mondiale actuelle suffirait presque pour 10 milliards d'hommes avant qu'il soit besoin de recourir aux algues et à d'autres aliments de nature douteuse.

17. Blé ou riz ?

Le blé est l'aliment de l'Occident, le riz est l'aliment de l'Orient, a-t-on pu dire d'une manière assez approximative il est vrai.

En Occident, pour des raisons traditionnelles et économiques, le blé est probablement la céréale qui offre les plus larges possibilités (la culture du riz est limitée).

Le riz est une céréale très précieuse mais sa présentation sous forme de riz blanc ou glacé occasionne des troubles par carence de vitamines B1 (ce qui est à l'origine du béribéri).

La valeur énergétique du riz blanc est de 355 calories pour 100 g, celle du blé est de 353 calories. La teneur en protides du riz blanc est de 8 % ; celle de la farine blanche de blé est de 9,5 %. Celle de la farine intégrale de blé est de 10,5 %.

Le riz blanc est très précieux grâce à la grande digestibilité de ses amidons dans certaines affections gastro-intestinales. Très peu salé naturellement, il est utile dans les diètes d'amaigrissement, les régimes sans sel, certains régimes des maladies cardio-vasculaires, etc.

Les autres céréales peuvent être utiles, avec grande modération, à titre de complément.

18. Le lait

Le lait maternel

L'accouchement normal n'est pas une rupture aussi brutale qu'on l'admettait des liens entre la femme enceinte et son fœtus parvenu à un état d'évolution suffisant. Dans les conditions naturelles, le sang de la première est remplacé par le colostrum à composition évoluante et ensuite par le lait de la nourrice, lui aussi modifié insensiblement de jour en jour.

Malgré les apparences, ces trois liquides nutritifs assurent une certaine continuité alimentaire de l'état fœtal à l'état infantile.

D'autre part, la chaleur de l'abdomen maternel est en partie remplacée par le rayonnement des seins si doux, si apaisant pour le bébé. Quand on l'en prive, il risque de subir, sa vie durant, une sorte de sentiment confus de frustration. D'où la nécessité de l'allaitement maternel, même limité si la quantité lactée est insuffisante ; d'où aussi la nécessité que la mère, au moins de temps à autre dans la journée, berce son nouveau-né, tout contre elle. Ce n'est plus ce qu'on conseille toujours aujourd'hui, sous le prétexte de l'hygiène antimicrobienne !

Composition

La composition du lait varie assez d'une femme à l'autre, en fonction de son hérédité, de son âge, de son activité, de son alimentation, etc. Il est riche en hormones, en biocatalyseurs spécifiques, particuliers à chaque mère et qui maintiennent une profonde harmonie biologique entre elle et son nourrisson. Avec toute autre nourrice, celui-là risque d'être moins correctement alimenté et de se développer avec difficulté.

Ne l'oublions pas, en certaines occasions, **le lait est un exutoire de l'organisme maternel. Si la maman fume, il se charge de nicotine ; si elle boit des boissons alcooliques, il s'alcoolise ; si elle consomme du café ou du thé, il véhicule des nervins ; si elle se drogue, il se souille de toxiques pharmaceutiques ; si elle s'énerve, se surmène et s'apeure, il s'empoisonne de ptomaïnes de la fatigue, de la crainte, et du mauvais sommeil. Toutes ces substances agressives imbibent le bébé encore très mal armé pour s'en défendre et dont les nerfs si susceptibles se fragilisent vite, peut-être même pour toute sa vie.**

La nourrice ne doit pas ignorer ces faits ; la valeur de sa nourriture et de ses hygiènes détermine la qualité de son lait et, par lui, la vigueur actuelle et même future du petit être qu'elle guide dans l'existence.

Certaines mères desservies par la nature, par la maladie ou par leurs erreurs diététiques ne peuvent pas assurer assez de tétées quotidiennes. Cependant, à condition qu'elles soient saines, il faut les donner au bébé, quitte à les compléter par d'autres laits et même par des biberons dits végétariens où par exemple des farines de céréales ont subi une sorte de prédigestion.

La valeur nutritive du lait

Quand la nécessité l'oblige, on allaite le nourrisson avec du lait animal, le plus souvent de vache. De toute évidence, entre celui de la mère et celui de la bête, existent de profondes différences dans la composition, dans les biocatalyseurs, etc., qui parfois menacent d'altérer la santé du téteur. Il est apprêté pour le veau et non pas pour l'enfant de l'homme dont les exigences biologiques ne sont pas les mêmes. Malgré de tels défauts, il secourt assez bien le bébé, si on le complète par des jus végétaux et des bouillies céréalières spéciales.

La valeur du lait de vache dépend de la race bovine, de la vigueur de la bête, de la saison, du microclimat, des pâturages qu'elle fréquente — d'où *des crus de lait* — des nourrissons complémentaires qu'on lui impose, de la stabulation, des traitements vétérinaires, etc. Ses variations se répercutent plus ou moins sur le développement du bébé. Souhaitons qu'on lui offre toujours un lait de vaches saines, vivant au grand air, dans les prés que ne dénaturent pas l'excès d'engrais chimiques et les pesticides capables de polluer, en bout de chaîne, cet aliment indispensable.

Durant les premiers mois après la naissance, l'enfant humain dispose de sécrétions spéciales qui lui permettent d'assimiler le lait maternel et plus ou moins bien le lait animal. A la longue, son tube digestif se modifie et les « dents de lait » apparaissent, car la Nature a prévu une séparation presque insensible entre bébé et maman. Désormais au lait, succèdent des jus vitaminés de fruits, des légumes cuits, c'est-à-dire des rations solides et, suivant l'hérédité, le tempérament et les règles d'écoles diététiques, des jus de viande et des viandes hachées.

Cela signifie que l'enfant, en prenant de l'âge, modifie sa personnalité physique jusqu'à digérer moins bien le lait animal dont la composition est déjà si différente de celui de sa mère et qui correspond mal à ses nouveaux besoins de croissance. Dans les meilleurs cas, cet aliment ne peut être qu'un complément nutritif.

Certains adolescents ne le supportent même plus car leur tube digestif s'est transformé au point de ne plus le digérer. Pour eux, il devient une cause de troubles digestifs et d'encrassement organique. **Mêmes constatations chez des vieillards qu'on a tort de gaver de cet aliment anormal pour eux** et par conséquent toxique à la longue. En bref, la consommation du lait dépend à la fois de sa qualité, de l'individu, donc de l'hérédité, des habitudes alimentaires, des sécrétions digestives actuelles, de l'état physique général, de l'âge, etc. Il serait absurde de l'imposer à tous, sans tenir compte des multiples cas particuliers.

Quand la digestion du lait devient un chimisme difficile avec les ans, voire trop difficile chez certains, il convient d'**assurer au moins une prédigestion, c'est-à-dire un caillage artificiel qui remplace l'action des enzymes absents.**

Il peut se faire avec la présure extraite de la caillette de veau, en présence de cathions calciques. Je préfère l'intervention de substances végétales telles que le « lait de la figue sauvage » ou les inflorescences du gaillet jaune — *galium verum. L* — une rubiacée. **A 20°-25°, infuser quelques grappes fleuries dans le lait ou mieux encore la chardonnette —** *cyrana cardunculus. L* — **composée, sorte d'artichaut dont on utilise les inflorescences ou surtout le jus de citron mûr. Verser goutte à goutte, lentement le jus d'un citron dans un demi-litre de lait, à 20°-25°, en agitant sans cesse avec une cuillère en bois. Ainsi on prépare un caillé très vitaminé, d'un goût agréable et d'une grande digestibilité.**

Tous ces artifices fournissent des caillés doux, donc sans acidité, beaucoup plus digestes que le lait cru et qui ne décalcifient pas l'organisme.

Les yaourts, yoghourts, etc., sont des caillés acides dus à des complexes de ferments bulgares, c'est-à-dire des fermentations symbiotiques de bacilles (tels que le *bacillum caucasius*) et de levures (telles que le *saccharomyces kéfir*).

Bien qu'en général digestes, ils risquent à la longue de déséquilibrer la flore de certains intestins sensibles si on en consomme trop et sans complément alimentaire adapté, ou même de provoquer une décalcification parfois très sérieuse à cause de leur acidité.

Après les caillés dont la conservation est courte, viennent les **fromages blancs** — autres sortes de lait prédigérés (maigres si possible) — qui vieillissent plus lentement, et non pas les fromages fermentés ou cuits comme les gruyères.

Par sa composition même, **le lait cru et,** *fortiori,* **pasteurisé ne peut être l'aliment unique ou presque du malade en général et du vieillard, en particulier.** Chez quelques-uns, il provoque des diarrhées ; chez d'autres, des constipations. Plus souvent, il encrasse l'organisme qui l'assimile difficultueusement. Beaucoup plus digestes, caillés et fromages blancs sont très nutritifs. Pour cette raison, on doit les consommer modérément, en les mastiquant bien, même au cours de la cure de recalcification ou de rephosphatation.

A cause des données restrictives qui précèdent, hormis le bébé et le tout jeune enfant, **le lait ne peut être un aliment fondamental des adultes, encore moins des malades,** d'autant plus qu'on le boit au lieu de le « mastiquer » et de l'insaliver patiemment. En conclusion, il serait abusif de le prescrire systématiquement, en quantités importantes, sans tenir compte des tempéraments et de la puissance digestive, à des faibles, des convalescents, des malades ou à des personnes âgées.

Sauf dans les cas d'empoisonnement minéral — **cadmium, mercure, plomb, etc.** — **on ne le conseille guère. Cette règle s'applique aux lépreux et aux cancéreux.**

A ces derniers, les jus de fruits, de salades, de légumes (betterave, carotte, rave, etc.), les levures alimentaires, les céréales de culture orthobiologique conviennent beaucoup mieux. En effet, de telles nourritures sont plus saines, plus minéralisantes, plus vitaminantes, plus digestives, plus purifiantes, sans empâter la glande hépatique.

Sûrement, elles comblent les carences et n'introduisent pas, dans l'organisme débilité, les toxines des maladies de la vache si préjudiciables à l'homme en mauvaise santé.

Je ne crois pas à la valeur du régime lacté dans la cancérose. Cet état exige une épuration continue et profonde que le lait n'assure pas, bien au contraire. Caillés et fromages blancs sont plus digestes, à condition d'en user modérément. Cependant dans ce cas, je préfère le caillé de lait excellent, coagulé à la chardonnette ou au citron. Ce dernier très vitaminé, très dynamisé par ce fruit mûr précieux et en particulier délivré par lui de presque toutes les bactéries, cinq minutes après l'introduction du jus et mieux que par l'ébullition (1).

---

1. D'après les travaux du Pr Raymond Lautié.

Comment consommer le lait

Le **lait nature.** Si l'alimentation comprend suffisamment de fruits et de légumes, le lait peut être pris par l'adulte en bonne santé à la dose maximale d'un demi-litre par jour.

Pris en mauvaises associations, avec le pain, les céréales, les bouillies, le café, la viande, etc., il est une cause de catarrhe, de rhumes, de végétations adénoïdes, de dérangements intestinaux, d'arthrites et de rhumatismes. L'usage inconsidéré du lait est pour une part responsable des troubles ganglionnaires, des oreillons et des maladies infantiles.

Le **lait bouilli.** A partir de 40°, le chauffage altère des vitamines et des diastases. L'ébullition détruit des germes. « Si l'on devait prendre la tuberculose par le lait infecté, tous les gens seraient tuberculeux depuis longtemps puisque le beurre et les fromages qui proviennent des mêmes animaux infectés sont consommés sans être bouillis ni stérilisés » (Dr Paul Carton).

Le **lait au tapioca.** Le tapioca cuit avec le lait rend celui-ci beaucoup plus digeste, spécialement pour les enfants et les vieillards. Un chapitre y est consacré par ailleurs.

Le **lait stérilisé ou pasteurisé.** Quel que soit le procédé employé pour stériliser le lait, écrit encore le Dr Carton, le résultat est à peu près identique : le lait se trouve dépouillé de sa vitalisation et de ses propriétés diastasiques. Les combinaisons organiques, protidiques et grasses sont déséquilibrées dans ces laits dont certains sont si peu attirants que les animaux (chiens et chats) ne les acceptent même plus. Les conservateurs chimiques qui y sont parfois incorporés n'en améliorent pas la valeur.

Laits concentrés. Sont acceptables lorsque la fabrication en est effectuée sous vide à moins de 60°. L'addition de sucre blanc en réduit la valeur.

Laits en poudre. C'est un pis-aller, car la dessiccation a altéré certaines vitamines (hydrosolubles) et diastases. Cependant, bien fabriqué, ce lait est acceptable et rend notamment des services dans l'intolérance digestive au lait ordinaire. Les vitamines doivent alors être apportées dans les légumes et les fruits.

Lait écrémé. Utile dans l'intolérance digestive et, pour les adultes, dans l'hypercholestérolémie, encore que celle-ci soit presque toujours due à d'autres facteurs et aliments que le lait.

Babeurre et petit-lait. Ils sont plus ou moins exempts de graisses et de protides. Leur légèreté les rend digestibles et précieux pour les estomacs délicats mais l'abus qui en est parfois fait à la campagne (soupe de petit-lait au pain) peut conduire à l'acidification humorale, à la déminéralisation et aux troubles digestifs.

Laits fermentés et fromages blancs. Lorsque le lait est laissé à lui-même, dans des conditions favorables, il caille spontanément. Dans certains cas, afin d'accélérer le caillage et d'éviter les fermentations et putréfactions, on le soumet artificiellement à l'action de ferments : bacilles, levures, moisissures. On obtient ainsi du lait caillé, du beurre et du fromage.

Les agents microbiens de transformation lactée produisent des laits caillés de goût et d'aspect différents. Ses germes modifient les matériaux protidiques, les substances grasses, le sucre et les sels du lait, les rendant plus digestibles et produisant ainsi des sécrétions diastasiques et acides précieuses.

Le **lait caillé** est également favorable à la sauvegarde de la flore normale de l'intestin.

Egalement, les bacilles qu'ils apportent sont capables de digérer en partie la cellulose tendre des aliments, notamment des légumes verts, et de l'enveloppe des graines, permettant ainsi une meilleure assimilation de la chlorophylle et d'autres éléments nutritifs de haute valeur. L'intestin peut alors former spontanément des vitamines D et K, comme nous l'expliquons dans un autre chapitre.

Les laits fermentés sont le *caillé,* le *kéfir,* le *yoghourt* ou *yaourt,* le *koumys.* Nous pouvons y ajouter le *petit-lait* (partie liquide du lait obtenue après la coagulation par la présure et contenant donc peu de protides et de lécithines) et le *babeurre* (liquide qui reste après le barattage du beurre ou par égouttage du lait caillé). Le yoghourt présente l'inconvénient de devoir être bouilli avant préparation.

Tous ces laits fermentés doivent être consommés très frais car des compositions parasites s'y produisent très rapidement.

Acides, les laits fermentés ne devraient pas être consommés aux mêmes repas que des aliments farineux.

Certains laits fermentés, yaourts ou autres préparations à base de lait que l'on trouve dans le commerce sont fréquemment additionnés de produits destinés à les rendre plus fermes (gélatine, amidons) et même de conservateurs ou d'aromes chimiques. Ce ne sont plus des aliments orthobiologiques.

Il en est d'ailleurs de même pour le *lait de la mère* qui allaite. Des observations récentes ont confirmé que le lait maternel est fréquemment pollué par les toxiques que contiennent les aliments actuels, par les boissons incorrectes et aussi, insistons-y, par la fumée de tabac, que la femme fume ou qu'elle se trouve dans une atmosphère tabagique. Certaines pollutions du lait maternel peuvent aussi intervenir par décomposition interne des aliments ingérés par la mère.

19. Du lait, pour qui ? pour quoi ?

Le lait, qui a été notre premier et unique aliment, de la naissance au sevrage, laisse peu de gens indifférents. On est pour, on est contre. L'adulte continue d'aimer le lait ou le déteste... ou le tolère mal. « Il est difficile de faire boire du lait aux Français ». Tandis que certains le suppriment radicalement, d'autres mènent campagne pour que les distributions soient faites aux enfants, en plus des repas principaux ; ils souhaitent faire ainsi du lait une boisson au même titre que l'eau ou les jus de fruits.

Quel usage faire du lait pour qu'il soit bienfaisant ?

Le lait, ce liquide que sécrètent les mammifères, est destiné à assurer la subsistance de leurs petits. Il contient tout ce qui est nécessaire à leur vie et à leur croissance jusqu'au sevrage (eau, matières grasses, protides, matières minérales, sucres et vitamines). Le lait de vache est celui qui est le plus souvent utilisé en alimentation humaine, à côté de ceux qui sont peu ou localement utilisés : laits de chèvre, de brebis, d'ânesse, de bufflonne, de chamelle.

Pourquoi le lait-aliment ?

Le lait de vache, celui qu'on nous propose, a une haute valeur nutritive de par ses constituants assemblés naturellement :

— **Eau :** de 87 à 88 %.

— **Glucides :** le sucre de lait et le lactose (50 g au litre).

— **Lipides ou matières grasses :** 3,9 % (taux variables selon la race des bêtes, la saison, la région). La teneur en lipide des laits commercialisés est réglementée.

— **Matières minérales.** La substance minérale de choix contenue dans le lait est le calcium : 125 mg pour 100 g. Allié au phosphore (90 mg pour 100 g) dans le très bon rapport $Ca/P = 1,4$. On y trouve également : chlore, sodium, potassium, un peu d'iode, du fer, etc.

— **Vitamines :** B2, la plus abondante, B1, PP, un peu de C, de D et de E. La vitamine A, liposoluble, se trouve dans la crème, d'où l'importance de consommer le lait entier.

Le lait de vache est, de par ses constituants, un aliment. Sa composition si parfaite, telle que la nature nous l'offre, est-elle une raison suffisante pour que toutes les catégories d'individus n'aient qu'à absorber du lait pour être bien nourris et vivre en bonne santé ? Peut-on boire du lait comme une simple boisson désaltérante ?

Il convient de savoir la manière dont le système digestif va en tirer parti, le digérer par assimilation des aliments constituants, théoriquement si parfaits et utiles.

Conditions de digestion du lait

Le lait de vache est l'aliment naturel destiné au veau, dont l'estomac ou caillette est équipé pour cailler le lait, phase la plus importante de la digestion de cet aliment. Initialement, le lait de vache n'est pas destiné au nourrisson humain, qui digère avec plus de facilité le lait de femme qui lui est destiné. Pourtant, le nourrisson humain accepte le lait de vache après un temps d'adaptation et certaines précautions. Le lait caille alors sous l'action du suc gastrique mais le coagulum du lait de vache est plus épais que celui, plus fin, du lait de femme. (Notons au passage que, *cuit avec du tapioca,* le lait caillerait à peu près de la même manière que le lait de femme, sans en avoir, bien entendu, toutes les qualités, comme nous le voyons par ailleurs dans cet ouvrage.

D'autre part, comme l'a fait remarquer le Pr Tallarico, lorsque le veau prend le lait de sa mère, ce lait correspond à l'âge du veau. Le lait de vache ne correspond pas à l'âge de l'enfant, ni aux nécessités profondes de son développement, plus lent chez l'enfant que chez le veau. Quoi qu'il en soit, le lait est indispensable au petit enfant (sauf exceptions dues à l'intolérance à certains composants du lait, mais tel n'est pas notre propos ici).

Le sucre de lait, le lactose, est digéré dans l'intestin, sous l'action d'un enzyme spécifique sécrété par cet organe. L'intestin du nourrisson est naturellement pourvu de cet enzyme, la lactase, dont la sécrétion ira en diminuant au fur et à mesure de la diversification du régime alimentaire de l'enfant. C'est ainsi qu'actuellement de très jeunes bébés ne tolèrent plus le lait, selon l'expression habituelle, dès qu'ils ont quelques mois, quand leur régime alimentaire comprend légumes, viandes, céréales, etc., donnés trop tôt.

L'enfant, l'écolier, qui a toujours continué à boire un peu de lait chaque jour, dans de bonnes conditions, continuera généralement à bien digérer ce lait entier, cru, non pasteurisé ni stérilisé, qui lui fait envie. Là est sans doute l'explication de la digestibilité du lait par des peuples entiers, particulièrement en Scandinavie.

Le lait, aliment de croissance, convient donc généralement à l'enfant. Ce lait doit provenir de vaches saines ; il doit avoir été trait et conservé dans d'excellentes conditions de propreté. Il reste, bien entendu, des « germes », mais l'hygiéniste anglais Thomson écrit, au sujet du lait consommé cru : *« Une mauvaise nutrition est beaucoup plus dangereuse que l'exposition aux germes de maladies. »* Quand le corps est encombré de toxines, les germes de maladies prospèrent. Quand l'organisme est en bonne santé, la microflore intestinale « fait le nécessaire », habituellement.

C'est Thomson qui écrit encore : *« La santé de l'enfant ne dépend aucunement de la qualité de lait que vous lui donnerez obligatoirement à avaler, mais de la quantité qu'il peut digérer et assimiler. »*

Combien et quand ?

Le lait sera pris de préférence :
— Une partie en lait-boisson, jusqu'à un demi-litre par jour à l'âge scolaire.
— Une partie en lait transformé : lait caillé, yaourt, fromage blanc, petit suisse, fromages divers.
— En préparations culinaires : entremets, sauces, gratins, potages, etc.

● **Au petit déjeuner,** le lait peut être pris nature ou avec quelques fruits (oranges, pruneaux, pommes, abricots...).
En hiver, les fruits séchés mis à tremper depuis la veille dans du lait sont souvent très appréciés : figues sèches, bananes sèches, raisins secs, etc.
Le lait caillé peut mieux convenir à certains enfants. Sa digestion est généralement aisée.

● **Aux repas principaux,** l'enfant qui aime le lait en prend volontiers une petite tasse après chacun des deux principaux repas. Il le savoure en le buvant lentement.
Le lait servi aux enfants, s'il ne doit pas être excessivement chauffé, ne doit pas non plus sortir directement du réfrigérateur. Il est préférable de le donner à la température du corps humain, 37° environ.
L'enfant de tempérament nerveux se trouve souvent bien de consommer régulièrement un peu de lait. Ce sera du lait entier, riche en matières grasses excellentes et bien supérieures à celles que l'on consomme parfois dans les croissants, les fritures, les viandes grasses.
L'enfant maigre bénéficiera généralement, comme l'enfant nerveux, d'un peu de lait pris régulièrement. Que penser des distributions de lait aux élèves, à l'école ? Si ce lait est d'excellente qualité, il est acceptable. Cependant, **pris à n'importe quel moment de la journée, ne risque-t-il pas de**

perturber des processus digestifs en cours ? L'après-midi, le lait peut être pris vers 16 h 30 ou 17 h. On veillera aussi aux inconvénients qu'il présente pour certains enfants.

L'adulte et le lait

Le lait n'est pas l'aliment de l'adulte ; il peut éventuellement constituer un aliment d'appoint pour certains sous sa forme naturelle.

Pour l'adulte, on le donnera de préférence sous forme de caillé, de fromage blanc frais mais aussi d'autres fromages à pâte ferme ou molle, en évitant les fromages excessivement fermentés qui sont susceptibles d'entraîner des troubles au niveau de la micropopulation intestinale. On se méfiera surtout des fromages qui ont subi un début de putréfaction, reconnaissables à leur odeur ammoniacale.

Le lait peut également entrer dans certaines préparations culinaires : les soufflés, les omelettes, les pâtisseries, etc. Dans certains cas, cet apport laitier peut utilement corriger des carences, notamment d'ordre protidique.

Nous avons connu plusieurs personnes qui, en fait d'aliments protidiques riches, ne prenaient que du fromage et un peu de fruits oléagineux, en excluant les œufs et la viande — et qui s'en trouvaient bien. Ouestion à régler sur un plan individuel, sans généralisation hâtive.

Pour les jeunes gens, on a voulu faire du lait, une boisson habituelle afin de lutter contre l'alcoolisme. Il ne semble pas que les résultats en aient été très heureux.

Le lait et ses dérivés tiennent, à bon droit, une large place dans les régimes végétariens. Cependant, pour qu'il soit un bon aliment, il doit arriver « sain » dans notre cuisine et n'a pas à être torturé par des préparations inadéquates. Méfions-nous de laits provenant de vaches traitées aux antibiotiques ou aux hormones, nourries d'herbes et de foin contaminés par des toxines chimiques. Il faut que les étables soient propres mais sans utilisation de certains pesticides particulièrement nocifs. Le lait ne doit pas non plus être falsifié, bien entendu.

Les laits en poudre peuvent être des laits de remplacement acceptables, de même que les laits concentrés. Mais nous conseillons plutôt les laits en poudre qui ont été obtenus à des températures ne dépassant pas 40° ou 45°, notamment par le procédé dit « de nébulisation ».

Les laits écrémés sont-ils sains ? S'ils sont entièrement écrémés, ne sont-ils pas carencés en facteurs essentiels ? C'est ce que nous craignons (1).

---

1. Louise Florin-Bonnet.

Trop de DDT dans le lait maternel. *« Le lait maternel contient quatorze fois plus de DDT que le lait de vache. Tel est l'un des résultats des études faites à l'Ecole supérieure de Chimie de Strasbourg par Mme Bellini et exposées dans une thèse. Le DDT et le DDE représentent 43 % de la pollution du lait maternel. Les pesticides aboutissent au sein maternel après avoir parcouru un cycle complexe partant des terrains et produits agricoles (soumis à épandages) au corps humain. Mme Bellini et son directeur de thèse se sont élevés devant le jury de thèse contre la vente d'insecticides contenant le lindane ».* (« Républicain Lorrain » 6-7-75).

20. Vertus du lait caillé

Sa valeur — Comment le préparer soi-même ?

D'innombrables générations de par le monde ont considéré le lait caillé comme un facteur de bonne santé. Ses bienfaits sur la restauration de la fonction intestinale sont largement reconnus mais les raisons biologiques de ce phénomène ne furent que récemment mises en évidence.

D'abord, on a pensé que le lait caillé était précieux pour la santé grâce à son action sur les microbes pathogènes de l'intestin. Ce fut le cas du Pr Mechnikov, dont le nom évoque la bactériothérapie intestinale (traitement par le lait caillé). Il pensait être capable, par l'introduction dans l'intestin d'une multitude de certains bacilles de l'acide lactique, d'exterminer tous les microbes pathogènes, tels que le colibacille, le bacille de la typhoïde et d'autres agents de putréfaction. Pour Mechnikov, ces germes étaient la cause du vieillissement prématuré et il espérait prolonger la vie humaine en les traitant avec les bacilles de l'acide lactique. Sa méthode s'appliquait principalement avant une intervention radicale : l'ablation chirurgicale de la totalité du gros intestin. Malgré la présence de quelques bactéries essentielles au développement de « l'armée » intestinale, le colibacille — le plus répandu de tous — était d'après Mechnikov un des ennemis les plus redoutables de la santé. Il imagina alors plusieurs techniques pour l'introduction dans l'intestin d'une forte concentration de bacille bulgare sélectionné : le bacille de Massol. Ce germe, qui permet le caillage du lait, résiste à la digestion stomacale puis atteint l'intestin sans transformation. Il peut y vivre et s'y multiplier au sein du bol alimentaire qui y est normalement présent.

C'est à partir de cette étude que le Dr Herschell développa une technique très spécialisée pour la préparation de cette culture à partir du lait.

Première étape : stériliser le lait ; tuer tous les germes naturellement présents, qu'ils soient « bons » ou « mauvais » — par une méthode proche de la pasteurisation à chaud.

Après refroidissement partiel, une culture pure du bacille sélectionné est ajoutée et la préparation gardée à la température du sang, pendant quelque 10 heures. Ensuite, conservation au frais jusque consommation.

L'erreur fondamentale

Cette forme de lait caillé a connu en son temps une très grande notoriété. Elle est pourtant très différente du lait caillé naturel consommé dans les pays laitiers balkaniques. Une erreur analogue se retrouve dans certains textes « naturistes ». En voici un exemple :

« Le biologiste russe Mechnikov avait confiance dans le lait caillé qui débarrasse l'intestin des bactéries. La consommation du lait caillé explique sans doute la floraison des centenaires dans l'Est de l'Europe où le yoghourt est un aliment de base. »

L'effet positif attribué au yoghourt est de « tuer » les bactéries intestinales. La vérité se trouve presque à l'opposé. Quelle rage d'extermination ! Il n'est pas étonnant que la pluplart des yoghourts vendus dans le commerce soient très éloignés, de par leur composition, de l'authentique lait caillé naturel. La plupart de ces yoghourts sont fabriqués d'après une méthode voisine de celle de Herschell. Ces méthodes sont antinaturelles et, selon nous, comportent un autre danger pour la santé : celui du traitement du lait par la chaleur.

D'autres fabrications ont pour base l'adjonction au lait d'acide lactique, d'où caillage et goût aigre. Que l'acide lactique soit purement synthétique ou qu'il soit un produit naturel, peu importe. Le « lait caillé » ainsi obtenu n'a pratiquement aucune valeur pour l'édification et le maintien de la santé.

Cette méthode montre ce que donne typiquement l'approche par trop scientifique des problèmes, cette vision déformée, très courante chez ceux qui séjournent par profession dans des laboratoires.

Les bactéries digestives

Peut-être ignore-t-on ou réalise-t-on mal et rarement que **le facteur important du lait caillé n'est pas l'acide lactique mais la présence d'une colonie saine et prospère de bactéries inoffensives.**

L'acide lactique, lui, est en quelque sorte un sous-produit sans importance de l'activité vitale de ces germes amis.

Quel est donc le rôle de ce bacille tellement important dans la nutrition humaine que l'on trouve dans l'acide lactique ?

Pour répondre à cette question, voyons ce qui se passe lorsque dans l'intestin le bacille est en proportion suffisante ou qu'il en est totalement absent. C'est monnaie courante chez le nouveau venu à l'hygiène naturelle : son intestin n'est pas normalement pourvu de ces bactéries. Les aliments végétaux ne sont pas, dans ce cas, digérés entièrement. Ainsi, vous voyez une personne qui consomme quotidiennement une bonne assiettée de salade, et dont la mastication est pourtant excellente, ne profiter que d'une proportion insignifiante de sels minéraux et autres éléments vitaux de celle-ci. **Son intestin est incapable de les utiliser correctement.**

Voici ce qui se passe : chaque cellule de matière végétale est entourée de cellulose. Si la cellulose n'est pas broyée, ses constituants et le contenu de ces légumes qui ne sont que peu mastiqués traversent purement et simplement l'intestin sans modification profonde. (La cuisson fait éclater les enveloppes de la cellule mais simultanément elle en détériore le contenu.)

La cellulose n'est pas digérée par un intestin humain stérile : ce ne sont ni les sucs gastriques ni les sucs intestinaux qui auront quelque effet appréciable sur cette digestion. (Les farineux et les sucres — aliments plus simples de la même catégorie — sont facilement digérés et assimilés, dès la bouche et l'estomac.)

Il est dit dans les enseignements classiques que la cellulose est considérée comme un déchet indigeste. Le mieux qui peut alors en être dit est qu'elle donne la « masse » du bol alimentaire et représente l'aliment « balayeur » par excellence. Effectivement, son rôle se borne presque à cela dans les intestins estropiés ou infirmes des peuples civilisés. De tels intestins n'abritent que des concentrations tout à fait insuffisantes de bactéries adéquates.

Par contre, **là où les bacilles sont présents en concentrations normales pour assurer une bonne santé, la cellulose est rapidement attaquée et transformée en acide lactique.** (La cellulose, comme le sucre du lait est un hydrate de carbone). *Le contenu des cellules de la cellulose subit alors l'action des sucs digestifs et intestinaux.*

Une observation parallèle peut être faite en agriculture. Un sol sain contient de hautes concentrations de bactéries. Celles-ci attaquent et dissocient rapidement la cellulose de la paille, des feuilles, des branchettes, etc., permettant aussi aux sels minéraux des cellules de s'assimiler au sol.

Le taux de « digestion » de la paille est un indice utile pour connaître le niveau de santé du sol.

Les bactéries des sols fertilisés outre mesure par la chimie sont détruites, et la paille ne parvient pas à la décomposition, même après un temps très long, sur plusieurs mois. L'engrais chimique est au sol ce que les médicaments dérivés de la houille sont à l'organisme humain (1).

Les médicaments dangereux

Mais il faut compter habituellement plus que sur la simple administration du bacille sous forme de culture, bien qu'étant un organisme résistant (même à l'action des sucs digestifs, tout au moins dans une bonne proportion), le bacille peut être empoisonné par bon nombre de médicaments. Il l'est plus spécialement par ceux qui appartiennent à la famille des sous-produits de la houille comme l'aspirine et la saccharine et bien davantage par les trop vantés antibiotiques. (C'est pour cette raison que vous-même n'obtenez pas de lait caillé à partir du lait d'une vache récemment traitée à la pénicilline.)

Quelques données pratiques

1) Ne pas se contenter de l'acide lactique. — L'acide lactique, qu'il soit produit par les bactéries ou par un laboratoire, ne peut à lui seul assurer la santé intestinale. C'est pourquoi les produits vendus dans le commerce et dont la base est chimique ne présentent aucun intérêt pour nous. Même si de nombreuses préparations contiennent du lait caillé et ont un arôme similaire à celui produit par le caillage naturel, le bénéfice pour l'intestin est nul.

2) Etre patient. — Il est parfaitement inutile de tenter le réensemencement de l'intestin par les bactéries en question, si l'on continue par ailleurs à absorber des médicaments ou autres préparations qui détruisent le bacille. (Il faut de nombreux mois, même après l'arrêt de telles médications, pour que leur concentration dans l'organisme ait baissé au point de permettre le développement des bactéries de réensemencement.)

Ainsi donc, il convient de prolonger la consommation de lait caillé — avec, parallèlement, ingestion de légumes verts frais.

3) Eviter le traitement du lait par la chaleur. — Les bacilles du lait caillé ne peuvent prospérer dans un milieu en putréfaction. Par contre d'autres formes de bactéries se développent et se multiplient, qui donnent non plus de l'acide lactique mais des déchets toxiques.

---

1. Le même phénomène se produit avec les déjections des animaux traités aux antibiotiques ou dont la nourriture est additionnée d'antibiotiques.

C'est pourquoi les cultures utiles ne peuvent se développer d'une manière continue dans le lait traité par la chaleur (le lait pasteurisé ou stérilisé). Ce n'est que par l'introduction d'une certaine quantité de lait traité cru que l'on peut produire une culture, apparemment active. Cela n'empêche pas le risque considérable de transformation par putréfaction.

4) A la température approximative du corps humain. — La putréfaction peut survenir dans le lait cru lorsqu'on le place dans une atmosphère trop chaude lors du caillage. La température optimale serait celle du sang, ou même légèrement inférieure. Elle ne dépassera jamais 41°. Partir d'un lait aussi frais que possible, et lui assurer une aération fréquente.

5) Peu importe la consistance du caillé. — Un lait caillé épais n'est pas forcément meilleur qu'un autre plus léger et plus doux, plus liquide. Du moment que le bacille a eu la température, une aération et le temps suffisants pour un développement normal pendant que le sucre naturel du lait se transformait en acide lactique, « la consistance » du produit importe peu.

C'est pourquoi il existe de par le monde une telle variété de laits caillés (de vache, de chèvre, de chamelle, de jument, etc.). Chaque technique et type de lait favorisent l'une ou l'autre forme. Le nom qui lui est donné régionalement varie aussi : yoghourt, kéfir, koumys, etc.

6) Fabrication du koumys. — Nous prenons une certaine quantité de *lait frais non pasteurisé* et le versons dans un récipient peu profond, tenu ensuite en un lieu où la température est douce. Nous y ajoutons une cuillerée à café de « starter » (voir plus loin). Le récipient ne doit pas être chauffé. Avoir toujours à l'esprit que **le lait ne doit pas dépasser la température de 41°.** Pourtant, si l'atmosphère ambiante est trop fraîche, le caillage sera très lent. Près d'une source de chaleur donc, mais non dans le rayonnement direct d'un feu, telle est la bonne mesure. Placer le récipient sur un feu ou un poêle donnera vraisemblablement une température trop élevée.

L'aération du lait sera fréquente (au moins une fois toutes les deux heures pendant la journée) et elle se fera par battage vigoureux à la fourchette ou au fouet, ou bien en transvasant le lait d'un récipient dans un autre. Le soir, lorsque l'aération ne peut plus être assurée fréquemment, mettre le récipient au frais. Il faut habituellement 24 heures, par temps doux, pour que le lait commence à prendre l'aspect et le goût de caillé et qu'il « prenne ».

Revenons au battage. Il doit être assez puissant pour que se forme une écume. Le but en est de faire pénétrer le plus d'air possible. Nécessité donc de « fouetter » le lait à cailler. Sans cette pratique, le goût du caillé serait beaucoup plus acide et, à moins que le lait soit gardé à peu près à la température de 37 à 41°, il mettrait vraisemblablement plus de 24 heures avant que ne se développe l'entière activité bactérienne, en même temps que sa saveur.

Les 2 règles de **temps** et de **température** sont la condition même de l'obtention d'une complète « maturité ». Elles doivent être respectées.

C'est exactement pour la même raison que le lait « tourne » rapidement par temps orageux, la durée étant malgré tout un facteur plus élastique que la température. Des fouettages fréquents raccourcissent le temps de caillage.

C'est surtout le manque d'air (une quantité de lait dans un récipient profond avec absence de battage) qui permet la prolifération de bactéries non souhaitables et la production de déchets toxiques en place d'acide lactique inoffensif.

Il convient d'écrémer le lait avant de commencer l'opération. La crème ferait un écran imperméable à l'air et donnerait un goût « fort » que peu de personnes apprécient.

Le « starter ». — C'est tout simplement une bonne cuillerée de la préparation précédente que l'on ajoute au lait frais à cailler.

Le nom de « starter » ou « démarreur » est quelque peu faussé ; il s'agit plutôt en fait d'un « accélérateur », d'une sorte de levain. Cette cuillerée de caillé plus ancien permet un caillage plus rapide mais elle n'est pas indispensable. La plupart des échantillons de lait frais qui ont pu être examinés contiennent suffisamment de bactéries pour réussir d'eux-mêmes. Sans le « starter » le temps de caillage sera beaucoup plus long.

Se contenter d'ajouter du lait frais à ce qui reste de l'ancien est une erreur fréquente mais peu recommandable. L'effet est tout différent. Cela aboutit presque invariablement à une odeur désagréable et à la production de substances toxiques. Il faut peu de caillé ancien et le récipient doit toujours être propre au départ.

Si les simples conseils donnés ci-dessus sont bien suivis, il n'y a aucun danger de développement de bactéries de putréfaction ni de production de déchets malsains. Par conséquent, il est inutile de prendre des précautions de laboratoire comme le recommandait Herschell.

Outre leur propriété de rendre beaucoup plus assimilables par l'homme, les aliments végétaux et autres, on a découvert récemment dans les milieux médicaux orthodoxes que les bactéries du lait caillé possèdent d'autres qualités : elles sont une **source d'acide folique et de vitamines B.**

De tout ce qui précède, il convient de retenir en bref que cette « nouvelle découverte » a sa signification dans le fait qu'une fois le bacille mort — après une vie bien utile — l'intestin humain est capable d'en digérer les restes et d'en extraire les quelques constituants d'ordre vital.

L'effet est semblable à celui obtenu par inclusion de certains aliments frais dans la ration.

21. Le beurre

Le beurre, aliment dérivé du lait, est très riche en matières grasses (82 % au maximum).

Il contient des traces de matières minérales, de protides, de lactose. Il est d'une valeur énergétique élevée (750 calories pour 100 g). Sa teneur en eau varie entre 13 et 16 %. Il est riche en vitamines D et surtout en vitamines A. Cru, il est de digestion facile.

Il est à recommander frais et cru aux enfants, aux futures mamans et aux femmes allaitantes.

Il est contre-indiqué dans les troubles cardio-vasculaire, l'hypercholestérolémie, l'obésité, etc.

Il faut éviter de le chauffer au-delà de 120° (formation, par « craquage », de corps cancérigènes, notamment de goudrons, par exemple : le 3-4 benzopyrène).

22. Les fromages

Classification

On classe les fromages suivant leur mode de préparation, en :

— **Fromages frais,** obtenus par fermentation lactique et égouttage. Ils contiennent 65 à 80 % d'eau, 10 % de protides, peu de lipides, un peu de lactose. La digestibilité en est assez difficile. Ils sont à déconseiller en cas de fermentation et de colite. Cependant, ce sont les seuls fromages à contenir de faibles doses de vitamine C.

— **Fromages fermentés :** certains sont à **pâte molle,** et ils contiennent 50 % d'eau et de 18 à 26 % de protides suivant le mode d'égouttage (spontané ou accéléré).

D'autres sont à **pâte dure ou ferme,** ils contiennent 25 % d'eau et 28 % de protides.

Il y a aussi les fromages à pâte bleue, avec des moisissures internes ; ils contiennent 24 % de protides.

Ces fromages fermentés sont très digestibles car la fermentation a commencé la dégradation des protides. Cependant, ils ne sont pas toujours bien tolérés par les estomacs délicats car ils risquent d'entraîner une modification de la flore intestinale.

Les fromages **fondus,** nommés crèmes, sont dérivés d'autres fromages par fusion. Ils contiennent 18 % de protides.

Les fromages fermes sont plus riches en matière sèche et, par là, plus intéressants en protides et lipides que les autres.

Les fromages dont l'égouttage est spontané contiennent moins de calcium que les autres.

Pour qui ?

Les fromages sont à recommander à toutes les catégories d'individus, en particulier :

— Aux végétariens, comme source d'apport protidique (acides aminés de première catégorie) ;

— Aux femmes enceintes et allaitantes : forte richesse en calcium ; rapport calcium/phosphore très élevé ;

— Aux maigres : leur valeur énergétique est riche ;

— Aux déminéralisés ;

— A ceux qui ne tolèrent pas bien la viande et la digèrent difficilement ;

— Aux enfants et aux adolescents, aux carencés.

23. L'œuf

Composition

L'œuf est sans doute un aliment de base. Il est assimilé presque totalement par le tube digestif. Il ne représente que 75 % en moyenne mais il est très riche en protides de première catégorie, indispensables à la croissance et à l'entretien des tissus. Le jaune contient des albumines et surtout des graisses phosphorées (phosphatides) et azotées (lécithines). Il contient aussi du calcium, du phosphore et du fer, des vitamines A et D.

Pourtant, l'œuf est considéré généralement comme un aliment indigeste, à supprimer dans bien des situations pathologiques ou non.

Pour qui ?

En fait, si l'œuf est de provenance orthobiologique, c'est-à-dire si les poules ont été nourries et élevées sans toxiques, dans la nature, l'œuf est un aliment extrêmement digeste, précieux pour les rhumatisants et même pour les hépatiques — s'il est consommé avec modération, bien sûr.

Il est indispensable à l'enfant, dès le jeune âge : d'abord quelques pointes de couteau de jaune d'œuf cru, puis une cuillerée à café et enfin une cuillerée à soupe vers l'âge de 3 ou 4 ans.

Le blanc ne doit pas être consommé cru car des phénomènes d'allergie et des difficultés d'assimilation de certaines vitamines peuvent alors apparaître.

Pour l'enfant à l'âge scolaire comme pour l'adolescent, un œuf chaque jour représente une bonne moyenne. Un repas composé de légumes, d'une ou deux tranches de pain bis et d'un œuf est complet, équilibré, nutritif. Il vaut un repas « riche » composé de viandes en sauces, de légumes cuits et devenus plus ou moins indigestes, de desserts sucrés et fermentescibles.

Si l'adolescent se plaint de fatigue vers 10 ou 11 heures du matin, donnez-lui, au petit déjeuner, un œuf et une ou deux tranches de pain bis.

Voici une recette pour obtenir un œuf parfaitement digeste : faites bouillir une grande casserole d'eau et déposez-y un ou deux œufs. Couvrez. Arrêtez le chauffage et laissez l'œuf 5 ou 10 minutes. Le jaune sera cru et le blanc légèrement pris, très onctueux.

Dans les difficultés digestives, si l'œuf est recommandé, il doit être cuit légèrement dur. Une cuisson trop prolongée entraîne la formation d'une pellicule sombre légèrement toxique autour du jaune.

L'œuf doit être consommé frais. La coquille n'est pas imperméable aux microbes qui peuvent la traverser et y produire des putréfactions extrêmement nocives. Ne pas nettoyer la coquille avant conservation. Garder les œufs 8 ou 10 jours au maximum, dans un endroit frais mais non inférieur à 4 degrés.

En pratique :

— Dans les régimes amaigrissants, l'œuf peut figurer à raison de 1 par jour, car sa forte teneur en protides permet d'équilibrer la ration ;

— Dans les régimes sans sel, le blanc d'œuf doit être supprimé en raison de sa richesse en sodium ;

— Dans les cas d'hypercholestérolémie, l'œuf doit être réduit ou même supprimé ;

— L'enfant peut supporter très tôt l'œuf cuit dur, puis plus tard, un œuf à la coque ;

— Un œuf dur le matin calme la faim — sa forte teneur en lipides permet un séjour prolongé dans l'estomac ;

— L'œuf coque est réintroduit très tôt dans le régime des opérés de l'estomac ;

— L'œuf dur peut être apporté dans l'alimentation des diarrhéiques ;

— Dans les cas d'inappétence, un œuf coque est généralement bien accepté ;

— Mis à part certains cas d'allergie à l'œuf, l'œuf dur ou coque est généralement bien toléré par toutes les catégories d'individus.

24. Le miel

Pour qui ?

Le miel, c'est le nectar des fleurs, travaillé par l'abeille. Le miel participe de la saveur des fleurs, de leur parfum, et il varie en goût, en couleur, en odeur et en qualité, selon l'espèce de plante dont il provient.

Le miel a été, de tout temps, paré de vertus qui, reconnaissons-le, sont réelles. Il a été considéré comme le premier des aliments énergétiques et sains. Les athlètes antiques savaient qu'aucune autre nourriture ne procure une telle énergie aussi rapidement. Le miel est le seul aliment qui soit presque complètement pré-digéré. En une vingtaine de minutes, il passe dans le sang, prêt à y répandre une importante énergie.

Chaque fois qu'un effort est exigé de l'homme, le miel est recommandé. Au début de la bataille d'Angleterre, pendant la Deuxième Guerre mondiale, les pilotes des avions britanniques étaient beaucoup moins nombreux que les pilotes allemands. Ils devaient prendre l'air dix fois plus chaque jour, et se maintenir à des altitudes qui atteignaient souvent 35 000 pieds. Le sort de leur pays dépendait de leur endurance, dans des conditions extrêmement pénibles. C'est pourquoi le miel figurait largement dans leur alimentation. Chaque fois qu'ils atterrissaient pour faire le plein d'essence, on leur distribuait de l'eau miellée.

Les grimpeurs expérimentés prennent souvent du miel.

Bien des gens achètent des substances chimiques pour « tenir ». Mais combien de personnes savent que certains miels sont particulièrement précieux pour les insomniaques, d'autres pour les déprimés, d'autres pour les insuffisants digestifs, etc ? Par exemple, avant le coucher, une infusion légère de tilleul ou de verveine sucrée avec un peu de miel d'oranger ou de romarin est particulièrement favorable au sommeil.

Ceux qui prennent du miel chaque jour n'ont pas besoin de laxatif car le miel est un laxatif doux naturel. C'est un des plus « propres » des aliments. Des tests de laboratoire ont prouvé que les germes de maladie ne peuvent vivre dans le miel.

Placé dans des conditions favorables, le miel se conserve indéfiniment. Du miel en pots, découvert dans les anciens tombeaux d'Egypte, était encore mangeable 33 siècles après.

Bien qu'il ait fait l'objet de recherches et d'analyses, ses composants chimiques connus n'expliquent pas complètement son importante contribution à la santé et à l'équilibre général. Certains pensent que le miel contient peut-être d'autres facteurs inconnus. La richesse du miel en vitamines est faible. Mais tandis que les légumes et fruits perdent une grande partie de leurs vitamines dans leur trajet de la production à la table, le miel conserve tout le temps son modeste pourcentage vitaminique. Il est aussi une source de minéraux essentiels pour la santé. Il en contient peu mais il n'en faut que des traces dans notre organisme.

Que ce soit pour l'alimentation ou pour les premiers secours, le miel est précieux. Une brûlure, immédiatement recouverte de miel, ne formera pas d'ampoule et guérira plus vite. Les médecins indigènes de l'Amérique centrale, qui n'ont jamais entendu parler d'asepsie, recouvrent les blessures de leurs patients avec du miel et préviennent ainsi souvent l'infection. Le miel figurait dans presque toutes les ordonnances des anciens Egyptiens. La Bible mentionne le miel comme remède. Mahomet a clairement résumé son opinion : « Le miel est un remède pour toutes les maladies ».

Beaucoup de patients ont pu éprouver les vertus du miel dans les troubles de l'estomac, des voies respiratoires, d'arthrite... Certaines expériences récentes du département d'agriculture de New York ont mis en lumière les bienfaits du miel dans l'ébriété ; ils ont observé que quelques cuillerées diluées dans un verre d'eau chaude dégrisent un homme ivre en une demi-heure environ. Mais, bien entendu, cet exemple n'est pas à suivre.

La conviction que le miel assure la longévité persiste depuis l'Antiquité. Anacréon, qui vécut jusqu'à 115 ans, attribuait sa longévité au miel. Hippocrate, le père de la médecine, le recommandait pour vivre vieux. Certains médecins actuels, qui utilisent les métaux dynamisés en thérapeutique, ont intérêt à savoir que le miel contient des traces mesurables de fer, de cuivre, de manganèse, etc.

Quelques recettes à connaître :

— Le miel fait merveille en onguent sur les **blessures** et **ulcères** ;
— Il apaise l'irritation et s'applique avec succès sur les **mains gercées** ;
— Il apporte un soulagement contre les **engelures** et contribue à réduire les **enflures** ;

— Une goutte ou deux de miel liquide dans les **yeux irrités** apportent généralement un soulagement immédiat ;

— Un mélange de miel et de crème passe pour effacer les **taches de rousseur ;**

— Etalé sur un linge, c'est un bon **cataplasme à appliquer sur les taches douloureuses de la peau et sur l'érésipèle ;**

— Souvent, des **gonflements hémorroïdaires** ont cédé à la suite d'applications régulières de miel sur l'anus ;

— Pour les **maux de gorge,** faire bouillir une ou deux cuillerées à soupe de bon miel dans un grand bol d'eau, pendant quelques minutes. Prendre toutes les heures de 2 à 4 cuillerées de cette préparation ;

— En cas de **digestion stomacale difficile,** mettre une demi-cuillerée à soupe de bon miel dans un verre d'eau bouillante. En prendre à chaque heure une cuillerée, observer un régime modéré ;

— Contre l'**aérophagie** et les renvois. Prendre une cuillerée de fenouil coupé fin avec une cuillerée de miel. Faire bouillir pendant 20 minutes dans un bol d'eau. En prendre toutes les deux heures 2 cuillerées.

— Contre l'**intoxication** ou l'**empoisonnement :** si l'on a ingéré du poison ou des aliments toxiques, prendre de deux à quatre cuillerées de miel pur. Le miel ne tolère aucun poison dans l'estomac ;

— Pour les **yeux :** le miel est un grand purifiant et fortifiant des yeux. Faire bouillir une cuillerée à café de miel dans une demi-tasse d'eau pendant 5 minutes. Ensuite, on y trempe une petite compresse oculaire qu'on appliquera sur les yeux.

— En cas de **hoquet,** s'il est causé par un rhume ou un catarrhe, faire bouillir une cuillerée à café de bon miel dans un verre d'eau. C'est un très agréable gargarisme ;

— Pour les **abcès :** prendre moitié miel, moitié farine blanche, remuer le mélange en additionnant d'un peu d'eau chaude. Cet onguent mielleux doit être assez solide. Badigeonner la partie tous les soirs.

N'oublions pas que le miel doit être bouilli car, non bouilli il est trop actif et parfois irritant.

Par exemple **lorsque l'on tousse** et que l'on prend du miel cru, la toux augmente. Mais si on le prend bouilli dans l'eau, le lait ou une tisane, il devient dissolvant, lénitif et il calme la toux.

Surtout pour les **enfants** et les **vieillards,** il est préférable de le prendre après l'avoir mélangé avec une tisane chaude ;

Comme **boisson de table,** verser une cuillerée à soupe de bon miel dans de l'eau bouillante et la laisser bouillir un peu. La boisson est prête, saine, fortifiante.

Vertus caractéristiques de certains miels :

— **le miel de lavande** est recommandé pour l'appareil génital de la femme et de la jeune fille ;

— **les miels de thym et de romarin** conviennent spécialement aux affaiblis et aux catarrheux ;

— **le miel de bruyère** est bénéfique aux diabétiques (sur avis médical) et à l'anémié ;

— **le miel de rhododendron** est recueilli pour soulager le rhumatisant et l'arthritique ;

— **le miel de montagne,** de fleurs d'oranger, mille-fleurs ou sapin est favorable dans les troubles des voies respiratoires ;

— **le miel de tilleul** est sédatif, calmant ;

— **le miel d'acacia,** toujours liquide, est un édulcorant parfait.

Bien entendu, il faut préférer le miel produit dans des régions non encore empoisonnées par l'agriculture chimique. Il faut que l'apiculteur ait obtenu ce miel naturellement et non en gorgeant ses abeilles de sucres plus ou moins industriels. D'autre part, le miel doit avoir été récolté à froid et non chauffé. C'est pourquoi le choix du miel présente tant d'importance.

La gelée royale

Il s'agit d'une nourriture réservée à certaines larves destinées à devenir des reines. Selon le Pr Lautié : *« C'est un miel plus savamment fabriqué, plus enrichi d'hormones et de vitamines et pauvre en pollen. Grâce à une prédigestion profonde, les nourrices spécialisées élaborent cette substance exceptionnelle qui permettra à l'unique mère de la ruche de vivre plus de trois ou quatre ans, alors que l'ouvrière succombe vers huit mois, dans les cas favorables. »*

Dans la gelée royale, on trouve de nombreuses vitamines : vitamines du groupe B (pyridoxine, lactoflavine, acide folique, aneurine, inositol, biotine), vitamine E, vitamine PP, acide pantothénique, etc.

Elle contient aussi de précieux acides aminés fondamentaux : arginine, acide glutaminique, isoleucine, leucine, lysine, etc.

Des auteurs la conseillent avec enthousiasme, d'autres ne sont pas de cet avis. Probablement, les différences d'interprétation viennent pour une bonne part des conditions dans lesquelles est récoltée, conservée et consommée cette précieuse substance.

Le pollen

Cette « farine jaune » est constituée par des milliers de petits grains aux formes et dimensions variées, caractéristiques des plantes.

Chacune des cellules du grain de pollen est gonflée de potentiel et d'hérédité ; elle résiste bien aux agressions du milieu ambiant. Sa valeur est évidemment variable suivant son origine, c'est-à-dire suivant les végétaux sur lesquels l'abeille a butiné.

Le pollen constitue pour l'abeille la source protidique de base. A côté de sucre et d'albuminoïdes variés, on y trouve de nombreuses vitamines du groupe B, de la vitamine PP, de la vitamine C, de la vitamine E, de la provitamine A. Egalement on y observe la présence de diastases qui permettent la digestion des amidons et des sucres et l'utilisation des phosphates par l'organisme ; des substances qui règlent la croissance végétale, des substances œstrogéniques, des substances bactériostatiques, etc.

Le pollen est un germe de vie, c'est une source de substances remarquables. *« Vitaminant de choix, il est à recommander aux enfants, aux accouchées, aux opérés, aux anémiés, aux sportifs, aux scrofuleux, aux tuberculeux et aux toxémiques. Il fortifie les nerfs et le cerveau. Il facilite l'assimilation du pain complet et du phosphore et du calcium du son inclus. »*

On doit le conseiller aux entéritiques, dans les cas de colibacillose (car il a une forte action bactériostatique) ; enfin, aux impuissants, pour sa vitamine E et ses hormones. Il est à associer au régime contre la sénescence précoce.

« Il me semble que son pouvoir de freiner les cancers, d'en retarder l'évolution fatale n'est plus discutable, sans cependant en faire « la » substance anticancéreuse miracle.

« Ses propriétés multiples sont de plus en plus utilisées en médecine — palynothérapie — en diététique, dans la préparation de crèmes de beauté, etc. En pratique courante, chez le bien portant, le pollen consommé de temps à autre est un dynamisant, un « renforceur » de la protection organique, particulièrement en période de rhumes ou de grippes ou avant l'effort sportif.

« Pratiquement, on ne dispose pas d'un pollen unique mais d'une association de pollens où parfois un d'entre eux est dominant. Autrement dit, on a affaire à des « crus » polliniques que l'apiculteur et le diététicien savent rechercher. » (1)

Cet auteur conseille de le consommer une ou plusieurs fois par an, en cure d'une, deux ou trois semaines. La ration quotidienne dépend du traitement recherché mais elle se situe autour d'une demi-cuillerée à café par jour. On n'a pas intérêt à user de fortes quantités. Mieux vaut allonger la cure et répartir la ration sur toute la journée, avant ou après le repas. Il

1. Pr Lautié.

est probablement plus efficace et plus agréable d'inclure du pollen dans du bon miel — et plutôt dans le miel provenant des mêmes fleurs — tous les deux se complétant et se renforçant. Dans les cas sérieux et graves, on peut doubler ou quadrupler la quantité d'entretien précitée, par exemple en période de surmenage nerveux.

Miels aux essences végétales

Le miel est un des meilleurs véhicules d'essences végétales. C'est un transporteur exalté participant profondément aux réactions thérapeutiques. Il peut donc être enrichi d'arômes végétaux qui en intensifient la valeur. Par lui, leurs effets sont plus énergiques et plus rapides dans les cas difficiles. Le Pr Lautié cite les plus utilisables en France : anis vert, basilic, bergamote, camomille, cannelle, carvi, citron, coriandre, cyprès, eucalyptus, genièvre, girofle, hysope, **lavande,** marjolaine, menthe, oranger, origan, pin, **romarin,** santal, **thym,** verveine, ylang-ylang, etc.

10 gouttes d'essences végétales pour 100 g de miel représentent une moyenne. Une ration de 30 g de miel par jour pris lentement en petites cuillerées bien salivées, réparties entre les repas : tel est un des moyens préconisés par le Pr Lautié. Cependant, pour combattre l'anémie, la ration globale peut atteindre 100 g pendant la cure.

25. Aromates, épices et condiments

Suivant les auteurs, un végétal peut être classé dans l'une ou l'autre catégorie. Selon le Pr Lautié, les uns et les autres sont des substances végétales à odeur agréable et plus ou moins pénétrantes pour assaisonner des mets.

Les arômes les plus doux qui respectent la saveur naturelle des mets et se contentent de la mettre en valeur constituent les aromates. Par contre, les forts, les violents qui l'effacent forment les épices.

Les arômes permettent de varier la saveur d'un plat, de le rendre plus agréable et par conséquent de rompre la monotonie qui affaiblit l'appétit.

Ils dégagent des odeurs qui flattent l'odorat et le goût ; ils excitent ce que nous appelons l'appétit et qui correspond à la mise en activité des glandes buccales et stomacales. Ils préparent une meilleure digestion.

Par leurs essences et leurs hormones végétales, ils complètent les aliments, les assainissent. Ils sont souvent les ennemis des microbes infectieux, des putréfactions digestives.

Il ne faut toutefois pas exagérer leur emploi, surtout quand il s'agit du poivre, des piments, du curry ou du cumin car leur excès dénature le goût, bouleverse la flore intestinale et finit par irriter tout le tube digestif.

(Voir tableau ci-contre).

DESIGNATION	UTILISATION DIETETIQUE	UTILISATION CULINAIRE
ACHE (céleri sauvage)	Diurétique Régime : amaigrissant	Même emploi que le céleri mais plus actif
AGAR-AGAR (mousse du Japon)	Laxatif	Gélifiant - Confiture - Aspic - Crème renversée
ALLIAIRE	Diurétique - Dépurative Régime : obésité	Remplace l'ail - Potage - Sauce - Salade
AIL	Antibiotique naturel Troubles de la circulation - Vermifuge Régime : arthrite - artériosclérose	Soupe de poissons - Court-bouillon Légumes
ANIS VERT	Carminatif - Stimulant - Digestif Régime : estomac	Biscuit - Pain d'épices - Thé parfumé Pâtes - Brioches - Galettes
ANGELIQUE (herbe aux anges)	Stomachique - Apéritive Carminative - Antispasmodique	Confiserie - Boissons - Thé - Liqueur
BASILIC (orange des savetiers)	Stimulant et rafraîchissant Diurétique - Surmenage - Dépression	Œufs brouillés - Potage provençal Pâtes alimentaires - Salade estivale
BOURRACHE	Diurétique - Sudorifique Régime : obésité	Potée aux choux - Omelettes - Potage Décoration de salade
CANNELLE	Antispasmodique - Antiseptique Régime : intestin - diarrhée	Dessert - Entremets - Couscous - Riz au lait - Vin chaud
CARVI NOIR (cumin des prés)	Stimulant - Apéritif - Stomachique	Cuisson des poissons et crustacés Choucroute - Fromage fort
CERFEUIL	Diurétique - Stimulant - Amaigrissant Dépression	Potage - Légumes - Sauce verte - Sauce blanche
CIBOULETTE	Riche en vitamines A et C Régime : arthrite - artériosclérose	Salade - Sauce vinaigrette - Fromage blanc Omelette
CORIANDRE	Digestive et cordiale Régime : digestion	Relève le goût des artichauts Cornichons - Champignons à la grecque
CUMIN	Stomachique - Diurétique Régime : troubles digestifs	Plats nord-africains et grecs - Agneau rôti et couscous
CRISTE MARINE (fenouil marin)	Diurétique - Apéritive Régime : amaigrissant	Soupe d'herbes - Farces - Sauces froides Feuilles confites au vinaigre
CURRY	Mélange de curcuma et de coriandre et autres plantes. Excitant des fonctions digestives	Potage - Riz Bisque - Poulet
CYNORRHODON (églantier)	Astringent - Diurétique Antiscorbutique (vitamine C)	Confitures - Condiments - Boissons Parfume les compotes de pommes
CELERI (ache odorante)	Tonique - Antifébrile - Diurétique Régime : hydropisie	Potage - Potée - Jus de tomates Poisson au four
ESTRAGON	Apéritif dénué d'effets irritants Régime : sans sel intégral	Parfume les sauces - Mayonnaise - Farce pour poulet
ECHALOTE	Dépourvue d'âcreté - Tolérée par les estomacs fragiles	Sauce au vin - Beurre blanc
FENUGREC	Fortifiant - Prise de poids	Grain germé - Pickles - Cornichons Mélangé à l'huile
FENOUIL	Rend plus digestes choux, haricots, fèves Diurétique	Poisson cuit au four - Marinade - Farce Salade - Fromage - Choucroute

DESIGNATION	UTILISATION DIETETIQUE	UTILISATION CULINAIRE
GENIEVRE	Tonique et diurétique	Choucroute - Quiche lorraine - Gibier Court-bouillon - Viandes blanches
GINGEMBRE	Tonique - Digestif Régime : sans sel	Pudding - Vol-au-vent - Soja
GIROFLE	Stimulant - Rafraîchissant - Antiseptique	Pot-au-feu - Potée - Vin chaud Cornichons - Pickles - Pain d'épices
HYSOPE	Pectorale - Stimulante	Poisson gras - Lentilles farcies Salade de pommes de terre
LAURIER	Antiseptique - Calmant - Sédatif	Court-bouillon - Marinade - Poissons Crustacés
MARJOLAINE	Digestion difficile - Aérophagie Fermentations intestinales	Mets à la tomate - Poisson au four Sardine grillée - Pot-au-feu
MELISSE	Migraine - Palpitations - Nervosité Surmenage - Dépression	Potage - Farce - Champignons - Boisson Aromatise la salade
MENTHE	Tonique - Digestive - Stimulante	Omelette - Salade - Farce - Jardinière de légumes - Méchoui - Sauce froide
MYRTILLE (airelle)	Astringente Digestive - Antidiabétique	Entremets - Confiserie - Condiments
MUSCADE	Digestive - Carminative - Stimulante	Epinard - Chou - Navet - Riz - Omelette soufflée
OIGNON	Stimulant - Hépatique - Diurétique Antirhumatismal	Oignon cru à l'huile - Accompagne tous les mets
ORIGAN	Régime dépressif - Tonique Antispasmodique - Insomnies	Poisson au four - Pizza - Mets à la tomate Sauce - Brochettes - Pot-au-feu
PERSIL	Régulateur de l'appareil circulatoire Apéritif - Stimulant - Riche en sels minéraux (anémie)	Farces - Pâtés - Marinades - Tous les légumes fades
PAPRIKA (poivron doux)	Très riche en vitamine C Digestif - Reconstituant	Risotto - Mayonnaise - Sauce brune Fromage blanc - Goulasch
POURPIER	Antiscorbutique - Dépuratif - Astringent	Sauce béarnaise - Salade - Potage Omelette aux fines herbes
RAIFORT	Antiscorbutique - Stimulant - Diurétique Acné - Séborrhée	Remplace la moutarde - Assaisonne le fromage
ROMARIN	Tonique Régime : hépatique sans sel	Viande rôtie - Poisson au four Aubergine - Maïs
SARIETTE	Facilite la digestion, surtout des féculents - Fortifiant	Salsifis - Lentilles - Fèves Pois chiches - Lapin - Salade
SAUGE	Digestive - Stimulant général Antiseptique - Diurétique Régime : état dépressif - hépatisme convalescent	Soupe de légumes - Viande blanche Mouton - Farces - Châtaignes
SERPOLET	Calmant - Dépuratif - Tonique	Volaille - Viande blanche - Court- bouillon
SOJA VERT (haricot mungo)	Très nutritif - Riche en protéines Faible en hydrates de carbone Régime : diabétique - amaigrissant	Comme les lentilles - Germé, en salade ou sauté
SESAME	Riche en lécithine Régime : dénutrition	Confiserie - Pâtisserie orientale Mayonnaise de sésame ou Tahina

ce qu'il faut encore savoir

27. En été, dangers des viandes et poissons

Un aliment doit remplir certaines conditions inhérentes à sa définition même. Il doit être :

— Physiologique, c'est-à-dire contenir les principes que pourra transformer et utiliser notre organisme.

— Biologique, c'est-à-dire vivant, contenant des vitamines naturelles.

— Ni modifié par des améliorants chimiques, ni infecté par des microbes ou des parasites nocifs pour notre organisme.

Ce sont ces dangers (microbiens ou parasitaires) assez fréquents en été, que nous voulons signaler ici.

Poissons et mollusques

La putréfaction est facile à déceler par l'odeur infecte que dégage un poisson altéré.

Cependant, des restaurateurs sans scrupules, heureusement de plus en plus rares, peuvent servir, relevé à l'aide de sauces piquantes, du poisson dont la décomposition commence.

Chaque été, on constate des accidents à la suite de consommation de poisson putréfié.

L'embarras gastrique, avec nausées et vomissements très importants, de la diarrhée, de la température, sont les signes habituels.

La consommation de poissons insuffisamment cuits peut engendrer la ladrerie bothriocéphalique. Un parasite, le bothriocéphale (un ver solitaire, le plus grand de ceux que peut héberger l'homme) se rencontre dans les muscles et les organes de la perche, de l'omble chevalier, du saumon, de la truite de rivière et de lac, du lavaret, de la murène, du féra, du brochet et de la lotte.

La larve, qui vit dans le corps de ces poissons, se développera dans l'intestin de l'homme, provoquant tous les malaises dus au ver solitaire.

La cuisson pendant 10 minutes à 50° suffit à la tuer.

Les crustacés (moules, huîtres) vendus en dehors de tout contrôle hygiénique, peuvent être de redoutables réservoirs microbiens où pullulent les bacilles typhiques, paratyphiques A et B et autres virus toxiques responsables de la fièvre typhoïde, des ictères, des diarrhées et autres intoxications digestives diverses.

La vaccination antityphoïdique ne semble pas réellement préserver de ces infections.

Il ne faut consommer que des crustacés dont on connaît l'origine et la fraîcheur.

Les viandes

La putréfaction de la viande peut être superficielle ou profonde.

La chaleur, les mouches qui pondent leurs œufs sur la chair, expliquent ces putréfactions à l'origine de toxi-infections graves, parfois mortelles.

L'embarras gastrique, la température, la diarrhée pouvant affecter l'allure d'un choléra, caractérisent ces toxi-infections.

Des recherches de laboratoire ont permis d'identifier les microbes suivants : *bacillus enteridis* de Gartner, *bacillus enteridis breslau, bacillus suipestifer.*

— 9 cas de toxi-infection ont été provoqués par la viande de porc,
— 7 cas par la viande de vache,
— 7 cas par la viande de veau,
— 6 cas par la viande de bœuf,
— 6 cas par la viande de cheval,
— 1 cas par la viande de mouton.

Ces toxi-infections sont le fait surtout de viandes hachées, travaillées (saucissons, pâtés, cervelas, galantine, conserves) parce que l'on utilise parfois dans ces préparations des viandes peu fraîches que l'on manipule sans hygiène (instruments ou mains souillés, porteurs de germes microbiens).

Il ne faut pas croire que la cuisson suffit toujours à tuer ces microbes de la toxi-infection. Habituellement, la cuisson n'agit sur la viande qu'en surface et non en profondeur, en pleine chair, où se développe l'infection microbienne.

Ces microbes agissent, du reste, par leur sécrétion particulièrement virulente. La toxine, très rapidement, parfois deux heures après l'ingestion du morceau de viande suspect, provoquera l'infection de tout l'organisme.

Tout se passe comme si ces microbes opéraient une injection de leur toxine à diffusion rapide dans tout l'organisme. C'est cette toxine que la chaleur ne peut détruire.

Certaines viandes offrent un aspect salubre ; elles n'ont pas d'odeur particulière alors qu'à l'examen du vétérinaire elles se révèlent avariées.

Le froid (emploi du réfrigérateur) est le meilleur moyen de protection contre la détérioration et la putréfaction de la viande.

Toutefois, il faut connaître les pratiques nocives de certains commerçants : ils sortent leur marchandise du « frigo » pour l'exposer, puis ils la remettent lorsqu'elle n'est pas vendue.

Cette pratique favorise la putréfaction et, les jours d'orage, une telle viande peut devenir rapidement (en quelques heures) toxique. Il faut donc la faire cuire de suite et totalement et ne pas se contenter d'une cuisson superficielle.

Une affection microbienne spécialement redoutable peut être provoquée par les viandes avariées ; c'est le *botulisme,* déterminé par un microbe, le « botulinus clostridium » qui sécrète une toxine à diffusion rapide et nocive pour le système nerveux.

Les conserves (confits d'oie, de porc, de gibier), les pâtés, les conserves de légumes (haricots, épinards, olives noires en saumure), les jambons crus et fumés (porcs qui ont été sacrifiés à la fin de l'automne) sont, avec des fréquences diverses, des foyers de botulisme.

Comme conditions favorables au développement de la toxine microbienne, il faut citer :

— La privation d'air : le botulisme ne s'observera qu'avec des conserves ou des aliments protégés de l'air par de la graisse ou une enveloppe (saucissons, pâtés).

— La mauvaise stérilisation ou la cuisson insuffisante de l'aliment.

Quant aux symptômes du botulisme, ils se traduisent par des paralysies (affectant les nerfs de l'œil) ; la diplopie (le malade voit double) ; la pupille dilatée ; le strabisme (le malade louche) qui sont les signes les plus précoces.

D'autres nerfs bulbaires peuvent être intéressés ; des paralysies du pharynx, du larynx, des troubles cardiaques et respiratoires sont possibles.

Ce retentissement sur les commandes vitales fait toute la gravité du botulisme qui, en l'absence d'une thérapeutique urgente (sérum), peut être mortel.

Ces diverses infections microbiennes qui peuvent souiller nos aliments en été doivent être évitées.

Il faut mettre en pratique les règles fondamentales d'hygiène alimentaire, ne consommer que des viandes, des poissons ou des coquillages d'une grande fraîcheur.

Le moindre doute sur l'état de conservation d'un de ces aliments doit les faire rejeter de notre table.

Les végétariens, il est vrai, ont résolu le problème, mais en partie seulement pour ceux qui ne veillent pas à la parfaite qualité des œufs et même des fromages qu'ils consomment.

28. Accidents dus aux œufs

Nécessité de consommer des œufs biologiques

L'œuf peut se trouver contaminé dans l'oviducte de la poule ou pendant son passage au travers du cloaque. Après la ponte, il peut être souillé par des matières fécales ou du fumier. La coquille protège en général son contenu mais cette protection n'est pas suffisante. Un œuf lavé est par cela même dépouillé de l'enduit gélatineux de sa coquille et les micro-organismes extérieurs peuvent y pénétrer, devenant, par prolifération, un milieu dangereux.

L'œuf peut être infecté, au cours de l'été, par une préparation culinaire qui le transforme en milieu de culture. L'exemple classique en est la crème à l'œuf. Les salmonelloses sont les plus graves de ces intoxications et elles causent des vomissements, de la diarrhée, des céphalées et de la fièvre. Ces salmonelloses peuvent durer quatre jours et certaines formes rappellent la fièvre typhoïde.

Certaines autres contaminations rendent l'œuf inconsommable. Le mirage de l'œuf par transparence permet de déceler cette altération.

Les œufs de cane sont plus toxiques et plus facilement infectés que les autres.

La nourriture de la poule intervient dans la qualité de l'œuf. Certains aliments industriels, en particulier les farines de poisson, ont une fâcheuse influence sur le goût de l'œuf et peuvent même le rendre toxique ou indigeste pour certaines personnes qui, cependant, tolèrent bien les « œufs normaux ».

Les œufs mal produits peuvent causer des troubles cutanés ou digestifs, une sensibilité allergique, de l'asthme, des migraines, etc.

Le blanc d'œuf cru est toxique et peu assimilable. En effet, il contient un facteur neutralisant : la trypsine du suc gastrique, et les protides de ce blanc d'œuf ne sont pas alors attaqués par le suc gastrique. De plus, le blanc d'œuf contient une protéine : l'avidine, qui forme avec la vitamine B (biotine) une combinaison inattaquable par le suc gastrique. Cette avidine neutralise donc la biotine de l'œuf mais aussi celle des autres aliments ingérés en même temps. Les animaux nourris au blanc d'œuf cru présentent une éruption pellagreuse.

La cuisson de l'œuf, en détruisant la combinaison biotine-avidine, prévient cette avitaminose B.

Il est donc préférable de faire cuire l'œuf, mais non d'une manière excessive. Nous préconisons la consommation de l'œuf cuit mollet. Le blanc d'œuf n'est pas cuit dur mais reste un peu gélatineux. Il suffit de déposer l'œuf dans de l'eau bouillante puis de retirer cette eau du feu et d'y laisser l'œuf pendant 8 à 10 minutes.

29. Comment choisir les légumes et les fruits

Les **salades** doivent être fraîches, exemptes de parasites et de parties jaunies. Il en est de même des légumes verts (poireaux, choux, épinards, etc.). Les carottes et navets doivent être tendres, frais, fermes. Les carottes doivent être bien colorées. Refusez les carottes à large collet vert.

Les **courgettes** doivent être fraîches, fermes. Refusez les courgettes jaunies, creuses, molles ou éclatées.

Les **artichauts** doivent être entiers, frais, propres, bien fermes et exempts de vers. Un cœur abîmé se révèle par des taches noires à la base des feuilles.

Les **haricots verts** doivent être entiers, frais, à cassure nette. A la cassure, il ne doit pas y avoir de fils importants. Ne pas prendre les haricots rouillés ou moisis. Eviter ceux qui présentent des grains trop formés et des gousses dures.

Les **pois** doivent être entiers, frais, fermes et ne présenter aucune trace de maladie. Refusez les pois flétris, secs, aux grains durs, aux gousses à la couleur jaunie ou grisâtre.

Les **pommes de terre** doivent être entières, fermes, fraîches, dépourvues de germes, de taches vertes ou de perforations (mildiou ou insectes). Elles doivent avoir la peau fine.

Les **tomates** doivent être mûres, c'est-à-dire bien colorées, fraîches, fermes, exemptes de blessures et de parties vertes. Refusez les tomates vertes, molles ou présentant des taches noirâtres.

Les **oranges, mandarines, pamplemousses,** etc., doivent avoir un parfum agréable. Veillez à ce que la peau soit nette. Malheureusement, il faut couper ces fruits pour se rendre compte de leur saveur et de leur valeur réelle. Il est donc bon d'en choisir un échantillon et même de l'acheter avant d'en prendre une quantité importante.

Les **abricots** doivent être frais, mûrs et bien colorés. Refusez les fruits mous ou trop durs.

Les **pêches** doivent être fermes, mûres, colorées sur la moitié au moins de leur épiderme, exemptes d'attaques d'insectes et de maladies (gommes). Refusez les fruits trop mous ou trop durs.

Les **bananes** doivent être fermes, de couleur jaune, légèrement mouchetées de brun, exemptes de meurtrissures et de pourriture noire aux extrémités.

Les **pommes** doivent être d'une bonne variété de table, fermes, mûres et non véreuses. Refusez les pommes mal formées ou altérées.
Il en est de même des **poires.**

Les **raisins** doivent être bien sucrés, fermes, turgescents, avec des grains bien tachés à la râfle, exempts de maladies, d'attaques d'insectes ou de moisissures. Ne pas prendre de raisins trop acides.

Les **cacahuètes,** si l'on en consomme, doivent être de présentation parfaite, très fraîches, sans traces grisâtres. Moisies, elles peuvent être porteuses d'aflatoxines cancérigènes. Il en est de même des huiles d'arachide vierges fabriquées à partir de cacahuètes moisies.

30. **Deux fruits méconnus**

La myrtille

Les myrtilles mûrissent à la même époque que les fraises des bois. On les trouve en abondance dans certaines régions montagneuses très ensoleillées (Vosges, Alpes, Ardèche, etc.).
Certaines variétés croissent dans le marais mais la plupart se trouvent, en France, dans les montagnes au sol acide.
La myrtille est un fruit savoureux et nutritif. Pour 100 g : 62 calories, 15 mg de calcium, 13 de phosphore, 60 de potassium, 6 de vitamines C, 1 de fer, 40 unités internationales de vitamine A, un peu de vitamines B6.
Séchées, ces baies peuvent remplacer les raisins de Corinthe.

Quelques remèdes de bonne femme :

1) Les myrtilles séchées ou cuites à l'eau, le jus et le vin de myr-

tilles sont censés être un remède efficace contre les hémorroïdes, la diarrhée et les troubles gastriques.

2) D'autre part, l'infusion des feuilles de myrtilles pourrait remplacer partiellement l'insuline, diminuant le taux de sucre dans l'urine du diabétique et augmentant la tolérance de celui-ci pour le sucre. Les diabétiques peuvent toujours essayer.

Le sureau

Les baies de sureau sont généralement négligées, sous-estimées. Ces fruits sont cependant précieux ; à la fin de l'été et au début de l'automne, ils comptent parmi les fruits les plus sains car ils sont riches en vitamines A et C ainsi qu'en potassium et en phosphore.

Le goût des baies de sureau crues est un peu fétide mais il disparaît lors du séchage. Ces baies séchées peuvent être utilisées pour la compote ou les tartes.

Les fleurs de sureau, incorporées dans la pâte à crêpes, gaufres ou petits pains, lui donnent un goût délicat.

On peut confectionner une gelée délicieuse avec le jus des baies séchées cuites à l'eau avec des pommes (de préférence des reinettes bien mûres).

31. Sachez nettoyer légumes et fruits

En principe, il ne faudrait pas nettoyer les aliments naturels.

Nos aliments devraient être de provenance orthobiologique, c'est-à-dire non empoisonnés par la chimie de synthèse. Leur culture devrait être correcte, c'est-à-dire que les feuilles et les tubercules devraient être exempts de traces de fumiers ou d'immondices.

Dans ces conditions, la salade peut être prise sans avoir été préalablement rincée à l'eau ; un léger essuyage suffit.

Il en est de même pour les fruits : il faudrait simplement avoir à les frotter avec un linge doux.

Dans cet état, légumes et fruits sont recouverts d'une minuscule couche de « microbes » et levures dont la présence dans l'atmosphère est normale. Ces micro-organismes sont indispensables à la santé intestinale comme à la santé générale. Il est regrettable de devoir s'en priver.

Il faut savoir d'autre part que la peau des fruits est riche en vitamines ; que les feuilles vertes abîmées, froissées, séchées ou trempées perdent rapidement leurs éléments vitaminiques et minéraux ; que les légumes et les fruits pelés perdent plus rapidement la plupart de leurs vitamines (surtout hydrosolubles).

Il sera donc indispensable de prendre des précautions particulières qui peuvent être résumées ainsi :

— Ne laver les légumes et les fruits que si cette opération s'impose.

— Ne laisser tremper dans l'eau les légumes que le temps minimum nécessaire ; bien souvent, les feuilles de salade peuvent être lavées directement sous le robinet sans être froissées.

— Ne pas couper les végétaux en morceaux préalablement à leur immersion dans l'eau.

Certains légumes tels que le cresson peuvent porter des parasites dont l'action sera plus ou moins nocive dans le tube digestif (certains parasites peuvent même atteindre le foie ou d'autres organes). Il est alors bon de tremper ces légumes dans de l'eau additionnée de jus de citron ou, à la rigueur, d'un peu de vinaigre.

Un problème tout aussi délicat se pose lorsque légumes et fruits ont été traités chimiquement. Dans certains cas, il est préférable de s'abstenir de consommer un aliment traité. Certaines salades, des radis, des fruits ont été pulvérisés à l'aide de produits toxiques peu de temps avant d'être livrés à la consommation. En général, aucune mesure ne permettra de les débarrasser de ces toxiques dangereux.

Pour certains fruits, on a pu préconiser de les peler finement ou de les laisser pendant quelques minutes dans de l'eau additionnée d'acide chlorhydrique à 3 ‰ avant d'être rincés soigneusement à l'eau claire. Les raisins, les pommes, les poires, les pêches, etc., seraient dans ce cas. Ce traitement peut être appliqué mais nous conseillons d'enlever la peau des fruits pollués.

Pour ce qui concerne les raisins dont la provenance est inconnue, les laver très soigneusement et, sans les mastiquer, **enlever la peau.** L'enfant est particulièrement sensible aux toxiques utilisés en agriculture ; il est préférable d'enlever préalablement les parties toxiques. Le simple fait de porter à la bouche la peau d'une cinquantaine de grains de raisins peut entraîner un dessèchement de la bouche et de la langue, avec fendillement des coins des lèvres.

Pour ce qui concerne les agrumes (oranges, citrons, pamplemousses, etc.), la solution est apparemment plus simple : enlever systématiquement la peau. La plupart de ces fruits sont traités non seulement au diphényl mais encore à l'aide de bien d'autres toxiques. Même l'intérieur des fruits peut avoir été contaminé soit par ces toxiques appliqués extérieurement, soit par des injections de produits destinés à conserver les fruits ou à modifier leur couleur interne.

Il est recommandé de **ne pas utiliser les peaux des agrumes en cuisine,** dans la confiture ou les jus de fruits, **sauf si l'on est certain de leur provenance orthobiologique.**

Ces précautions paraîtront bien difficiles à mettre en œuvre. Il y va de la santé des enfants et des grands. La solution est de se procurer des aliments de haute qualité biologique ou, chaque fois que possible, de les produire soi-même.

Certaines méthodes actuelles permettent de réaliser un petit jardin même sur un balcon, pour le persil, le cerfeuil et même quelques salades. Un petit jardin de 20 à 100 mètres carrés comporte des avantages inestimables pour la famille qui sait le mettre en valeur par les méthodes naturelles de compostage.

32. Quels ustensiles de cuisine choisir ?

La gamme des ustensiles

Parmi tous les ustensiles, une gamme variée s'offre à notre choix. Aluminium, émail, acier émaillé, acier inoxydable, verre pyrex, fonte noire, fonte émaillée, terre cuite, céramique, tôle d'acier, etc.

L'aluminium s'oxyde facilement et donne un oxyde d'alumine, préjudiciable à la santé : altération de la paroi interne du tube digestif, tarissement des sécrétions gastriques, peut-être ulcérations, action sur les capillaires, sur les globules rouges du sang, etc.

Le papier d'aluminium : conseillé pour empaqueter les aliments cuits et à cuire, il risque de provoquer les mêmes méfaits ; s'il isole les aliments au fond des plats, enveloppant le poulet cuit au four et à la broche, aidant à caraméliser les sucres, il les souille de dérivés aluminiques.

Email et acier émaillé : l'émail de qualité ordinaire est à éviter car, sous les chocs par exemple, des éclats peuvent sauter et sont dangereux pour l'intestin. Il faut choisir l'émail très épais et d'excellente qualité, à préférer au décor.

L'acier inoxydable : dans sa sobriété d'aspect, il est le bien nommé : inoxydable. En principe, il est inaltérable et offre les garanties souhaitées par la ménagère : pureté, dureté, sans odeur. Cependant, il faut choisir un acier inoxydable d'excellente qualité.

Verre pyrex-pyroflam : ce verre est sain, inodore et très résistant s'il a été correctement fabriqué. Certains verres pyrex de qualité douteuse peuvent dégager des produits légèrement toxiques. Le bon verre pyrex est idéal pour la cuisson à l'étouffée. Le pyroflam présente les mêmes avantages mais il n'est pas transparent.

Fonte noire ou émaillée : la cocotte en fonte noire, comme autrefois, est toujours valable. On lui préfère volontiers la fonte émaillée, très résistante et d'entretien facile.

La terre cuite : les marmites, ou poêlons en terre cuite, à l'aspect rustique, étaient autrefois très employées et surtout appréciées pour le bon goût qu'elles communiquaient aux aliments.

A notre époque où elles sont vernies et décorées, le danger réside dans les peintures et vernis contenant souvent trop de plomb.

La dégradation se réalise lorsque les aliments acides séjournent plus ou moins dans ces récipients. Donc, exigez de la terre cuite non décorée au plomb, si vous voulez éviter l'empoisonnement (saturnisme).

Cocotte-minute : la marmite autoclave est à déconseiller en raison de l'élévation considérable de température qui risque de déséquilibrer les aliments. Si l'on tient à l'utiliser parfois, que ce soit réellement à titre exceptionnel, dans les périodes de hâte. Mais alors, ne serait-il pas préférable de prendre purement et simplement des aliments crus ?

Les poêles : à défaut de l'antique fer battu qui rouille, et de l'aluminium prohibé, elles seront choisies soit en acier inoxydable, soit, mieux en acier vitrifié bleu, à fond quadrillé, n'attachant pas et de matériau absolument stable. Il existe aussi une poêle en tôle d'acier à double fond perforé qui, grâce à cette particularité, assure une cuisson lente et douce, sans attacher.

En ce qui concerne le **teflon,** nous nous en méfions car cette substance qui imprègne le fond des ustensiles est très sensible à l'excès de chaleur et peut alors donner des composés toxiques.

La faïence et la porcelaine : elles sont en général stables si elles sont de bonne fabrication ; elles ont fait leurs preuves depuis longtemps et, à part leur fragilité, on ne peut rien leur reprocher.

Plastiques et divers : restons très prudents en ce qui concerne l'emploi du plastique dans les casseroles, les moules à gâteaux, etc. Certains plastiques s'érodent, se désagrègent plus ou moins lentement et passent dans le sang du consommateur où leur effet à long terme n'est peut-être pas sans conséquences graves. Certains plastiques peuvent diffuser du récipient dans l'aliment au bout d'un certain temps et l'empoisonner. Méfions-nous aussi des pots paraffinés ou plastifiés.

Que choisir ?

Eliminons impitoyablement de la cuisine les matériaux nuisibles ou douteux et donnons, jusqu'à nouvel ordre, la préférence au pyrex et au pyroflam, à l'acier inoxydable, à l'acier vitrifié ou émaillé de qualité, à la fonte émaillée, à la tôle d'acier, à la terre cuite mate, aux bouteilles de verre (1).

33. Conservation des aliments

Principales méthodes de conservation

Les principales méthodes physiques de conservation des aliments sont : la dessiccation, la concentration, la réfrigération et la surgélation.

La concentration : il s'agit d'éliminer de l'aliment l'eau qui risquerait d'entraîner des altérations dues aux actions microbiennes ; on crée ainsi une augmentation de la pression osmotique du milieu. Cette concentration étant obtenue généralement par chauffage, une grande partie de la microflore se trouve détruite.

La dessiccation : le but est analogue. S'il y a dessiccation partielle, la teneur en eau est suffisante pour permettre le développement des moisissures.

La réfrigération : il s'agit ici d'abaisser la température des aliments et de la maintenir aux environs de 0°C. Elle permet une conservation limitée dans le temps. A cette température, en effet, les microbes sont incapables de proliférer. Cependant, certains micro-organismes peuvent se multiplier et altérer les aliments.
Pour que l'effet de la réfrigération soit pleinement favorable, le refroidissement doit être rapide dans l'ensemble de la masse de l'aliment.

1. D'après les travaux du groupe « VIE ET ACTION » de Marseille.

La surgélation : il s'agit ici d'amener l'aliment à des températures inférieures à moins 15°C. Les micro-organismes sont totalement inhibés mais non forcément détruits. La conservation par ce moyen est de longue durée. Des précautions doivent être prises lors de la décongélation. Celle-ci doit en effet se réaliser à plus de 5° afin d'éviter que les parties superficielles de l'aliment, les premières qui seront décongelées, puissent être dans des conditions thermiques permettant une prolifération microbienne (1).

Des méthodes non physiques permettent aussi de détruire cette flore microbienne. Ce sont : la pasteurisation et la stérilisation.

Par la pasteurisation, les bactéries pathogènes sont détruites et, d'autre part, on réduit l'abondance de la microflore susceptible de nuire à une conservation de courte durée de l'aliment dans des conditions courantes de température.

Par exemple, pour le lait, il y a chauffage de 30 minutes à 63°C (pasteurisation basse) ou de 15 secondes à une température de 71-72°C (pasteurisation haute).

La stérilisation a pour but de détruire totalement la microflore. Théoriquement, elle peut permettre d'obtenir une conservation illimitée des aliments.

Dans les installations industrielles, les chauffages réalisés pour obtenir cette stérilisation sont nettement supérieurs à ceux auxquels sont soumises les « conserves ménagères ».

---

1. *Congélation et surgélation :* congélation et surgélation signifient le passage rapide d'un liquide en solide par l'action du froid. Cependant, la surgélation est réalisée très rapidement et à très basse température. La rapidité de l'opération est un facteur très important pour la production d'un aliment surgelé de qualité supérieure car on obtient ainsi de très petits cristaux de glace, moins nuisibles à la structure cellulaire que les cristaux plus importants formés à la suite d'une congélation lente. On reproche aux aliments surgelés de n'être pas désinfectés comme les aliments stérilisés par la chaleur. A une température inférieure à 10°, les micro-organismes ne se développent pas et une partie d'entre eux est tuée ; il en reste cependant qui peuvent se développer à nouveau lorsque l'aliment est réchauffé (et surtout s'il est gardé un certain temps à la température ambiante).

Le principal avantage de la surgélation est de pouvoir conserver longtemps les denrées périssables dans un état très semblable à l'état originel. Quand un aliment surgelé a un goût fade, c'est : soit que le point de départ est de qualité inférieure, soit que la température utilisée n'est pas suffisamment basse. La surgélation offre un autre avantage fondamental, celui de préserver les nutriments avec une perte très inférieure à celle obtenue avec la stérilisation. Par exemple, pour les petits pois, la valeur calorique résiduelle est de 74 % avec la surgélation contre 53 % avec la stérilisation ; 85 % des protides sont conservés au lieu de 55 % avec la stérilisation. On retrouve, après la surgélation, 18,7 mg de vitamine C pour 100 g, contre 9,3 avec la stérilisation.

On appelle **appertisation** l'opération de chauffage à laquelle sont soumis certains aliments qui deviennent ainsi stables, tout en étant encore susceptibles de contenir quelques spores bactériennes revivifiables appartenant à des espèces considérées comme non pathogènes.

Conservation des légumes et des fruits

Les procédés de conservation visent à ralentir l'évolution normale du végétal en freinant l'activité de ses cellules. Généralement on utilise le froid, qui opère ce ralentissement de l'activité.

Il ne faut cependant placer dans les chambres froides que des fruits et des légumes en très bon état, un peu au-dessous de leur état de pleine maturité. La réfrigération exige que le fruit soit en effet traité avant qu'il n'ait commencé la crise finale de sa maturation. Ne pas placer au froid les bananes qui ne supportent pas des températures inférieures à 12° et les oranges qui dégagent des composés à odeur prononcée risquant d'imprégner les autres denrées.

Voici quelques températures optimales. Fruits : de 0 à 3 ou 4° ; il en est de même pour les légumes sauf pour les pommes de terre : 4,5° ; tomates mûres : 10°.

Si l'on dispose d'une bonne cave, les pommes de terre peuvent être conservées aisément, d'une manière naturelle. Il faut que la cave soit propre (murs blanchis à la chaux), bien aérée, à la température comprise entre 2 et 8°. Il faut éviter le gel. Un peu d'humidité évite la dessiccation des tubercules. Dans les caves cimentées, on peut entretenir une humidité artificielle en plaçant par terre une couche de sciure de bois que l'on arrose de temps en temps.

Eviter le contact du sol et des murs humides. Placer les pommes de terre sur des planches surélevées par des briques, le mur étant tapissé d'un rang de fagots, ou bien utiliser des caisses rectangulaires à claire-voie en forme d'abreuvoir d'oiseaux, ouvertes à la partie supérieure.

Les tubercules doivent être récoltés avant dessèchement complet des fanes, bien ressuyés et complètement triés, de façon à éliminer d'avance tous ceux qui sont susceptibles de pourrir. Trier et dégermer fréquemment.

Ne pas oublier qu'**une pomme de terre trop vieille ou verdie, ou encore germée, contient de la solanine, toxique à éviter, notamment aux enfants.**

Pour ce qui concerne les fruits à faire sécher, certains réalisent cette opération dans un four doux ; d'autres, dans les climats bien ensoleillés, peuvent recourir au séchage naturel (pruneaux, figues, pêches, pommes, poires, abricots, etc.).

Nous ne citerons que pour mémoire la fermentation des légumes et des fruits, qui est plutôt de nature industrielle ou très spécialisée : choucroute, olive, etc.

Conservation du pain

Si le pain est correctement fabriqué, il se conserve, en atmosphère assez sèche et ouverte, de 8 à 15 jours très aisément. Le pain bis au levain ne durcit que très modérément et devient succulent à partir du 3e ou 4e jour.

Nous ne parlerons pas du pain blanc du commerce, qui est un aliment de faible valeur, à notre avis. Sa fabrication l'a rendu très susceptible de durcir en 24 ou 48 heures et devenir alors presque immangeable.

Le pain peut aussi se conserver, congelé à — 22°, à la sortie du four. S'il est conservé au réfrigérateur, il est réchauffé lors de l'emploi et il reprend la consistance du pain frais.

Dans certains cas, pour conserver le pain plus longtemps dans les conditions ordinaires, on le coupe en tranches que l'on fait sécher lentement au four doux.

Conservation du lait

Si l'on se procure du lait pasteurisé, il est bon de ne le consommer que dans les 24 heures car la pasteurisation déséquilibre le lait sans le rendre imputrescible.

Le lait stérilisé est de conservation plus prolongée mais il est encore plus dégradé que le lait pasteurisé.

Le lait frais, obtenu à la ferme ou chez un commerçant sérieux, ne se conserve guère plus de 24 heures. On peut le faire bouillir (s'il ne tourne pas pendant cette opération). On peut aussi le faire cailler naturellement en le battant toutes les deux heures afin d'y réincorporer les levures et microbes de l'atmosphère, sans avoir à y ajouter de présure ou un autre ingrédient. Le lait peut alors être pris caillé non égoutté ou égoutté pour donner du fromage blanc frais de consistance plus ou moins molle suivant le degré d'égouttage.

Conservation du beurre

La température du réfrigérateur ou d'une glacière (0 à 10°) permet de conserver le beurre de 8 à 30 jours. Encore faut-il un beurre frais, correctement fabriqué.

Il en est de même pour la crème fraîche.

Une précaution : le beurre fixe facilement les odeurs environnantes. Ne pas le placer à côté des légumes, des fromages, de la viande ou des œufs. Le conserver dans une boîte étanche.

Le beurre salé se conserve plus longtemps que non salé. Un salage à 4 % suffit. On utilise aussi le procédé du beurre fondu, le vieux mode de conservation de cet aliment. La fusion doit être lente, à feux très doux ou au bain-marie, de façon que la température ne dépasse pas 50°. On empêche ainsi l'oxydation de la graisse chaude et l'apparition du goût de suif si fréquent dans les beurres fondus et mal préparés.

Quand le beurre est fondu, on laisse l'eau se déposer au fond du récipient où elle entraîne la caséine et les matières altérables du beurre. On décante alors l'huile dans un pot de grès, ou un seau d'acier inoxydable. Ne pas entraîner la partie aqueuse.

Refroidir aussi vite que possible afin d'obtenir une matière grasse finement cristallisée. Quand celle-ci est solide, la recouvrir d'une couche de 2 à 3 centimètres d'eau salée à saturation qui sera maintenue en permanence et évitera les oxydations en surface. La conservation, sous cette forme, est excellente et de très longue durée.

Conservation des fromages

Les fromages fermentés à pâtes molles (camembert, carré de l'Est, livarot, maroilles, munster, saint-rémy, pont-l'évêque, etc.), se conservent bien à la température de 12°. S'ils évoluent très vite, on peut mettre en chambre froide entre 0 et 5°.

Il en est de même pour les fromages moisis intérieurement (roquefort, gorgonzola, bleu d'Auvergne, bleu du Jura, fourme, etc.). Pour une plus longue durée, il est cependant préférable de les garder entre 4 et 6°.

Pour les fromages à pâte pressée, non cuite (saint-paulin, hollande, cantal, chester, reblochon, saint-nectaire, etc.), la conservation peut s'effectuer à 10 ou 12°, ou, si on la veut plus prolongée, à 6°, en atmosphère moyennement humide. Les fromages à pâte pressée et cuite se conservent bien dans une ambiance froide, de 5 à 10°. Pour éviter la dessiccation, on peut cependant les conserver à 10 ou 15° en atmosphère légèrement humide. Veiller à ce que des moisissures n'apparaissent pas en surface.

Ne pas conserver les fromages dans du papier d'aluminium ou de la matière plastique, ce qui risque d'entraîner une putréfaction avec formation d'ammoniaque.

Pour tous les fromages, le local le plus simple est une cave fraîche où la température se maintient vers 10 ou 12°, suffisamment aérée pour rester humide sans saturation (70 à 80° d'hygrométrie). Les murs doivent être régulièrement blanchis à la chaux. Les fromages sont à placer sur des étages de bois et non de métal. Il faut laver les étagères fréquemment par brossage avec de l'eau contenant un peu d'eau de javel.

Pour les températures de 0 à 6°, on utilisera bien entendu le réfrigérateur ou la glacière.

Il est important, dans tous les cas, de veiller à ce que les mouches et les « sirons » ne pénètrent pas sur les fromages. Des toiles métalliques seront utilisées, s'il le faut.

Conservation des œufs

Si l'on veut conserver longuement les œufs, les procédés par immersion (chaux ou silicate) sont recommandés mais ne doivent être utilisés qu'avec de grandes précautions. Les œufs doivent être choisis très frais, mirés si possible. Les coquilles doivent être propres et intactes mais il ne faut absolument pas les nettoyer à l'extérieur. Les récipients contenant les bains d'immersion sont placés dans un endroit aussi frais que possible. Il ne faut pas briser les coquilles des œufs. Pour cette conservation prolongée, les œufs ne doivent être achetés qu'à la fin de l'automne et au début de l'hiver mais non au-delà du mois de janvier.

La conservation peut s'effectuer au réfrigérateur, mais ne pas dépasser plus d'une semaine de conservation et ne pas descendre la température au-dessous de 4°.

Certains œufs sont vendus congelés. Ils doivent alors être placés au froid (entre 0 et 4°) dès leur réception et n'y être conservés que pendant le temps minimum nécessaire à la décongélation de leur contenu, environ 48 heures. Il faudra alors les utiliser le jour même de l'ouverture du récipient qui les renferme.

Conservation du poisson

Le poisson étant putrescible, nous ne conseillons pas de le conserver plus d'une journée au réfrigérateur. Par la congélation, il est possible d'obtenir des durées plus longues.

Conservation des viandes

La viande congelée peut être conservée longtemps. Cette viande a été d'abord congelée rapidement à — 25° après abattage et découpage des morceaux. Elle est maintenue à basse température (de — 18 à — 15°) jusqu'à son utilisation.

La surgélation comporte une congélation ultra-rapide aussitôt après l'abattage (à — 18°). La conservation des produits surgelés jusqu'au moment de la vente au consommateur se réalise à une température égale ou inférieure à — 18°.

Lors de l'achat, placer cette viande au réfrigérateur pendant 24 ou 48 heures au maximum. La consommer immédiatement.

En ce qui concerne les conserves industrielles et les boîtes de conserve, nous n'y recourons que d'une manière très occasionnelle. Tout le monde sait que la boîte ne doit pas être bombée. Un code devrait en principe permettre de déterminer la date limite d'utilisation des aliments en boîte mais combien de consommateurs en sont informés ?

On se méfiera de certaines conserves préparées à l'aide de produits toxiques (comme en charcuterie, les polyphosphates, les nitrates, etc.).

D'autre part, ce n'est que dans des circonstances d'exception que l'on achètera de la viande pré-hachée. Aussitôt après avoir été hachée, en effet, la viande est le siège d'une intense prolifération microbienne, fréquemment pathogène. Il est préférable de hacher la viande à la maison, au moment de la cuire.

Procédés complémentaires

Des procédés modernes de conservation des aliments sont maintenant de plus en plus utilisés. Citons-en deux :

La lyophilisation : il s'agit d'une cristallisation à froid. Elle permet, par l'action combinée du froid (au-dessous de — 50°C) et du vide, d'obtenir une dessiccation sans perte des propriétés essentielles des tissus animaux et végétaux, à condition de mettre le produit à l'abri de l'air, dans un récipient hermétiquement clos. Les aliments sont réhydratés au moment de la consommation.

Conservation par rayonnements ionisants : ce procédé utilise les rayonnements gamma en provenance de radio-isotopes du type cobalt 60. La conservation des aliments (pomme de terre, viande, végétaux, pain, etc.), est ainsi très prolongée. La structure de la matière conservée est modifiée physiquement. Il y a destruction de certaines vitamines et vieillissement des aliments (les pommes de terre ne germent plus). Nous sommes très prudents et réservés à l'égard de ce mode de conservation.

Influence défavorable des rayons ultraviolets et de la lumière sur certains aliments. Lorsque l'aliment reste exposé à la lumière, directement ou à travers le verre blanc ou peu teinté, il s'altère plus ou moins.

Pour les jus de fruits, on observe une altération du goût et une destruction de la vitamine C.

Pour le lait, destruction des vitamines du groupe B.

Pour les huiles comestibles : destruction de la vitamine A et rancissement.

Il est préférable de conserver les huiles et jus de fruits dans des récipients opaques ou, pour une faible durée, dans des bouteilles teintées en bleu-violet.

Consommons l'aliment dans son état aussi naturel et frais que possible.

L'idéal est la consommation de l'aliment aussitôt après sa récolte, c'est-à-dire lorsqu'il contient encore tous ses aliments vitaminiques et minéraux et que ses constituants sont restés en totale intégrité.

La conservation des aliments est vitale. Utilisons les moyens les moins toxiques, les plus sûrs. Réduisons au maximum la durée de conservation. Sachons compenser les déficiences des aliments de conserves par des fruits et des légumes frais, notamment en hiver et au printemps, c'est-à-dire à l'époque où la carence en vitamines C et autres est le plus durement ressentie (elle est à l'origine de bien des épidémies imputées à des microbes !).

Conservation par le sucre : les sucres et les miels à forte concentration permettent de conserver les aliments tels que les fruits, sous forme de confiture.

Conservation des légumes secs : haricots, lentilles, pois, etc., peuvent être conservés sans trop de précautions à l'abri des insectes, pendant un, deux ou même trois ans.

Conservation chimique : citons pour mémoire l'intervention du gaz sulfureux, du vinaigre, de l'acide benzoïque, du borax, de fongicides, de pesticides, de sulfamides, d'antibiotiques, etc.

L'aliment qui a ainsi été transformé est devenu très artificiel et souvent plus ou moins toxique.

34. Sachez conserver les fruits

Conserver les fruits ? Est-ce nécessaire ? Oui, voici pourquoi.

— Quand une famille possède verger ou jardin, il y a un temps d'abondance. Il s'agit alors de conserver les fruits ou de les voir se perdre.

— Parce que les fruits, s'ils perdent beaucoup de leurs vitamines lors de la cuisson, gardent cependant bien des qualités. Les conserves familiales peuvent être confectionnées simplement et sainement avec du sucre de canne non raffiné (en partie tout au moins) et sans adjonction de conservateurs chimiques.

— Parce que, l'hiver, le prix des fruits frais est très élevé tandis que leur choix est limité à quelques espèces.

— Parce qu'enfin, dans notre cuisine, les conserves de fruits constituent un bon appoint pour la confection des repas : desserts courants, garnitures de tartes, de gâteaux, etc. L'emploi de ces conserves de fruits, dont la valeur calorique est importante, est acceptable en saison froide.

Différents moyens de conservation

Le froid : il faut posséder un congélateur capable de descendre à — 30°C. Les fruits, d'excellente qualité, mûrs, sans excès, seront préparés et congelés dès leur récolte. Ajouter aux fruits 10 % de leur poids de sucre et les placer dans des sachets en plastique. Placer les sachets dans le congélateur à — 30°C pendant 48 heures, puis au surgélateur à — 18°C où ils pourront être conservés 6 à 8 mois. On ne congèle pas le raisin ni les pêches trop juteuses ni les fruits qui ne nécessitent pas un tel traitement.

Il convient d'insister sur le fait qu'il faut d'abord descendre à — 30°C ou — 40°C pour congeler des aliments, tandis que la température de — 18°C est une température de conservation de produits préalablement congelés.

Un local approprié. Pour les espèces qui mûrissent tardivement : poires d'hiver, pommes, ces fruits se conservent fort bien si on les place dans de bonnes conditions. Récolter avant les gelées, avant que les fruits ne tombent. Le local sera si possible exposé au Nord, bien isolé thermiquement, température moyenne ambiante de 2 à 6°, obscur et aéré. Le local doit être suffisamment humide mais pas trop : 65 % d'hygrométrie. Si l'atmosphère est trop sèche, les fruits se rideront ; si elle est trop humide, ils pourriront. Prévoir des planches à claire-voie pour disposer les fruits, qui ne se toucheront pas. Une fois par semaine, choisir les fruits mûrs et enlever les fruits abîmés.

Les confitures : traditionnelles confitures familiales. Nous n'insisterons pas pour le moment sur la manière de les faire et de les bien réussir. Rappelons-en le principe même : cuisson des fruits entiers ou en quartiers avec du sucre, ce sont les marmelades. On entrepose les confitures en lieu frais et sec. On n'oublie pas, au moment de se servir, qu'elles sont très riches en sucre !

Les fruits séchés : technique particulière rarement pratiquée pour la consommation personnelle.

Les sirops de fruits : préparation de boissons saines et économiques, simples à confectionner avec l'aide du pèse-sirop. Les plus courants sont ceux de fraises, framboises, cassis, groseilles.

Les fruits au sirop ou conservation des fruits par stérilisation. Cette pratique nous paraît indispensable dans les régions où abondent les fruits. Par la stérilisation, les fruits sont débarrassés des microbes et ferments susceptibles de nuire à leur conservation. Comment procéder ?

Le matériel : des bocaux spéciaux avec leur caoutchouc permettent une étanchéité absolue. Un stérilisateur est nécessaire ou une grande lessiveuse. Les bocaux doivent être en bon état et propres. Les laver ainsi que les caoutchoucs à l'eau bien chaude et les sécher à l'air.

Les fruits : ils seront très frais, lavés et préparés (dénoyautés, équeutés, pelés en quartiers ou entiers).

Le sirop : pour le préparer, mélanger à froid un même volume d'eau et de sucre cristallisé. Faire chauffer doucement, laisser bouillir une minute. On compte habituellement un litre de sirop pour cinq bocaux de fruits d'un litre.

La stérilisation : après avoir rempli les bocaux avec les fruits et avoir recouvert ceux-ci de sirop de sucre (laisser 3 cm sous le couvercle), fermer les bocaux hermétiquement. On les place alors dans le stérilisateur. Les caler afin d'éviter les chocs en cours de stérilisation. Recouvrir d'eau les bocaux en dépassant leur niveau d'au moins 3 cm. Chauffer progressivement jusqu'à ébullition. Le temps de stérilisation est à calculer à partir de ce moment. Il est indiqué sur la recette suivie. Après cette opération, laisser refroidir le tout à 50° puis sortir les bocaux sans plus attendre. Les placer à l'abri des courants d'air jusqu'à refroidissement complet. Ranger les bocaux en un local obscur, frais et sec, à l'abri des grands écarts de température.

35. Pour une cuisson peu destructrice

La cuisson est très souvent défavorable à la qualité biologique de l'aliment. Nous savons que :
— De 45 à 75°, les diastases sont détruites.
— A partir de 60°, disparaît la vitamine C.

— A 100°, les minéraux sont précipités et perdent de leur assimilabilité.

— A 110°, les vitamines liposolubles disparaissent (y compris la précieuse vitamine D).

— A 120°, les graisses commencent à se décomposer en acides gras et glycérine qui se dédoublent d'eux-mêmes en eau et en goudrons cancérigènes (gare au 3-4 benzopyrène !).

Afin de préserver autant que possible les aliments au cours de la cuisson, quelques conseils seront utiles :

— Cuire le moins possible et le plus brièvement possible, à la température la plus basse possible.

— Cuire le plus souvent les légumes avec leur peau.

— Ne pas couper les légumes en morceaux trop petits.

— Cuire si possible à la vapeur.

— Se méfier de la cuisson sous pression, où la température est trop élevée et n'y recourir que tout à fait exceptionnellement.

— La cuisson à l'étouffée est longue, ce qui entraîne une perte importante de vitamines. A son avantage, la température peut ne pas dépasser 70 ou 80° si l'on sait régler l'appareil de chauffage.

— Ne pas ajouter de bicarbonate de soude.

— Consommer très rapidement les aliments cuits ; ne pas les laisser séjourner à la température ambiante ou dans un réfrigérateur ; la fermentation ou la putréfaction des aliments cuits est très rapide.

— Ne pas faire chauffer ni surtout cuire le beurre. Le prendre plutôt cru, sur les aliments tiédis mais non au-delà de 45°.

— Les eaux de cuisson peuvent être utilisées dans bien des cas pour des soupes, des potages ou des sauces. Mais ne pas en abuser car il peut en résulter des surcharges minérales.

Pour ce qui concerne le lait, il est préférable de le faire chauffer au bain-marie mais jamais au contact direct de la flamme.

Pour ce qui concerne la consommation des aliments cuits : ne pas les prendre excessivement chauds, ce qui dégrade les papilles de la langue et les muqueuses de la bouche, de même d'ailleurs que les muqueuses de l'œsophage et de l'estomac. Surtout, ne pas faire alterner les aliments chauds et les aliments glacés, ce qui entraîne :

— Au niveau des dents : des dilatations et des contractions causant rapidement des fissures dentaires.

— Au niveau des muqueuses et des organes digestifs : une altération des sécrétions digestives et des muqueuses.

En principe, les aliments devraient être pris à la température de 30 à 40°.

Les crèmes glacées sont censées permettre une digestion rapide. En fait, il s'agit là d'une illusion : l'introduction d'un aliment glacé dans le tube digestif entraîne un péristaltisme accru ; l'aliment est rejeté avant d'avoir été correctement digéré. Il n'est donc pas utilisé normalement.

36. Les choux : un aliment trop méprisé

Valeur nutritive des choux

Un nombre croissant de gens considèrent les diverses espèces de choux comme des aliments secondaires, assez peu nutritifs et souvent de digestion difficile. Une pareille appréciation est inexacte, si ces légumes sont correctement cultivés et logiquement apprêtés. Bien des fois, par ignorance, on les cuit mal, ce qui désorganise leurs associations organominérales et détruit beaucoup de leurs vitamines. D'où leurs qualités diététiques diminuées, voire supprimées. **Seule, la cuisson à l'étouffée peut les ménager suffisamment.**

Quand on les prépare d'une façon normale, les choux valent les autres légumes, tant au point de vue des hydrates de carbone et des protides que de l'assimilation. Ils s'avèrent des minéralisants remarquables par leur calcium, leur potassium (si les engrais potassiques ne les ont pas « forcés »), leur fer, leur magnésium (chlorophyllien et ionique), leurs oligo-éléments tels que : l'aluminium, l'arsenic, l'iode, le cuivre et le manganèse, deux catalyseurs indispensables dans l'action des vitamines B et des enzymes d'oxydation. En ce qui concerne le soufre et leurs essences sulfurées volatiles, ils ne le cèdent en rien à l'oignon, à l'ail, au poireau, ou au pissenlit. De plus ils sont riches en vitamines C, A, P, PP, K et B. Propriété remarquable : parmi les diverses vitamines qui forment le groupe liposoluble B qu'on pourrait presque appeler le « groupe anticancéreux », ils possèdent une association de certaines d'entre elles, aux propriétés assez spécifiques, dite *vitamine U,* qui, entre autres choses, accélère la cicatrisation normale, sans bourgeons, des plaies et favorise la perméabilité des capillaires péritoniaux.

N'est-ce point là un ensemble de facteurs bénéfiques faisant du **chou un aliment recommandable à tous les consommateurs et plus particulièrement aux déminéralisés et aux affaiblis ?**

Quand ce légume intervient moins comme nourriture ordinaire que composant des régimes particuliers, il vaut mieux recourir à son jus frais, non cuit, beaucoup plus actif et qui retient intégralement le complexe formé par le groupe U et ses sels catalyseurs, seul efficace et que la cuisson, même la mieux réalisée, détériorerait plus ou moins.

Pour ce faire, récolter des choux de qualité certaine. Les laver soigneusement à l'eau non chlorée. Plonger leurs feuilles pendant une dizaine de secondes seulement dans une eau peu minéralisée, chauffée à 40°. Recommencer trois fois cette opération. Hacher et presser pour en extraire le jus qu'on boit aussitôt.

Grâce à ses chlorophylles purifiantes, à son pouvoir vitaminique, à ses sels et à sa pauvreté en cellulose, il calme les muqueuses entériques, rétablit la flore intestinale de symbiose et accroît le nombre des hématies (plutôt le chou blanc). Voilà pourquoi il est conseillé dans l'anémie, les infections, la paresse des côlons, les maladies de la peau, etc.

Toujours bien toléré, même par ceux qui supportent mal les choux cuits, il contribue à cicatriser les ulcères gastriques, les plaies intestinales ; à protéger et à régénérer le tube digestif irrité par des erreurs alimentaires. Riche en inuline, il convient aux diabétiques. Ses bienfaits dans le rhumatisme sont fort nets parce qu'il intensifie le nettoyage des humeurs et favorise l'émission d'urine. D'où son usage dans les ascites.

Parce qu'il possède des catalyseurs d'oxydation (fer, cuivre, manganèse, etc.) et des vitamines B, elles aussi nécessaires aux processus oxydants et anti-anaérobies, aussi bien que des chlorophylles, des vitamines C et du calcium, il contribue à la lutte contre les affections pulmonaires, tuberculose comprise.

Pour son iode organique, on doit le conseiller dans les régimes de l'insuffisance thyroïdienne. Reconstituant du sang, dynamisant de la rate, il est aussi un reminéralisant de choix, un recalcifiant énergique. D'où l'intérêt de le faire boire aux anémiés, aux opérés, aux convalescents, aux grippés, aux enfants dont la formation est pénible. Dans tous ces cas, je conseille de le mélanger, à parties égales, aux jus de carottes, de navets, et de betteraves, pour que chacun des constituants apporte ses oligo-éléments propres et complète ceux de ses associés. Ce complexe me paraît remarquable dans la chlorose, la fragilité osseuse, la tuberculose, la colite ulcéreuse, etc. A mon avis, il a sa place dans la diète du cancéreux, au moins pour un apport de biocatalyseurs oxydants.

Les diverses espèces de choux

Evidemment, on gagne à choisir entre les diverses espèces de choux, de façon à profiter des qualités particulières de chacune d'elles, suivant les cas. En gros, les recherches actuelles semblent indiquer la classification suivante pour les jus :

— **Chou blanc** : régénération du sang, stimulation de la rate et de la moelle osseuse, fortification du squelette, protection et dynamisation du terrain précancéreux et même cancéreux, etc.

— **Chou de Bruxelles** : maladies de la peau, engorgement de la rate, etc.

— **Chou frisé** : affections cutanées, accélérations des digestions ralenties, etc.

— **Chou-rave** : faiblesse rénale, hydropisie, accidents ganglionnaires, etc.

— **Chou rouge** : dérangements intestinaux, colites, etc.

— **Chou de Milan** : catarrhe, arthrite, rhumatisme, méningite, cancer, etc.

Ne la considérons pas comme absolue et préférons par prudence, l'usage le plus varié possible de tous les choux. Ne voyons pas en eux des « plantes miracles », des « panacées », mais simplement des aliments plus propices que d'autres au comblement de carences minérales ou vitaminiques. De même que nous faisons confiance par exemple au jus de carotte, faisons confiance à celui des choux, même dans des maladies aussi graves que le cancer, qu'avec les autres constituants du régime, il aide à freiner et parfois à guérir.

Enfin, notons que, depuis des siècles, **on utilise avec succès les feuilles des choux en usage externe,** après les avoir stérilisées par immersion dans l'eau tiède, comme je l'ai écrit plus haut. On les applique sur les points douloureux dans les bronchites, sur les brûlures, les dartres, les entorses, les ganglions enflés, les gerçures du sein, la goutte, les furoncles, les panaris, les phlegmons, les plaies suppurantes dont elles hâtent la fermeture (les changer fréquemment), la métrite hémorragique (applications sur les reins et le bas-ventre), l'insolation (applications sur le front, le sommet du crâne et la nuque), la fièvre cérébrale (applications sur les bras et les jambes), les névralgies faciales, la paralysie des membres, la pleurésie purulente, la rougeole (applications à la cheville, aux poignets, au front et à la nuque), l'urticaire, le zona, etc.

Ce rappel très sommaire de quelques utilisations classiques des choux montre qu'on a tort de ne pas les apprécier davantage et de ne pas les faire entrer plus souvent dans les menus du bien portant, comme de l'affaibli. De plus, il convient de se souvenir que par leur composition saline et leur groupe U de vitamines, ils favorisent la cicatrisation solide et rapide des plaies extérieures et intérieures. D'où leur importance dans le régime des grands opérés, des ulcéreux, des cancéreux et des tuberculeux (1).

_____

1. Pr Raymond Lautié.

Quatre menus pour savoir consommer les choux (1)

1. Jus de légumes (carottes, céleri-rave, persil)
Choucroute garnie d'œufs cuits au plat
Pommes de terre vapeur
Choux à la crème

2. Salade de chou rouge aux pommes (fruits)
Fromage
Porridge d'avoine et de blé (au miel)

3. Jus de chou
Gâteau de pommes de terre et carottes (contenant de l'œuf)

4. Salade de choucroute crue
Betteraves rouges cuites
Fromages : Cantal. chèvre, saint-paulin, caprice des dieux,...
Fruits au sirop (conserves familiales)

Le chou est un légume économique. Toujours présent. Frais, le trognon n'est pas desséché et les feuilles sont brillantes. Consommé cru et sans excès, il doit être bien mastiqué ; dans certains cas, il faut débarrasser les feuilles de leurs grosses côtes.

La choucroute est une préparation du chou blanc pommé qui consiste à le mettre, coupé en lanières, dans un tonneau, avec du gros sel et à le laisser fermenter six semaines. On achète généralement la choucroute prête à la consommation. Il vaut mieux l'acheter crue et éventuellement la cuire soi-même. Elle est alors très digeste. On trouve de la choucroute biologique en magasins diététiques.

On la déguste surtout en hiver. Il ne faut pas s'en priver. Sa mauvaise réputation repose sur la garniture de charcuterie et la graisse de cuisson abondante et lourde. Actuellement, les choucroutes fabriquées industriellement à partir de choux non biologiques ne sont pas recommandables.

Choux rouges, verts, blancs, chou de Bruxelles, chou-fleur, chou-brocoli, choucroute... De quoi varier !

1. Par Louise Florin-Bonnet.

37. Faites votre pain

Pour un pain de meilleure qualité

Certains chevaux de course, qu'il faut particulièrement soigner, reçoivent, dans leur régime alimentaire, l'enveloppe et d'autres substances du grain de blé, notamment le germe. Ces substances particulièrement nutritives sont extraites de la farine de froment.

Ces précieuses substances devraient être consommées par les enfants dans le pain quotidien. Les êtres humains sont ainsi frustrés de matériaux nutritifs de premier ordre susceptibles de leur assurer une croissance harmonieuse et une santé robuste. En fait, nous ne recevons, avec le pain blanc, que l'endosperme constitué presque exclusivement d'amidons.

Beaucoup de gens pensent encore, de nos jours, que la blancheur du pain est un signe de qualité alors qu'en fait il ne s'agit plus que d'un « cadavre ». En éliminant l'enveloppe du blé pour en faire notre pain, nous soustrayons des protides de première catégorie ainsi que la plus grande partie du complexe vitaminique B (B1, acide nicotinique, riboflavine, tyridoxine, acide pantothénique, acide folique, biotine). Nous perdons aussi la majeure partie de la vitamine E, les acides gras essentiels ainsi qu'une bonne part des sels de calcium et de potassium, du phosphore, du fer, du cuivre, du magnésium et des traces non négligeables des autres sels et oligo-éléments : cobalt, manganèse... Il est parfaitement inconcevable qu'un aliment aussi déséquilibré que le pain blanc puisse être totalement favorable à la santé. Le déséquilibre est tel, dans notre pain actuel, que des troubles de santé résultent, plus souvent qu'on ne le pense, de la pratique du raffinage et des méthodes annexes de conservation, coloration, aromatisation, etc.

Le pain étant largement consommé par les couches les plus pauvres de la population, combien d'enfants seront handicapés physiquement et mentalement par la faute de carences alimentaires qui les feront stagner au bas de l'échelle sociale !

Perte d'éléments nutritifs

Les carences vitaminiques et minérales entraînent, d'autre part, une dévitalisation du squelette et des dents. La carie dentaire se fait de plus en plus fréquente et grave. Le remède préconisé consiste rarement à administrer des aliments parfaitement sains mais à vendre et distribuer, de force, du fluor par exemple. On prétend remplacer par un poison des éléments nutritifs retirés de la nourriture, espérant qu'un toxique délivrera la population des maladies des dents.

Il faut savoir que les éléments qui ont été retirés du pain sont essentiels pour une bonne santé des os et des dents, et que rien ne peut les remplacer.

La valeur des parties soustraites au blé et au pain est prouvée par le fait que celles-ci sont prescrites médicalement, à savoir la vitamine E pendant les périodes de grossesse ainsi que pour l'arthritisme, certaines vitamines B favorables aux processus digestifs et nerveux. Les sels minéraux sont prescrits pour d'autres cas ; le son est donné pour corriger la constipation et éviter des maladies telles que la diverticulite ou le cancer du côlon.

Les additifs nocifs

Des substances sont ajoutées aux farines panifiables et ces substances sont loin d'être toujours inoffensives. Par exemple :

— pour les pains filants à cause du développement d'un bacille *mesentericus,* les produits suivants sont autorisés : acide lactique, phosphates, acide de calcium, acide acétique, acétate de calcium... ;

— pour le pain de seigle : l'acide citrique monohydraté ;

— pour les pains spéciaux : le propionate de calcium, par exemple, (d'après le *« Dictionnaire des polluants alimentaires »*, par Roig).

Ces additifs risquent, dans certains cas, de déranger l'équilibre naturel ainsi que la proportion des éléments minéraux et autres qui doivent se trouver normalement dans notre alimentation.

Où trouver de la farine et du pain corrects ?

Des produits de cultures orthobiologiques peuvent être maintenant achetés dans la plupart des magasins diététiques. Il faut s'assurer de leur provenance et demander des garanties.

En ce qui concerne le pain, son emballage doit vous renseigner exactement ; il faut cependant se méfier des textes abondants qui cachent... l'absence d'informations objectives quant à la nature de la farine et du levain, au mode de cuisson. Les produits portant le label d'un domaine ne sont généralement pourvus d'aucune étiquette informative. Certains boulangers, grands fournisseurs des magasins de régime de la région parisienne, produisent un pain de valeur nutritive très contestable et semblent ignorer l'existence du levain naturel.

Un producteur qui trouve intérêt à passer sous silence la composition exacte et complète de ses produits ne doit pas être encouragé par vos achats réguliers.

Chaque fois que cela est possible, faites vous-même votre pain ; c'est à la fois très sain et très simple. Plus simple à faire qu'à expliquer.

Le meilleur boulanger c'est vous

Si vous êtes éloigné des centres où se trouvent pain et farine biologiques ou simplement soucieux de qualité, vous pourrez refaire les gestes essentiels d'une époque où les hôpitaux étaient rares parce que presque sans objet.

Si vous disposez d'un four simple mais susceptible d'être fortement chauffé, tous les espoirs de réussite sont permis.

Attention à la farine ! Elle doit provenir de blé de valeur boulangère élevée, blé cultivé orthobiologiquement, conservé sans organochlorés, moulu à la meule de pierre.

Si vous avez de bons intestins, utilisez plutôt la farine de type C 110, dénommée farine grise ; sinon, la farine type 85, pâtissière demi-complète, conviendra mieux.

Les farines doivent être stockées dans l'endroit le plus froid que vous ayez. C'est un produit vivant, elle tend à favoriser la vie des parasites qui n'aiment que le naturel ; c'est l'une des raisons pour lesquelles on doit tamiser la farine avant l'emploi. (Dans les farines industrielles dévitalisées du commerce, les produits chimiques de conservation ne leur laissent aucune chance). A défaut de tamis spécifique, une passoire dite « chinois », de diamètre convenable, fera l'affaire.

Votre premier pain « maison »

C'est le levain qui lui donnera naissance. Sa préparation est donc capitale ; d'autant plus que son action fermentescible transforme l'acide phytique très agressif, issu du son, en phytates neutres.

Un bon levain naît de l'action conjuguée de :
— 4 cuillerées à soupe de farine ;
— 1 cuillerée à soupe d'huile d'olive ;
— 1 cuillerée à café de miel ;
— 1 petite pincée de gros sel marin non raffiné ;
— de l'eau non javellisée, non ozonée, ou de Volvic à défaut, en quantité suffisante pour faire une pâte de consistance d'un mastic frais.

On ne retrouvera ni le goût de l'huile d'olive, ni le goût du miel dans le pain.

Si l'un des constituants n'est pas orthobiologique, la pâte ne lève pas, il n'y a donc pas de levain. (Notons que l'existence ou la non-existence de la fermentation permet de tester les qualités orthobiologiques d'une huile, d'une farine, d'un miel).

Cette pâte, qui occupe la moitié d'un bol, devient levain en 48 heures. Il est également possible de préparer un levain naturel avec 6 comprimés de levain NIL délayés patiemment dans de l'eau de Volvic tiède, et de la farine ajoutée au « lait » obtenu. Pendant la période de non-utilisation, il faut entretenir le levain en le nourrissant d'un peu de farine et d'eau de Volvic tous les deux jours et en laissant reposer dans un endroit sombre.

Pour un pain destiné à la consommation de 3 personnes pendant une semaine, il faut :
— 1 kg de farine C 110 ;
— 2 cuillerées à soupe de levain pris sous la croûte ;
— 20 à 40 g de gros sel marin selon le goût, non raffiné et non sali ;
— 650 g d'eau de Volvic tiède (40° maximum) ;
— 1 moule ;
— 1 tamis ;
— 1 torchon propre ;
— 1 lame de rasoir ;
— un peu de farine dans une tasse.

1) Tamisez la farine pour bien l'aérer.
2) Faites un creux de bonne dimension au milieu du tas de farine.
3) Faites tiédir l'eau déjà salée (si possible dans une casserole qui ne soit pas en aluminium). Si le sel a été sali pour lui donner un aspect plus gris que nature, les souillures apparaîtront au fond de la casserole.
4) Mettez 2 bonnes cuillerées de levain dans le creux.
5) Versez peu à peu l'eau tiède (au-delà de 40°, les ferments sont tués par la chaleur) sur le levain pour le délayer progressivement et incorporez lentement la farine en tournant avec une cuillère, en bois de préférence.
6) Lorsque toute l'eau a été utilisée, pétrissez vigoureusement à la main, étirez la pâte souvent, repliez-la, et pétrissez avec force des deux mains en tous sens.
La main transmet quelque chose à la pâte, de sorte que votre pain n'aura jamais tout à fait le même goût que le pain du voisin, même si vous avez utilisé l'un et l'autre les mêmes produits. Le maître boulanger d'autrefois refusait les apprentis qui avaient une « mauvaise main ».
Si la pâte colle trop fortement à la table, ajoutez prudemment de la farine.
Si la pâte est un peu trop ferme, coupez-la en nombreux morceaux, mouillez-les, pétrissez et recommencez jusqu'à ce que la pâte colle un peu aux doigts et à la table. La pâte est à point quand elle « remonte » après que l'on y ait enfoncé légèrement le doigt.
7) Le moule est nécessaire parce que la fermentation au levain est lente et produit moins de gaz que la levure habituelle. De plus, la farine

complète est assez « lourde » à lever. De ce fait, la pâte tend à se répandre ; il faut donc la contenir latéralement pour l'obliger à s'élever. Lorsque la pâte est mise dans le moule, on l'entaille profondément avec une lame de rasoir (dégraissée) et on farine les lèvres de l'entaille pour l'empêcher de se refermer.

Il faut veiller à ce que le moule ne colle pas afin de pouvoir démouler sans abîmer le pain en fin de cuisson.

8) Le moule est recouvert du torchon propre et abandonné dans un endroit chaud jusqu'à ce que la pâte ait atteint 2 ou 3 fois son volume initial soit de 24 à 36 heures.

9) Chauffez votre four au plus chaud pendant 20 minutes. Si vous utilisez un four à gaz, remplissez complètement la lèchefrite d'eau. Elle sera bouillante quand vous enfournerez la pâte levée et la vapeur qui s'en échappera gardera votre pain craquant. La combustion du gaz dans une enceinte non close crée un mouvement d'air qui tend à dessécher exagérément les aliments.

10) Enfournez en posant délicatement le moule sur la grille du four. Tout choc ferait retomber la pâte.

11) Cuisez de 70 à 90 minutes en baissant régulièrement l'intensité de la flamme ou des résistances. Souvenez-vous que le vrai pain cuisait dans des fours de pierre brûlants en train de se refroidir lentement.

12) Le pain est cuit lorsqu'il est brun et que la lame d'un couteau en ressort nette.

13) Sitôt sorti du four, démoulez-le aussi vite que possible et laissez-le refroidir à l'air libre sur la grille du four surélevée afin que le cœur du pain puisse éliminer son humidité.

Mais pendant plusieurs heures, toute la maison sentira bon le pain chaud.

Fabriquer le pain est plus long à écrire qu'à faire.

Voilà donc une recette (1) précise que vous ne trouverez dans aucun autre ouvrage. En vous la donnant, nous avons voulu vous faire bénéficier de l'expérience et des tours de main de citadins qui ont obtenu d'excellents pains avec des moyens de fortune. Essayez et la joie indescriptible que vous ressentirez en dégustant tous ensemble ce vrai pain de vie sera le bon, l'excellent salaire d'une mission sacrée que vous aurez parfaitement accomplie.

---

1. Recette communiquée par Michel Jodin, C.H.D., Paris.

38. Du manioc au tapioca

Son intérêt en alimentation humaine

C'est au XVIe siècle que des navigateurs portugais et français, explorant l'Amazonie, constatent que certaines peuplades indiennes se nourrissent presque exclusivement des racines (tubercules) d'une plante jusqu'alors inconnue des Européens. A cette époque, de par le monde, l'alimentation humaine repose surtout sur la culture des céréales.

Les arbustes sont transportés de pays à pays et la culture du manioc se répand dans les pays tropicaux dont climat et terre conviennent à son épanouissement.

Les pays producteurs gardent le manioc comme aliment de base de populations de millions d'hommes. Une partie de la récolte de manioc est exportée.

Le tapioca de manioc

L'arrachage des racines de manioc se fait après 12 à 18 mois de végétation des arbustes.

La fécule extraite des racines est une poudre composée de grains d'amidon à l'exclusion des protéines, des corps gras et de la cellulose.

C'est de la fécule humide, après cuisson à 150°, pendant quelques instants, que l'on extrait le tapioca brut qui se présente, lui, sous la forme d'une masse vitreuse, de grumeaux irréguliers.

Acheter du tapioca de qualité

Les méthodes industrielles de fabrication préservent ou non les qualités nutritives et définissent le produit commercialisé.

Le manioc, devant être chauffé, peut l'être doucement, avec précaution, dans des cuves adaptées, afin que la température ne dépasse pas 89 ou 90°.

Les vitamines (B1 - B2 - PP) sont alors préservées.

Le tapioca recommandable n'est pas blanchi chimiquement. Il est naturellement de teinte grisâtre et c'est là une qualité.

Il doit provenir de manioc à l'exclusion de fécule de pomme de terre ou d'autres farines (falsification courante).

Il convient donc d'acheter :

— Du tapioca pur manioc.

— Ou, sous certaines marques, du manioc, appellation qui évite la confusion possible avec d'autres produits qui n'ont aucunement les mêmes qualités que l'authentique tapioca.

Qualités diététiques du tapioca

Le tapioca est nourrissant. C'est un aliment glucidique pratiquement dépourvu de matières azotées.

— Le tapioca est un aliment énergétique, riche de 359 calories pour 100 g.

— Il contient des vitamines précieuses : B1 - B2 - PP.

— La présence de magnésium fait du manioc un préventif des fréquentes carences en magnésium, en même temps qu'un agent de purification et de régénération du sang.

— Bien connue aussi son influence sur le système endocrinien.

— Le tapioca a, sans doute, pour qualité première de faciliter la digestion des protéines du lait.

Au siècle dernier, les médecins constatèrent empiriquement les bienfaits que tiraient enfants et convalescents d'une alimentation riche en laitages au tapioca. Ces observations reposaient sur des fondements très solides.

En France, le Pr Trémolières et ses collaborateurs ont étudié particulièrement le problème de la digestion et de la valeur nutritive des différents amidons.

Dans l'association lait + tapioca :

— La digestion des protéines est plus rapide.

— Le travail fourni par l'estomac est moins pénible (légèreté du tapioca).

Légèreté

Un aliment protidique introduit dans l'estomac tend à neutraliser l'acidité du milieu.

La sécrétion indispensable d'acide chlorhydrique qui s'ensuit entraîne effort et fatigue pour l'estomac. Or, l'introduction de tapioca dans l'estomac ne freine pas ou presque la production d'acide chlorhydrique lors de l'ingestion concomitante des protéines du lait.

Le tapioca évite ainsi l'effort de sécrétion accrue. Bouillie et entremets à base de tapioca sont légers.

Digestion plus rapide des protéines

Dans la bouillie de tapioca au lait, la digestion protidique globale pepsique et trypsique est plus rapide de 10 à 30 % que dans la bouillie de farine au lait.

Le tapioca facilite donc la digestion du lait.

Faites entrer le tapioca dans votre cuisine

Le tapioca de manioc mérite une place dans la composition des repas et cela depuis la première enfance jusqu'à un âge avancé, en passant par l'enfant, l'adolescent sportif, les femmes enceintes et allaitantes, l'adulte, le convalescent...

A ses qualités nutritionnelles, s'en ajoutent d'autres :
— Prix modique. .
— Avantageux : emploi par petites quantités.
— Rapidité de préparation : puisque précuit.
— Facilité de conservation : à l'abri de l'humidité.

Les recettes suivantes (savoureuses, rapides, faciles) montreront que le tapioca cuit dans un liquide culinaire se trouve dans différents mets tels que bouillies de bébé, bouillons ou potages épaissis et onctueux, sauces, entremets exquis, légumes cuisinés, etc...

Principe de cuisson : le tapioca est versé en pluie dans le liquide choisi porté à une température très proche de l'ébullition. Il gonfle et cuit en 15 minutes.

En cuisine, peut être également utilisée la *crème de tapioca* ou farine de tapioca.

Elle entre dans la composition de mets divers : sauces, pâtisseries, entremets. Nous ajoutons quelques recettes pour son emploi, dont certaines sont établies pour des collectivités.

En milieu hospitalier, des essais ont été faits, avec succès semble-t-il, en ce qui concerne la pathologie des nourrissons de moins de 6 mois, d'adjonction de crème de tapioca au lait de vache, avec tolérance excellente : décoctions à 2 et 5 % destinées à la correction du lait de vache pour l'alimentation des premiers mois et des bouillies plus ou moins épaisses pour les nourrissons plus âgés.

Cette correction de l'alimentation du nourrisson, par adjonction de tapioca, semble réussir particulièrement aux dyspeptiques, vomisseurs...

Voir en 7ᵉ partie, les recettes 106 et 107 (page 296) de décoctions et de bouillies pour enfants de moins de 6 mois.

CINQUIEME PARTIE

équilibre
et régimes

39. Nécessité d'une alimentation équilibrée

Les besoins de l'organisme

Nous avons vu précédemment que l'organisme doit recevoir, pour l'édification de ses structures, des aliments de nature protidique. Les acides aminés, qui composent les aliments protidiques peuvent être considérés comme les briques de l'organisme mais aussi ils entrent dans la production, par le corps, des enzymes et sucs digestifs. D'autre part, l'organisme a un besoin vital d'énergie pour assurer le travail musculaire, la température du corps, le métabolisme basal et toutes les sécrétions hormonales. Les besoins de chaque organe sont spécifiques. L'absence d'un seul oligo-élément peut provoquer des carences et des déséquilibres parfois graves.

Nous sommes donc loin de la conception qui prétendait comparer le mécanisme de fonctionnement et d'échanges alimentaires à une machine thermodynamique. Il est impossible de déterminer une unité calorique pour le calcul de ces échanges. On admet que des besoins caloriques généraux doivent être couverts, et que ces besoins sont différents suivant les individus, leur âge, leur taille, leur poids, leur sexe, leur activité, etc., mais cette donnée est très insuffisante par elle-même. Elle ne tient pas compte des éléments indispensables à la vie tels que les vitamines, les minéraux, etc.

La majorité des études officielles est menée selon un axe de recherche immuable : celui de la quantité. Pour telle quantité d'humains, il faut telle quantité d'aliments. Cette base, apparemment logique, n'est pas en rapport avec les faits réels.

La qualité des aliments

En premier lieu, ce qui compte dans l'aliment, c'est sa qualité.
Les besoins croissants de l'humanité ont conduit les pays industrialisés à rechercher sans cesse une production accrue. Des *engrais chimiques* nouveaux ont été utilisés dans ce but. Des variétés d'aliments nouvelles ont été recherchées et élaborées. Il en est résulté, dans bien des domaines, une surproduction considérable d'aliments de qualité défectueuse.

En effet, les végétaux qui assurent les rendements les plus importants sont fréquemment ceux qui contiennent le moins de nutriments de qualité supérieure. Les blés nouveaux sont pauvres en vitamines, oligo-éléments et protides. Les fruits assurant une superproduction sont pauvres en vitamines et en minéraux et leur goût est très fade. Pour les produire, il a fallu des quantités énormes d'engrais, ce qui a déséquilibré les sols et les plantes. La perte d'immunité naturelle a entraîné la prolifération des prédateurs et des parasites, contre lesquels il a fallu lutter par des quantités croissantes de *pesticides*, de *fongicides*, etc. Les aliments s'en sont trouvés empoisonnés. La faune et la flore normales ont été altérées. Beaucoup d'insectes ont été détruits. La reproduction de certaines espèces importantes de végétaux a été handicapée.

La nature des sols et de leur production a donc été altérée et un danger réel est apparu pour le consommateur, qui ingère chaque jour des quantités dangereuses de toxiques. Ces toxiques s'accumulent mais aussi entrent en **synergie** dans l'organisme, c'est-à-dire que **deux ou plusieurs poisons ingérés dans une période donnée peuvent conduire à des troubles considérables par multiplication des effets toxiques de chacun d'eux.**

Pour tenter de lutter contre la famine par des moyens artificiels, on en est donc venu à empoisonner une bonne partie des habitants de notre planète. Nos aliments ne sont plus souvent que des succédanés, pauvres et peu susceptibles d'assurer la pleine santé du consommateur.
Les problèmes doivent être entièrement repensés.

Culture et santé des sols

Il y a une cinquantaine d'années, l'agrobiologiste anglais Sir Albert Howard, dans son ouvrage *Testament agricole*, résumant une vie passée à la régénération des terres en Inde et dans d'autres pays, écrivait :

« Deux moyens sont offerts à l'agriculture en vue de l'augmentation du rendement de la « terre nourricière » :

« 1°) Accroître la productivité agricole en perfectionnant scientifiquement les procédés traditionnels de culture qui accordent à la fertilisation de l'humus la place essentielle. Ces procédés sont vieux comme le monde. C'est grâce à eux que nos ancêtres ont protégé la vie de leurs sols en entretenant l'humus et en fournissant au consommateur des aliments dont la qualité s'adaptait aux exigences de la santé.
« Il est certain que la science contemporaine est capable de perfectionner considérablement la « fertilisation organique » et de faire accéder des rendements agricoles au niveau d'une productivité maximale, tout en conservant le capital d'humus des sols et la qualité essentielle des denrées.
« Cependant les nécessités biologiques relatives à la protection fondamentale des sols n'ont pas été prises en considération par les progrès d'une science exclusivement analytique. Pour accroître la productivité agricole, ils ont choisi le plus mauvais des deux moyens qui s'offraient à eux.

« 2°) Sous le nom de « fumure minérale » capable, affirmait-on, d'entretenir la fertilité du sol, la trinité NPK (azote, phosphore, potassium) a été imposée aux praticiens de la terre. Maltraitée, forcée, la terre s'épuise parce que le capital humique qu'elle contient est dilapidé. Les produits qui en sont issus perdent leur qualité. Les signes avant-coureurs d'un désastre mondial sont déjà perceptibles. Des territoires agricoles considérables ont été saccagés ; dans tous les pays, la fertilité foncière de la terre s'appauvrit rapidement.

« Si l'humanité refuse de courir au suicide, il est temps d'accepter le procédé qui a été négligé par l'agronomie d'hier mais qui est capable, tout autant que le second, d'accroître la productivité agricole tout en ayant sur celui-ci l'avantage de satisfaire aux exigences biologiques de la terre, des végétaux, des animaux et des hommes. »

De plus en plus d'agriculteurs et de jardiniers recourent maintenant aux méthodes orthobiologiques.

Actuellement, le monde civilisé est sous-nutritionné au sein de l'abondance. Il ne connaît pas encore la famine, la disette, en quantité, mais il subit de plus en plus gravement les carences et l'intoxication résultant d'une nourriture déséquilibrée et empoisonnée. Les symptômes d'une telle situation sont alarmants : troubles nutritionnels, cardio-vasculaires, nerveux, hormonaux, etc.

La résistance des populations dites « riches » s'abaisse. L'absentéisme, la dépression, les maladies, le recours aux excitants et aux drogues, les perturbations sociales — tels sont quelques-uns des effets d'une nourriture dégradée et toxique.

Nos contemporains vivent plus longtemps qu'autrefois mais combien de tarés, de chroniques, d'invalides, de dégénérés, sont à la remorque d'une société qui croule sous le poids de charges sociales et médicales écrasantes. Les processus naturels de santé et d'autodéfense ne fonctionnent plus efficacement. La vie et la santé des êtres vivants sont directement menacées.

Or, il est possible de reconstituer la fertilité de territoires dégradés. Il existe actuellement des procédés de compostage et de fertilisation de l'humus par les méthodes naturelles.

De même manière que l'on peut, par une nutrition correcte, améliorer considérablement les processus d'immunisation naturelle chez l'homme et chez les animaux, il est possible d'améliorer l'immunité naturelle des sols, qui sont des organismes vivants eux aussi.

Le consommateur s'attachera donc à choisir des aliments de bonne valeur biologique. Il recherchera des végétaux, des laitages, des fromages, des œufs et, pour les non-végétariens, des viandes, provenant de culture et d'élevage menés suivant les méthodes orthobiologiques, ne faisant appel que dans des situations exceptionnelles à des procédés de synthèse.

Telle est une des conditions fondamentales de la santé.

40. Les régimes

Bien des formules alimentaires ont été proposées dans le but d'assurer une nutrition correcte, c'est-à-dire de favoriser la santé et, éventuellement, de la rétablir. Nous décrirons ici les régimes alimentaires les plus connus.

Régime végétalien

Ce régime ne comprend que des végétaux : légumes et fruits. Les protides sont apportés notamment par les fruits oléagineux (noix, noisettes, amandes, etc.), les légumineuses (haricots, pois, fèves, lentilles, etc.). Des protides sont apportés également par des aliments qui en contiennent une moindre proportion (céréales, marrons et châtaignes...).

Ce système est appliqué par certaines personnes ; au début, un bien-être général peut s'ensuivre ; à échéance, rares sont ceux qui peuvent poursuivre dans cette voie par suite de problèmes psychologiques et de carences physiologiques susceptibles d'intervenir. Pour les enfants, ce régime convient très rarement, à notre connaissance.

Régime végétarien

Il comporte à la fois des légumes et des fruits, comme dans le régime végétalien, mais en plus des sous-produits animaux : lait, fromage, beurre, œuf. Un tel régime peut être plus facilement équilibré que le régime purement végétalien. Cependant, des carences ou des excès peuvent se produire, notamment en ce qui concerne les protides et les glucides. D'autre part, des problèmes psychologiques peuvent également apparaître : difficulté d'adaptation à un mode d'alimentation auquel les sucs digestifs ne sont pas préparés ; refoulement et obsession dans certains cas ; recherche de la compensation d'une frustration, ce qui conduit à la boulimie ou à l'anorexie ; esprit de revendication et agressivité contre ceux qui « mangent encore de la viande », décrits comme des « mangeurs de cadavres ». Certains végétariens sont équilibrés mais il ne faut venir à cette manière de s'alimenter qu'avec prudence et progressivité.

Régime macrobiotique

Ce régime est très pauvre en légumes mais riche en riz et en sel. Il ne nous paraît pas facilement équilibré et, dans bien des cas, il a été à l'origine de déséquilibres physiques et psychologiques. Il est dangereux chez les enfants, les personnes âgées, les sujets fragiles sur le plan rénal.

Régime de Banting

D'après le diététicien Banting, qui a réussi à réduire son poids de 17 kg en quelques semaines, il faut éviter les aliments gras, sucrés, féculents et réduire la consommation de liquides. Il est certain que de telles dispositions permettent de réduire l'obésité mais un régime carencé en glucides n'est pas recommandable pendant une période prolongée ; l'excès, en proportion, d'aliments protidiques peut entraîner une surcharge hépatique et rénale.

Régime de Salisbury

Il est également destiné à combattre l'obésité. Seule la viande est autorisée : il faut en consommer environ un kilo et demi par jour. Chaque repas est précédé de l'ingestion d'une ration copieuse d'eau chaude. Environ un demi-litre. Le patient suit ce régime rarement au-delà de 10 jours et il est tenté de revenir ensuite à ses habitudes anciennes. L'excès de viande conduit rapidement à la surcharge hépatique et rénale et aux troubles arthritiques. Sans doute pourrait-il convenir aux animaux carnivores, du moins pendant un certain temps. Les malheureux tuberculeux que l'on gavait de viande pour les tonifier ont été largement les victimes de maladies affectant le foie, le rein, le cœur, les articulations, etc.

Régime de Hay

Au début du siècle, le Dr Hay s'est fait l'avocat de certaines idées relatives à l'alimentation. Il était partisan d'une réforme alimentaire prétendument basée sur la physiologie de l'estomac et du système digestif. Il prétendait que l'amidon est incompatible avec les protides et les acides et que, si on les consomme ensemble, il cause des troubles digestifs et occasionne des maladies. Les aliments farineux ont besoin d'une salive alcaline et de sucs digestifs alcalins pour leur digestion qui commence avec la mastication. Si le pain, les biscuits, les pommes de terre, etc., sont consommés lentement et bien mastiqués, ils retiennent une quantité considérable de salive, de sorte que lorsqu'ils passent dans l'estomac, la digestion peut se poursuivre plus facilement. Les aliments protidiques sont, de leur côté, digérés notamment dans l'estomac par la pepsine acide ; la salive n'a aucune action sur eux et ils ont besoin d'un milieu acide qui leur est fourni par le suc gastrique. En conséquence, si l'amidon (qui demande un milieu alcalin) se trouve dans l'estomac en même temps que les protides (qui requièrent un milieu acide), les deux aliments ne peuvent être convenablement digérés.

Il en résulte que si le pain, les biscuits, les pommes de terre, etc., sont consommés avec de la viande, du poisson et des œufs, nous mangeons des aliments biochimiquement incompatibles.

Une autre combinaison indésirable d'aliments féculents et d'aliments acides est donnée par les pâtisseries aux pommes, à la rhubarbe et à la crème, les tartes aux groseilles ou aux fruits acides, etc. L'acide des fruits tendra à neutraliser la salive alcaline ; l'amidon ne commencera donc pas sa digestion dans la bouche ; il ne pourra pas la continuer dans l'estomac et devra attendre d'être passé au-delà de l'estomac pour commencer enfin à être digéré.

Que l'on trouve dans la nature des aliments contenant à la fois des protides et de l'amidon, cela est possible ; mais les aliments dans lesquels les protides dominent contiennent peu d'amidon (viande, poisson, œuf, fromage) ; ces aliments, selon le Dr Hay, sont d'une digestion difficile.

Le Dr Hay, suivi par le Dr Shelton, a donc proposé de prendre une alimentation composée par exemple de la manière suivante :
— à un repas : des légumes verts et des protides (viande, poisson, œuf, fromage, etc.) ;
— à un autre repas : des légumes verts et des glucides : pain, pommes de terre, riz, pâtes alimentaires, etc.

Une critique de ce régime a paru en 1939 dans le « *Biochemical Journal* ». Les biologistes Cuthberton et Monro y affirment que si l'on ne prend pas à un repas des aliments protidiques en quantité suffisante, l'organisme les puise dans les muscles et les tissus d'où un amaigrissement et une fonte musculaire ; si à un autre repas les glucides sont absents, l'organisme doit les extraire de sa propre substance, notamment de sa graisse de réserve.

Ce régime peut donc être utile pendant un certain temps en cas d'obésité mais il ne faut pas le poursuivre outre mesure car, si la digestion peut être facilitée au début, l'assimilation devient vite insuffisante.

Régime lacté

Il consiste à boire de grandes quantités de lait, chaque jour, comme nourriture exclusive. Le **bon** lait possède sans aucun doute beaucoup de qualités, mais il occasionne des troubles digestifs et catarrhaux chez de nombreuses personnes. Ce régime peut éventuellement être gardé pendant quelques jours ou quelques semaines mais des intolérances risquent de se produire chez l'adulte ou le vieillard.

Régime lacto-végétalien

Il s'agit ici d'une combinaison du régime végétalien (légumes et fruits) et du régime lacté (lait exclusivement). Il peut être adopté pendant quelques jours après le jeûne, à titre de régime de désintoxication, mais certains individus y sont intolérants.

Monodiète

Ce régime ne permet de consommer qu'un seul aliment, en principe, par repas. Par exemple : ou viande, ou fromage, ou œuf, ou pain, ou pâtes, etc.

La digestion s'en trouve facilitée au début mais l'assimilation risque vite de se révéler insuffisante. La dénutrition peut rapidement s'ensuivre.

Ce régime a toutefois l'avantage d'attirer l'attention sur l'utilité de la réduction de la variété alimentaire excessive observée actuellement. Un repas très simple peut ne contenir que des légumes, un aliment protidique et un aliment glucidique. Ce repas peut être assez complet, bien plus digestible et assimilable que les repas trop copieux auxquels nous sommes habitués et qui forment le lit d'une bonne partie des troubles que nous connaissons.

Régime des deux repas

Certaines personnes préfèrent sauter purement et simplement le petit déjeuner et prendre un repas à 10 heures et à 16 heures, ou encore à midi et à 19 ou 20 heures. Les organes digestifs risquent moins d'être surmenés que s'ils sont en permanence chargés d'aliments. La digestion stomacale d'un repas complet peut durer de 5 à 8 heures ; souvent, nous introduisons des aliments dans un estomac qui n'est pas encore entièrement vidé du contenu précédent en cours de digestion. Le régime des deux repas est fréquemment utile. Chez les enfants, les nerveux, les personnes fragiles, il sera souvent préférable de prévoir trois ou quatre repas dans la journée, plus légers, moins susceptibles de surcharger l'estomac.

Régime cru

Tous les aliments sont pris sans cuisson préalable. Nous avons ainsi des légumes crus, des fruits crus, éventuellement de la viande crue, de l'œuf cru, etc. Cependant, pour l'œuf, le blanc est plus sain lorsqu'il est légèrement cuit au préalable ; bien des crudivores refusent la viande et sont en fait des végétaliens intégraux.

Régime de Schroth

Il consiste à ne prendre que des aliments secs pendant une journée et uniquement des aliments aqueux le jour suivant. Les aliments secs sont constitués par du pain séché, des biscuits secs, des fruits secs, éventuellement du fromage. Le beurre et le sucre peuvent y être incorporés en petite quantité mais aucun aliment aqueux n'y est permis, ni aucune boisson, même pas l'eau, autant que possible. (Notons d'ailleurs, à titre d'anecdote, que Schroth, qui était Autrichien, était partisan de donner à ses patients un verre de vin blanc sec à la fin du jour sec !).

Schroth prétendait que son régime agit comme stimulant naturel de l'appétit et du système digestif et qu'il aurait une action « de nettoyage » supérieure à celle de tous les autres régimes. Les aliments secs absorbent les déchets toxiques et les expulsent de l'organisme alors que, le jour suivant, les fruits et salades sont susceptibles d'exercer le maximum d'effets sur des membranes digestives déjà nettoyées et non chargées de déchets.

Le régime de Schroth modifié consiste à prendre un repas sec puis un autre repas aqueux le même jour, ce qui représente un effort de discipline moins dur.

Ce régime a pu se révéler fatigant et même dangereux pour certaines personnes souffrant des reins.

Fletchérisme

C'est le nom donné à un régime particulier préconisé par Fletcher. Celui-ci mâchait de façon extrêmement méticuleuse une petite quantité de nourriture à la fois. Une telle mastication prolongée permet de mieux sentir le goût des aliments et d'extraire le maximum de ceux-ci. Fletcher comptait 30 ou 40 mastications par bouchée et il pouvait faire un repas d'un seul biscuit brisé en petits morceaux, qu'il mangeait miette par miette ; l'insalivation était lente et profonde ; elle durait jusqu'à ce que cette miette coulât doucement dans la gorge, presque sans déglutition.

Agé de 40 ans, Fletcher pesait 56 kg pour une taille de 1,67 m aucune compagnie d'assurance n'avait voulu le garantir. A 60 ans, il parcourait d'une seule traite 300 km à bicyclette et il exécutait des performances comparables à celles des adultes de 30 ans. Il est hors de doute que le fletchérisme peut rendre les plus grands services dans des situations difficiles telles que les ulcères gastriques et intestinaux, les cardiopathies, les troubles rénaux, etc.

Régime 60/20/20

Il comporte l'application d'une formule simple : à chaque repas, combiner 60 % de légumes et de fruits, 20 % de glucides et 20 % de protides. C'est la formule que nous préconisons et qui est étudiée en détail par ailleurs.

41. Quel régime choisir ?

Raison garder

> « *Définir une alimentation, c'est déjà prendre des options sur les modes de vie que l'on va suivre.* » (Dr J. GILLARD)

Après plus de vingt années d'études, de recherches, d'expériences, d'enseignement et d'observations objectives, nous avons pu nous rendre compte que le problème alimentaire ne se borne pas à l'ingestion physique d'aliments plus ou moins bien choisis.

Dans l'acte de la nutrition, interviennent des facteurs extrêmement complexes qui dépendent non seulement de l'aliment lui-même mais encore de l'individu et même du milieu dans lequel il vit.

Bien sûr, il faut prendre garde à la façon dont on mange et il y a lieu d'éviter certaines erreurs trop courantes : la suralimentation, la diversité excessive à chaque repas, les pratiques culinaires qui dégradent les vertus des aliments, etc.

Cependant, on oublie trop souvent deux facteurs essentiels :

1°) Dans les milieux non avertis, on ignore que **la nourriture doit être de provenance « saine »**, c'est-à-dire qu'elle doit avoir été produite suivant des méthodes conformes aux lois de la nature, sans la débauche de substances chimiques de synthèse à laquelle se sont vouées l'agriculture dite moderne et l'industrie dite alimentaire ;

2°) Dans les milieux avertis, nous constatons que, trop souvent, **l'angoisse a remplacé l'ignorance**. Expliquons-nous plus longuement sur ce deuxième point.

Celui qui a connu la maladie et s'est rendu compte que les méthodes classiques de prévention et de rétablissement de la santé ne sont qu'un leurre, a trouvé dans les méthodes naturelles de santé un « havre », une clé dans laquelle il place toute sa confiance.

Cependant, dans le domaine « non conformiste », les méthodes sont extrêmement diverses. Chaque auteur a cherché à élaborer sa solution propre, qu'il considère comme universelle et non modifiable. Il est exact que certains individus ont pu bénéficier de régimes plus ou moins élaborés ou simplifiés, qui pouvaient être (au moins provisoirement) en accord avec leurs besoins organiques. Ils ont trop souvent voulu en faire une méthode générale, sans se rendre compte que **chaque individu a ses besoins particuliers, sur le plan physique comme dans le domaine psychologique**.

Sans doute, le nouveau venu aux méthodes naturelles éprouve un intense besoin de pureté, et cette recherche de la pureté physique va chez lui avec la recherche d'une pureté organique.

Il trouve donc, dans les régimes alimentaires naturistes, exempts de viande (et parfois même de tout produit ou sous-produit d'origine animale), une voie de « désintoxication ». Il en résulte fréquemment une amélioration de l'état de santé, un allégement, une sensation de purification profonde.

Mais prudence ! Après cette première période de désintoxication peuvent survenir des carences qui risquent de compromettre le tonus et la vitalité, avec les conséquences que l'on peut imaginer dans le domaine de la vie active.

Equilibre de la ration

Celui qui abandonne la viande sans la remplacer par une **ration suffisamment équilibrée de protides de première classe** (capables d'assurer l'entretien mais aussi l'édification et la réparation des tissus) s'expose aux états de dénutrition, spécialement lorsqu'il s'agit d'un enfant ou d'un adolescent ou encore d'une femme enceinte, d'un convalescent ou d'un travailleur de force.

L'alimentation *végétalienne* nécessite une connaissance très approfondie des phénomènes de la nutrition. Il en est d'ailleurs de même du régime *végétarien*, qu'il faut savoir équilibrer correctement.

D'autre part, nous l'avons dit, interviennent ici des **problèmes psychologiques** non négligeables.

Eviter le sectarisme

La tendance ascétique que l'on retrouve fréquemment chez les végétariens peut conduire certains d'entre eux à une recherche inconsciente de l'auto-punition dans le domaine alimentaire. Le besoin de jeûner, de se faire violence en s'astreignant à une ration alimentaire déséquilibrée ou à peine suffisante, parfois, du moins en ce qui concerne certains aliments, peut être en rapport avec un complexe de culpabilité susceptible d'expliquer certains comportements que l'observateur objectif considérera comme bizarres. Persuadé d'être dans la bonne voie, le sujet n'en persévérera pas moins dans les erreurs qu'il pourra commettre devant certains aliments considérés comme « tabous » ; il aura des réactions agressives de jalousie à l'égard de ceux qui, eux, peuvent sans contrainte assouvir leurs « instincts vulgaires ».

L'adepte épris de pureté risque de devenir sectaire, dur pour lui-même et pour les autres. Par surcompensation, un complexe de supériorité peut s'installer chez lui et l'amener à se dire « sauveur », apôtre incompris d'une **religion de la nourriture**.

Obsédé par l'idée d'une nourriture parfaite, la personne « s'acharne » à bien faire et s'étonne de ce que les résultats ne soient pas toujours conformes à ses désirs. Elle est tentée de passer d'un régime à l'autre, influencée par la lecture de tant de conceptions alimentaires contradictoires élaborées par des auteurs souvent insuffisamment instruits des problèmes de la nutrition.

Le rejet de la nourriture traditionnelle (et parfois ancestrale) peut aussi conduire la personne à se sentir coupable de l'abandon de règles qui lui ont été transmises par ses parents.

Résumons-nous donc par quelques suggestions :

— **Evitons l'esprit sectaire** et les conceptions extrémistes qui ont cours dans certains milieux végétaliens ou végétariens (*encore que nous connaissions des végétariens et des végétaliens très équilibrés*) ;

— Ne suivons pas passivement tel ou tel auteur mais apprenons à **individualiser** notre alimentation et à raison garder ;

— Modifions notre alimentation **progressivement** et non brutalement ;

— **Choisissons une nourriture naturelle et biologique** autant que nous le pouvons ; mangeons modérément ; évitons les poisons et les excitants ; apprécions la nourriture qu'il nous est donné de savourer ;

— Et puis, lorsque nous avons pu jouir de cette nourriture, oublions ce que nous avons mangé et pensons à autre chose ; **ne nous laissons pas obséder par cette question**.

42. Que penser du végétarisme ?

Beaucoup de gens sont surpris lorsqu'on leur dit qu'un repas complet, contenant les protides indispensables (acides aminés de première catégorie), les hydrates de carbone, les vitamines et les sels minéraux nécessaires à l'entretien et à la croissance des tissus, peut être constitué par : une carotte, un peu de salade verte et quelques autres crudités, 80 ou 100 g de lentilles cuites et 80 ou 100 g de pain bis au levain.

Pourtant, les faits sont là. Il n'est pas besoin d'une nourriture « riche » ou constituée de plats de viande copieux et « bien arrosés ».

Plaidoyer pour une nourriture pauvre

Plus la nourriture devient simple, mieux l'organisme l'utilise et meilleure est sa santé. On a cité le cas de bien des champions sportifs et de centenaires végétariens. Exceptions, dira-t-on ? Nullement.

Le cas des Hounza est bien connu et, plus récemment, celui des habitants de Vilcabamba. On y trouve de nombreux centenaires qui prennent une alimentation presque entièrement végétale, avec un peu d'œuf, de fromage, de lait et extrêmement peu de viande.

L'intérêt économique d'une alimentation sans viande est indéniable : la viande coûte très cher tandis que les légumineuses, les œufs, le fromage sont moins onéreux.

Au niveau des nations, **il faut de 6 à 10 fois plus de terre pour nourrir des carnivores que des végétariens.**

En pratique, on estime qu'**il faut environ 6 ou 7 calories végétales pour fournir une calorie animale.**

A valeur nutritive égale, **les calories du pain sont 40 fois moins chères que celles du bifteck ; les protéines du pois, 6 fois moins chères.**

L'empoisonnement du consommateur

Les viandes sont toxiques. Elles sont imprégnées de poisons, de médicaments, de vaccins, de tranquillisants, etc.

On nous dira que les végétaux sont empoisonnés eux aussi par les traitements du sol et de la récolte. Sans aucun doute. Raison de plus pour choisir des aliments qui ne soient pas toxiques, c'est-à-dire ceux qui proviennent d'une culture et d'un élevage équilibrés, menés suivant les méthodes orthobiologiques.

D'autre part, **le système digestif de l'homme n'est pas celui du carnivore**. Son foie et ses reins sont moins adaptés à la digestion de la viande et du poisson ; les sous-produits de la digestion de la viande usent le foie et dégradent les reins, qui ne peuvent traiter l'ammoniaque résultant de la dégradation des acides aminés. D'autre part, l'acide urique dû principalement à la consommation de viande envahit les tissus et les articulations pour donner l'arthrite, le rhumatisme, ainsi que divers troubles cardio-circulatoires, nerveux, digestifs, etc. Les vaisseaux se sclérosent plus rapidement, ce qui est dommageable en particulier au niveau cérébral : les cellules du cerveau, moins bien irriguées, ne fournissent plus qu'une pensée répétitive. La sclérose des cellules entraîne la sclérose de l'intelligence.

L'harmonie psychologique

Un autre problème est à prendre en considération : le facteur psychologique. En effet, la pratique du végétarisme nécessite une compréhension profonde, une adhésion totale.

Les conditions actuelles de vie nous entraînent aux toxicomanies, aux habitudes fâcheuses sur le plan psychologique comme dans le domaine physiologique. Il est souvent bien difficile de se défaire des habitudes ancestrales. Nous sommes entourés de personnes qui nous incitent à manger de la viande, boire de l'alcool, fumer du tabac ou d'autres toxiques. En face de ces sollicitations, il est bien difficile de résister parfois, et des conflits psychiques et familiaux peuvent en résulter.

Le végétarisme doit se pratiquer en famille autant que possible. Si des problèmes de frustration trop importants interviennent, des motivations doivent être recherchées sur le plan psychologique. Souvent, un jeûne permet de se débarrasser plus facilement de l'habitude de consommer de la viande.

Faut-il être strict ?

En principe, le végétarien, lorsqu'il est libéré de ses problèmes, n'éprouve plus le besoin de la viande. Certains peuvent, occasionnellement, se laisser tenter mais, en général, ils le font sans grand plaisir. D'autres se trouvent parfois dans le cadre d'obligations sociales ou professionnelles et ils doivent prendre de temps à autre un repas carné. Qu'ils le fassent alors **sans ressentir de sentiment de culpabilité**.

Un problème se pose aussi au niveau des *enfants*, qui sont tentés par la nourriture habituelle, notamment dans les pensions et les rencontres entre familles. Si nous frustrons excessivement l'enfant, sans lui expliquer les raisons du végétarisme, nous risquons d'en faire un révolté qui, tôt ou tard,

s'opposera aux parents. Il faut donc agir avec beaucoup de doigté. Le végétarisme est à l'origine d'une recherche psychologique et sociale profonde. Il
ne s'agit pas seulement d'un comportement superficiel.

La voie humaniste

Il y a tout avantage à adopter l'alimentation végétarienne ou à s'en
rapprocher le plus possible. La santé physique et mentale y gagne ; le
budget familial en est largement bénéficiaire. Mais il faut savoir choisir des
aliments sains.

Sur le plan éthique, rappelons-nous ce qu'a écrit le Dr Albert
Schweitzer : *« L'éthique est le respect de la vie étendu jusqu'à l'infini. »*

43. Mangez moins pour vivre plus longtemps

Un de nos amis prétendait que **réduire son alimentation conduit à
réduire ses dépenses, d'où une réduction des efforts et de la tension nerveuse :**
la conséquence en est déjà **une vie plus heureuse** et probablement plus longue ! Cet argument, un peu humoristique, n'est pas le seul.

L'excès de nourriture tue sans doute plus que la faim, dans les pays
occidentaux tout au moins, où il a été reconnu que, **pour chaque individu
sous-alimenté, 99 souffrent de pléthore alimentaire.** Jamais l'être humain, en
Occident, n'a mangé autant qu'actuellement, à l'exception de quelques périodes de décadence, par exemple dans l'Empire romain, lorsque les riches
et les puissants organisaient des banquets durant des jours entiers.

Dès sa naissance, le nouveau-né est gavé. Il faut le rendre « beau »,
c'est-à-dire gros. Mais déjà s'exercent les processus de libération : les vomissements, les diarrhées, les urines abondantes, la transpiration, les périodes fébriles, les éruptions de peau, les catarrhes, etc., sont les signes
d'une action entreprise par l'organisme pour se libérer d'aliments surabon-
dants ou toxiques. Plus le bébé est souffrant et s'affaiblit, plus les parents
sont tentés de le forcer à s'alimenter. **Le réflexe de gourmandise et la peur de
mourir de faim s'imprègnent ainsi dans l'esprit de l'enfant et subsistent** chez
l'adolescent et l'adulte.
De nombreuses maladies résultent de cette suralimentation presque
permanente. L'abus de condiments provoque les irritations et les fermentations gastro-intestinales. Les réserves organiques sont dépensées à un

rythme accéléré pour tenter de sauvegarder un équilibre douteux et une santé précaire.

Manger excessivement conduit donc à surcharger les organes éliminateurs et les systèmes digestif, circulatoire, neuro-endocrinien, sans oublier le système respiratoire car nous savons qu'une bonne partie des graisses sont oxydées au niveau des poumons.

Un autre danger apparaît, et il n'est pas négligeable à notre époque : nos aliments sont généralement imprégnés de poisons : depuis la culture jusqu'à la cuisine, en passant par le stockage, la conservation, les artifices de présentation, etc., nos aliments sont dégradés. Le tube digestif est le premier à en souffrir et les muqueuses s'altèrent jusqu'à l'ulcération et à la cancérisation. Nombre de toxiques s'introduisent également dans le sang et les cellules où ils jouent un rôle particulièrement destructeur.

L'homme a transformé son corps en un dépôt de détritus putréfiés : viande en décomposition, amidon fermenté. Lorsqu'il devient malade, il impute la responsabilité de son état à son foie, à ses reins, à ses intestins... Alors, **il se soumet à n'importe quel traitement, dans l'illusion qu'il n'aura pas à abandonner des habitudes alimentaires incorrectes.**

Réduisons donc la ration alimentaire. Compte tenu de l'adoption de la règle des 60/20/20, plus ou moins modifiée en fonction de facteurs individuels, ramenons notre ration quotidienne à quelques centaines de grammes. L'assimilation des aliments sera améliorée par quelques facteurs particulièrement importants : une mastication prolongée, la quiétude affective et mentale, le repos avant et après le repas, et aussi par un facteur trop souvent négligé : **la vraie faim et non un faux appétit** induit par des apéritifs, des artifices alimentaires, des médicaments et drogues dont nous connaissons, par leurs résultats, la nocivité.

Terminons par une citation sans doute un peu longue mais que nous estimons particulièrement importante :

L'estomac victime de l'alcool, des médicaments et du tabac.
« *C'est l'estomac qui subit en premier lieu le « choc alcoolique ».*
« *On peut admettre, sans risque de trop se tromper, qu'un tiers de toutes les consultations pour troubles gastriques est le fait de l'alcoolisme chronique banal, dû à la répétition de l'ingestion de quantités dites « modérées » d'alcool et de vin surtout, absorbées à chaque repas. Le second tiers résulte des effets directs et secondaires d'absorption de médicaments, et le dernier tiers d'affections générales et surtout tabagiques.*
« *Si l'on passe à la loupe les travaux consacrés aux gastrites, on est étonné de noter que la mention causale de l'affection n'est pratiquement*

jamais indiquée, soit que l'origine alcoolique reste sous-entendue, soit qu'on en taise la cause par pudeur. Dans leur ouvrage sur la physiologie de la sécrétion gastrique, les Dr Semb et Myren (1968) ni aucun des nombreux contributeurs de leur livre n'ont, à aucun moment, évoqué l'étiologie alcoolique. Dans un ouvrage sur la cytologie exfoliative de l'estomac, Jibbs (1968) a lui aussi totalement passé sous silence le rôle de l'alcool dans l'exfoliation cellulaire gastrique.

« Dans les liqueurs apéritives et digestives, le problème se complique car l'addition de composés spécifiques change de tout en tout l'équilibre des constituants présents entre l'alcool et, par exemple, l'essence d'anis. Il suffit de se souvenir des ravages causés sur les estomacs chez les buveurs d'absinthe. » (1)

44. L'alimentation normale

Schéma pour les 3 repas habituels

Alimentation très légère, composée essentiellement de produits biologiques obtenus dans des sols régénérés.

Voici donc un schéma de régime alimentaire correct, à adopter habituellement en dehors des périodes de désintoxication (sauf contre-indication médicale) (2).

Matin à jeun : eau seule (ou jus de fruit biologique, ou fruit, si bien toléré).

Petit déjeuner (à prendre 1/2 heure ou 1 heure ensuite, pas après 8 h 30). Variable suivant la température et le travail :

— soit 1 fruit frais ou fruits secs trempés + 1 tasse de lait non bouilli ou caillé ou en poudre ou fromage blanc,

— soit une infusion légère (café décaféiné, malt, Pionier, maté, thé léger, sauge, thym, lavande, mais pas de café ordinaire),

— soit 1 ou 2 biscottes complètes ou biscuits complets ou galettes de riz, ou pain bis au levain + miel, infusion, 1 cuillerée à café de purée de fruits oléagineux ou fromage blanc bien égoutté,

— soit une ou deux tranches de pain au levain + fromage ou œuf cuit mollet un peu dur,

---

1. Pr Wegmann. Institut d'histochimie médicale, Paris.
2. Les indications données dans cette partie sont conformes à la règle des 60/20/20.

— soit un petit déjeuner avec cacao ou préparation telle que le bir-cher-muesli,

— soit... rien du tout si vous n'avez pas faim ou si le repas de la veille au soir a été copieux. De toute manière, variez la formule d'un jour à l'autre.

Midi : salade et crudités ; un peu de légumes *verts* cuits soigneuse-ment ; 50 g à 100 g de viande maigre ou poisson maigre, sans sauce. Remplacer fréquemment la viande par 30 ou 50 g de gruyère ou hollande jeune ou par 40 ou 60 g de fromage blanc frais, ou par 1 œuf frais poché, cuit mollet ou incorporé. En plus, un peu de pain bis ou de pâtes alimentai-res ou semoule ou riz complet ou pomme de terre ou autre aliment farineux (biscottes, châtaignes, etc.). Au dessert (facultatif), 1/2 pomme bien mûre, ou préparation maison. NE RIEN PRENDRE D'AUTRE, AFIN DE NE PAS GENER LA DIGESTION.

Après-midi : ne rien prendre sauf eau ou infusion légère. Manger tôt le soir. (Si travail physique ou pour les enfants : goûter léger possible.)

Soir : salade ; éventuellement soupe fraîche ; 1 légume cuit ; prendre en plus, si on y tient : 1 tranche de pain bis, ou *un peu* de riz complet, de pâtes complètes, de semoule, de pâtisserie sèche de ménage ; fromage, œuf incorporé. Facultativement : dessert (p. ex. flan ou crème maison). **Faire ce repas du soir le plus simple et le plus léger possible.**

Les constipés feront bien de le composer uniquement de légumes cuits et crus, seuls ou avec soupe de légumes verts et quelques pruneaux secs trempés. (Eviter les fruits acides le soir.) Eventuellement aussi, infusion lé-gère (tilleul, verveine, oranger,...) après ce repas ou au coucher (avec sucre complet ou miel). LES REPAS DE MIDI ET DU SOIR PEUVENT ETRE INTERVERTIS.

\On peut ajouter régulièrement, midi et soir : levure alimentaire, blé germé... (voir un magasin diététique). Pour la salade, huile d'arachide vierge, d'olive, de tournesol, de sésame, de carthame, de courge, etc. (en variant).

Des exemples de menus pour chaque saison sont donnés dans la der-nière partie de cet ouvrage.

Conseils importants

— NE PAS OUBLIER LE CARACTERE ESSENTIEL DU RE-COURS AUX FACTEURS NATURELS DE SANTE : air, soleil, repos, équilibre émotionnel, etc. Chaque jour, EXERCICE PHYSIQUE au grand air, notamment sous forme de marche rapide (sans aller jusqu'à la fatigue) ou de gymnastique oxygénante. *Après le repas, détente et relaxation.*

— Il est préférable de prendre salade et crudités au début du repas.

— REPAS SIMPLES : peu d'aliments différents à chaque repas, mais variez d'un repas à l'autre. Pas d'alimentation monotone. Présentez des plats attrayants mais sains.

— MANGEZ TOUJOURS TRES MODEREMENT. MASTIQUEZ A FOND, LENTEMENT. Insalivez soigneusement vos aliments. Calme et gaieté à table. APPRECIEZ LES SAVEURS NATURELLES.

— NE MANGEZ QUE SI VOUS AVEZ *VRAIMENT* FAIM. Si fatigué, nerveux, indisposé, mal à l'aise, enrhumé, frileux, très constipé, en période de diarrhée, sautez le repas *et reposez-vous* : eau seule et jus de légumes verts, crus ou cuits. Sautez autant de repas qu'il faudra jusqu'à la disparition des malaises et au retour de la *vraie faim.* Il est bon, d'ailleurs, de *sauter systématiquement un ou deux repas par semaine, ou même plus.*

— JAMAIS DE GRIGNOTAGE ENTRE LES REPAS (bonbons, biscottes, biscuits, fruits,...).

— Les repas indiqués pour midi et soir peuvent être invertis. MANGEZ PEU LE SOIR.

— PRENEZ GARDE AUX FRUITS ACIDES. Les fruits pris entre les repas ou à contretemps sont à l'origine de fermentations, ballonnements, diarrhée, amaigrissement, déminéralisation.

— Dormez au moins 8 heures par jour. Reposez-vous, chaque fois que possible, avant et après le repas (surtout à midi). EN CAS D'ASTHENIE, REPOS PLUTOT QUE NOURRITURE EN EXCES. Le faible qui se suralimente s'affaiblit encore. L'alimentation doit être rééquilibrée.

45. Pour un régime équilibré

Nous nous méfions des belles formules passe-partout censées garantir la santé et la longévité. Chacun doit rechercher les aliments et les proportions répondant à ses **besoins du moment.**

Les aliments que nous tolérons ou dont nous avons besoin à une époque de l'année, en fonction de notre activité, de notre état de santé, de notre âge, ne sont pas ceux que notre corps demandera à une autre période et dans d'autres conditions.

La formule que nous préconisons n'est donc pas à appliquer d'une manière rigide. Elle est surtout destinée à faire prendre conscience de l'utilité d'une mesure et d'une attention dans le domaine du réglage de notre alimentation.

Formule de base théorique : 60/20/20 (en poids)

— 60 % de légumes et fruits crus et cuits : salade verte, chou, persil, cerfeuil, navet cru, betterave rouge crue, carotte crue, chou cru, melon, pomme, poire ;

— 20 % d'aliments protidiques : viande et poisson pour ceux qui en consomment, œuf, fromage, légumineuses (haricot, pois, fève, lentille, etc.), fruits oléagineux (noix, noisette, amande, etc.) ;

— 20 % de glucides : pain, pomme de terre, riz, pâtes alimentaires, céréales, marrons et châtaignes, sucre, miel, etc.

Dans cette formule, nous ne parlons pas des lipides (huiles et graisses) non plus que des vitamines, des sels minéraux, des oligo-éléments, etc.

En effet, si nous respectons la règle de modération, nous ne prendrons qu'un peu d'huile pour la salade, de beurre ou d'autres aliments gras. Nous aurons en abondance des aliments contenant des vitamines naturelles et des oligo-éléments parfaitement assimilables.

Une certaine mode consistant à se servir en permanence d'un tableau des vitamines est sans intérêt pratique.

Prenons un premier exemple d'application de la méthode des 60/20/20.

Admettons que la ration totale d'un repas ait un poids de 500 g.

— 60 % de 500 g = 300 g de légumes et de fruits crus et cuits ;

— 20 % de 500 g = 100 g de protides ;

— 20 % de 500 g = 100 g de glucides.

Ce repas pourra donc être constitué de :

— 100 g de légumes crus en salade (y compris betterave rouge, carotte, navet cru...) ;

— 100 g de légumes cuits (épinard, chou, etc. y compris des légumes racines : carotte et betterave rouge, par exemple) ;

— 100 g de fruits mûrs ou pesés après trempage ;

— 100 g de viande maigre ou 2 petits œufs ;

— 100 g de pain, pâtes, riz, semoule, flocon, pomme de terre, marron, châtaigne, gâteau ou tarte...

Le simple fait de prendre un tel repas conduit à une ingestion de suffisamment de vitamines et de sels minéraux. Si, d'un repas à l'autre, l'alimentation est suffisamment variée, il n'y a pas de risque de carence dans ce domaine.

Adaptations diverses :

Par temps très chaud et pour les sédentaires.

Lorsque la dépense énergétique doit être moindre (sédentarité, climat chaud), la formule 60/20/20 est légèrement modifiée par réduction des glucides (les protides restant en proportion constante) et en augmentation de la ration de légumes et de fruits. Nous aurons alors par exemple les formules suivantes :

— 65/20/15, c'est-à-dire 65 % de légumes et de fruits, 20 % de protides, 15 % de glucides.

Par temps très chaud ou en cas de sédentarité complète, nous pourrons même aller jusqu'à 70/20/10.

Temporairement, pour certaines personnes qui veulent éviter les glucides, nous aurons par exemple la formule 80/20/0.

Par temps froid et avec exercice physique important.

Lorsqu'il faut augmenter la ration énergétique, en hiver ou en cas d'exercices physiques intenses, la formule peut devenir : 55/20/25, ou même 50/20/30 ou 40/20/40, c'est-à-dire que nous réduisons la ration de légumes et de fruits et augmentons la ration de glucides.

Intolérance aux légumes et aux fruits.

Certaines personnes sont intolérantes à la cellulose, qui déclenche chez elles des troubles digestifs avec fermentations. Dans ce cas, il faut pendant un temps, supprimer les aliments cellulosiques (notamment légumes et fruits) et ne prendre qu'une nourriture extrêmement légère qui peut être composée d'un peu de glucides (riz ou pâtes alimentaires) et de protides (œuf cuit dur ou fromage, par exemple). Il sera bon, préalablement, de jeûner totalement puis de reprendre 50 ou 100 g de ration totale en augmentant progressivement celle-ci jusqu'au passage graduel à une ration normale.

Poids de la ration totale

Aucune précision ne peut être donnée quant à la quantité totale des aliments à ingérer pour bien se porter. Il faut tenir compte du pouvoir digestif de chacun, c'est-à-dire, en fait, du coefficient d'utilisation nutritionnelle.

Compte tenu d'une ration de base, il y a intérêt à l'équilibrer suivant la formule 60/20/20 et à la réduire progressivement, tant que le tonus général reste bon et que le poids atteint la limite que l'on s'est fixée. Quelques tâtonnements permettent alors d'augmenter légèrement ou de diminuer encore légèrement la ration alimentaire jusqu'à ce qu'elle atteigne son niveau optimal, qui est souvent bien moindre que le niveau habituellement considéré comme normal.

Plus l'alimentation est réduite en quantité, mieux l'organisme peut la traiter et l'assimiler.

Cas de la femme enceinte ou allaitante

On considère généralement que la femme enceinte doit augmenter légèrement la ration de protides. En fait, pour certaines femmes, l'assimilation est meilleure pendant la grossesse et elles se trouvent mieux de réduire la ration totale tout en conservant la formule 60/20/20. Il en est de même pour la mère qui allaite. Toutefois, pour conserver la sécrétion lactée, dans certains cas, la mère a intérêt à augmenter la ration glucidique : notamment par des bouillies avec du blé ou de la purée d'amandes (une cuillerée à café par petit bol de bouillie), par des pâtes alimentaires ou du pain bis au levain.

Faut-il se préoccuper des calories ?

Il fut un temps où la nourriture a été comptée en calories et où la valeur des aliments était calculée en les brûlant. Cette théorie a maintenant fait place à une autre conception, plus biochimique : la qualité de la nutrition dépend moins du nombre de calories ingérées que de la valeur biologique des aliments et de l'équilibre de la ration alimentaire.

Si les protides de première catégorie, contenant les 10 acides aminés essentiels sont fournis, la ration azotée est mieux assimilée. Si les vitamines et les oligo-éléments naturels sont ingérés en proportions harmonieuses, grâce à la variété alimentaire, l'assimilation et la nutrition seront très probablement correctes.

On admet que l'enfant d'un an a besoin de 800 calories ; à 2 ans 1 000 calories ; à 8 ans 1 800 calories ; à 16 ans 2 600 calories. Pour l'adulte sédentaire : 2 400 calories ; pour le travailleur de force ou le sportif : 5 000 calories.

Ces calories étant trouvées principalement dans les glucides, amidons et sucres (à raison de 4 calories par gramme) et d'autre part dans les lipides (huiles et graisses, à raison de 9 calories par gramme), on peut en déduire que, pour l'adulte sédentaire par exemple, 2 400 calories seront fournies par 600 g de pain. Il s'agit là d'un calcul erroné car l'adulte sédentaire serait rapidement intoxiqué par une telle quantité de pain.

En fait, **la ration quotidienne est fournie, pour les calories, par des aliments très variés : tous les glucides et les lipides, mais aussi les légumes crus et cuits et les fruits.**

Afin d'éviter des calculs longs et de toute manière inexacts, il suffira de suivre les indications données ci-dessus.

La ration de protides

Pour ce qui concerne les protides, on admet généralement que l'organisme en requiert environ 1 g par kg de poids jusqu'à la fin de l'adolescence ou en période de grossesse ou d'allaitement ou en période de convalescence. A partir de la maturité, la ration de protides ne doit plus être que d'un demi-gramme par kg de poids.

Un adulte pesant 80 kg peut recevoir 40 g de protides purs chaque jour. Ici encore, **il est inutile de se livrer à des calculs savants si l'on applique la règle des 60/20/20.**

cas particuliers : individualisation

46. L'alimentation de l'enfant

Avantages de l'allaitement maternel

Le nouveau-né : Le lait de la mère est l'aliment normal du nouveau-né. Celui-ci peut être mis au sein dès sa naissance. La première substance sécrétée, le colostrum, est bienfaisante pour l'enfant ; en outre, la succion stimule la montée du lait.

Le nourrisson peut prendre deux fois le sein au cours des premières 24 heures, et chaque fois à chacun des deux seins. Puis on passera à 3 ou 4 tétées, en en augmentant progressivement la durée.

Le 4e jour, le bébé parviendra probablement au rythme de 5 repas par jour, à 4 heures d'intervalle (ou plus au début, tant que le lait maternel n'aura pas sa composition normale : au bout de 2 semaines ou parfois un peu plus).

Normalement, l'enfant n'a besoin de rien d'autre que du lait de sa mère pendant les premières semaines de son existence. En cas de montée de lait tardive ou insuffisante, donner de l'eau (potable, peu minéralisée) non sucrée de préférence afin que l'enfant ne se désintéresse pas ensuite du sein.

Les avantages de l'allaitement maternel pour le nourrisson sont considérables :
— Il facilite chez le bébé la formation de la mâchoire et des dents ;
— Il est très exactement adapté aux besoins physiologiques de l'enfant, en fonction de son sexe et de son âge ;
— Il est plus digestible pour le bébé que tout autre aliment ;
— Sa température est adéquate ; il n'a pas été souillé extérieurement ; si la mère s'alimente et vit correctement, son lait n'est pas pollué ;
— Il donne un taux de sécurité très supérieur à celui des aliments artificiels ;
— Le contact étroit entre l'enfant et sa mère est de première importance sur le plan psychologique et émotionnel, et par conséquent sur le plan physique même. Le nouveau-né se sent sécurisé et satisfait.

Des laits de remplacement peuvent être administrés en cas d'insuffisance de lait maternel : lait d'une autre mère, ou laits animaux ou encore laits végétaux : lait d'amande, de soja, etc.

Le sevrage : C'est la période où l'enfant va devoir accepter, progressivement ou d'une manière abrupte, une autre nourriture que le lait maternel. Cette période est assez délicate mais doit pouvoir être surmontée.

Les substituts

Le substitut du lait maternel est alors choisi en fonction des besoins de l'enfant et des possibilités inhérentes à la situation. Il est bon d'y ajouter un peu de jus de fruit, notamment jus d'orange, de raisin, de figue fraîche, d'abricot...

Les jus et purées de fruits et de légumes doivent être les premiers aliments donnés à un enfant, après le lait maternel. Il faut se montrer circonspect à l'égard des bouillies et autres spécialités car **l'enfant, avant l'âge de 4 ou 6 mois, a une salive qui ne possède encore que des traces minimes de ptyaline, ferment indispensable à la digestion des aliments amylacés.** Les farineux (céréales, pommes de terre...), s'ils sont donnés trop tôt, causeront des fermentations, des gaz intestinaux et d'autres troubles digestifs, pouvant aller jusqu'à la neuro-toxi-infection. Le catarrhe respiratoire en est souvent aussi la conséquence, avec ses suites normales : végétations adénoïdes, amygdalite, inflammation des yeux, de la gorge, des oreilles...

Le premier aliment farineux sera donné de préférence sous forme de croûte de pain (bien sec ou grillé légèrement) pour que l'enfant apprenne à mastiquer et ne se contente pas d'avaler passivement (intérêt de la mastication pour la dentition et la digestion).

Certaines bouillies correctement préparées, à l'usage des bébés, peuvent être données dans certaines situations, dès l'âge de 3 mois, quand la croissance de l'enfant est défectueuse.

Les jus de fruits. En principe, les jus donnés à l'enfant seront extraits de fruits frais et non conservés plus ou moins chimiquement. La quantité en est d'ailleurs très faible : une demi ou une cuillerée à café à 2 mois, à augmenter progressivement.
Sont également recommandables : jus frais de mandarine, tomate, cassis, pamplemousse, carotte, raisin, prune, pruneau, figue, pomme, etc.
Certains enfants tolèrent mal les jus acides, qui les déminéralisent, les rendent nerveux, frileux, insomniaques.
Ces jus seront alors remplacés par des jus de légumes verts crus ou des jus de carotte ou même de betterave rouge, s'il en accepte. Ce sont en tout cas des **jus dilués afin de ne pas irriter le tube digestif de l'enfant.**

Si l'acétonémie ou des troubles catarrhaux apparaissent, supprimer au moins momentanément les jus de fruits. On ne les reprendra ensuite qu'avec prudence. On peut donner en remplacement de l'eau miellée ou un peu de miel pur, ce qui fait généralement disparaître l'acétone.

Purées de légumes. C'est vers l'âge de 3 mois qu'un enfant peut recevoir la première nourriture solide sous forme de fruits en compote ou de légumes en purée : carotte, pruneau, betterave, haricot vert, pomme, abricot, etc.

On peut lui en donner un quart ou une demi-cuillerée à café seulement pour commencer. Ces aliments sont plutôt laxatifs mais il ne faut pas en abuser.

Contrairement aux jus de fruits et de légumes, il convient de donner les purées et les compotes solides avant les tétées, comme entrée.

Le fromage et l'œuf

A partir de l'âge de 5 à 6 mois, l'enfant peut commencer à recevoir un peu de *jaune* d'œuf cru : quelques pointes de couteau pour commencer, ainsi qu'un peu de fromage blanc frais d'excellente qualité. Cette ration est augmentée progressivement. C'est chaque jour que ces deux aliments peuvent être donnés, à des repas différents.

Compléments alimentaires naturels

Certains *compléments alimentaires naturels* sont utiles à l'enfant : le blé germé (à partir de l'âge de 4 ou 5 mois, écraser un peu de blé germé et en donner le jus à l'enfant, au cours d'un repas) ; levure alimentaire sèche à partir de l'âge de 12 à 15 mois (quelques pointes de couteau) ; 2 ou 3 gouttes d'huile de pépins de courge (pour faciliter la minéralisation) ; quelques gouttes de jus de persil...

Le meilleur sucre pour l'enfant est celui des fruits ; le miel, les dattes, les figues sèches, les raisins secs sont également excellents (laver soigneusement les fruits avant consommation ou enlever peau et pépins).

Préparations culinaires

La mère apprendra à confectionner des bouillons de légumes, des soupes, des décoctions d'orge et de céréales, des crèmes de soja, etc. Voici d'ailleurs quelques recettes utiles :

Soupe de légumes. Il faut 2 carottes, quelques morceaux de céleri, 1 oignon ou 1 poireau, quelques feuilles d'épinards, 1 pomme de terre (ou encore lorsque l'enfant grandit, 125 g de pois ou haricot ou lentille). Les légumes sont lavés et coupés finement. On les couvre d'eau et on cuit pendant une demi-heure. Le tout est passé et écrasé. On peut servir avec un peu de gruyère râpé.

Décoction d'orge. Il faut de l'orge perlée, de l'eau, du miel ou du sucre de canne complet. Laver l'orge, mettre dans une casserole et recouvrir d'eau. Cuire à feu doux pendant 2 heures environ jusqu'à obtention d'un liquide épais et onctueux. Servir très légèrement sucré.

Décoction de céréales. Laver à grande eau des céréales biologiques : blé, orge et avoine. Faire bouillir 250 g dans 2 litres d'eau pendant 2, 3 ou 4 heures. Boire le jus entièrement dilué. (*Nota.* Si on le peut, faire germer au préalable les grains pendant 24 ou 48 heures dans de l'eau froide changée chaque jour.)
La femme enceinte ou allaitante peut prendre de cette décoction, ce sera très favorable à sa santé ainsi qu'à la lactation.

Lait d'amande. Il suffit de délayer de la purée d'amande dans un peu d'eau tiède ; on sucre avec un peu de miel ou de sucre complet.

Crème de soja pour bébé. Il faut une cuillerée à soupe de farine de soja, 3 cuillerées à dessert d'eau. Délayer la farine dans l'eau et mettre dans une petite casserole bien huilée. Couvrir et cuire une demi-heure.

Points particuliers

1°) Les bonbons et le chocolat : En principe, ces produits n'ont pas place dans l'alimentation de santé. Cependant, si nous les refusons systématiquement aux enfants, ceux-ci se sentiront inévitablement frustrés — même si les parents ne s'en rendent pas compte — et les réactions de compensation pourront se manifester de diverses manières : énurésie (protestation), chapardage, attitude quémandeuse ou agressive à l'égard des autres enfants qui, eux, « ont le droit d'en manger », etc. Des problèmes de frustration-revendication peuvent se poser, plus tard, quand l'enfant sera devenu adolescent puis adulte.

CONSEILS. Tant que l'enfant est tout petit, éviter autant que possible les plats trop sucrés, les bonbons, le chocolat. Un enfant qui reçoit suffisamment d'aliments riches en protides essentiels (de première classe) risque moins d'être attiré par les sucres et l'excès d'aliments farineux.
Quand il grandit et voit d'autres enfants manger des sucreries, lui expliquer que ces faux aliments font du tort aux dents et à la santé et lui dire

qu'il est préférable de prendre une ou deux amandes ou noisettes, ou encore une datte, un peu de banane sèche, une figue sèche, un pruneau sec, un peu de pomme... ou à la rigueur un bonbon naturel au sucre roux. On trouve aussi dans les magasins diététiques un chocolat exempt de traitements nocifs, des petits déjeuners comportant peu de chocolat et d'autres aliments susceptibles de figurer de temps à autre au menu de l'enfant et de l'adolescent. Il existe des préparations à base de caroube imitant le goût du chocolat et d'un goût très agréable.

Rappelons brièvement pour terminer les **dangers pour l'enfant des bonbons et du chocolat pris en excès :** irritations digestives, altérations dentaires, catarrhe des voies respiratoires et des oreilles, réduction des réserves de vitamines B, déminéralisation, nervosité, évolution vers le diabète. Avec le chocolat, accentuation de ces troubles par la théobromine ; toxicomanie possible (comme pour le café et le thé). Il faut également tenir compte des effets des substances toxiques ajoutées à ces faux aliments, dans le commerce courant.

2°) Les jus de fruits : Les parents boivent du vin ou de la bière et les enfants en souhaitent eux aussi. Pour résoudre le problème, bien des parents « naturistes » remplacent ces boissons par des jus de fruits et en servent généreusement au cours des repas et en autre temps. Ils croient bien faire. Erreur ! Les jus de fruits pris à contretemps causent : fermentations et acidifications gastro-intestinales, formation d'alcool (parfois considérable), déminéralisation, amaigrissement ou œdème, frilosité, baisse de l'activité intellectuelle, etc.

En principe, le jus de fruit (et encore doit-il être naturel, ce qui est bien peu courant) ne devrait être pris qu'**en très faible quantité, le matin à jeun, par exemple, au moins une heure avant le repas.** Dans la journée, même si l'estomac est vide, le passage relativement rapide (une heure environ) du jus de fruit dans l'intestin risque d'y causer, à cause du mélange de ce jus de fruit avec des aliments préalablement ingérés et en cours de digestion, des fermentations alcooliques. Bien des « douleurs d'entrailles », des « barres », des « points de côté » sont dus à l'ingestion malencontreuse ou excessive de fruits ou de jus de fruits.

Nous comprenons donc l'erreur de certains régimes conseillant fruits ou jus de fruits en début ou en fin de repas — ou d'autres systèmes suggérant de prendre le jus de fruit une demi-heure ou un quart d'heure avant le repas. Erreur, car la durée de séjour dans l'estomac est plus longue qu'on ne le pense généralement.

La mode des jus de fruits et des fruits acides pousse à en consommer en excès. Catarrhe digestif, difficultés nerveuses, déminéralisation, sensibilité au froid, extrémité des doigts blanche et glacée, sommeil perturbé, troubles cutanés, irritation des gencives et soi-disant « arthrite dentaire », carie, croissance perturbée, etc., telles sont quelques-unes des conséquences de cette fâcheuse habitude.

Des fruits biologiques, des jus de fruits naturels, d'accord ! Mais pas trop n'en faut. Quelques quartiers d'orange ou de pamplemousse, quelques gouttes de jus de citron, une pomme par jour (bien mûre), et pour le reste de la ration vitaminique nous conseillons des légumes crus tels que carotte, betterave rouge, céleri, salade verte, chou, persil, cerfeuil, etc., sans oublier *le navet cru, si précieux pour la reminéralisation.*

3°) Le jus de citron (et les acides) provoquent une inhibition de la vitamine A : On évitera donc d'en ajouter à la carotte râpée. Celle-ci se prend nature, sans assaisonnement. Mieux encore, on la croque : les gencives bénéficient alors d'un excellent exercice de mastication, d'où résulte une irrigation sanguine plus riche dans cette région.

4°) Noix, noisettes, amandes : Ces fruits peuvent remplacer avantageusement les bonbons chez les enfants, à raison de deux ou trois par jour.

Leur excès, fréquent chez les végétariens, risque de favoriser la lenteur digestive et le catarrhe des voies respiratoires. En période de froid ou d'exercice physique au grand air, l'enfant ou l'adolescent pourra en prendre une dizaine. Ne pas oublier que ce sont des aliments très concentrés, riches en graisses (lipides).

Pour les rendre plus digestes et moins irritantes, les tremper pendant 12 heures au moins dans de l'eau non javellisée. Enlever la peau des amandes et des noix. Ces fruits ont alors retrouvé la consistance et la saveur du moment de la cueillette.

Noisette, amande, sésame peuvent être consommés entiers (les mastiquer soigneusement et à fond) ou en purée : une cuillerée à café suffit.

Un délicieux dessert, à savourer lentement, consiste à additionner cette purée d'un peu de sucre roux ou, mieux, de miel. Le mélange acquiert une consistance très ferme. Les sportifs pourront en prendre 2 à 3 cuillerées à soupe par jour, en période d'efforts physiques. Quelle source d'énergie et de puissance !

5°) En période de fièvre et de troubles de santé : Dès que l'enfant ou l'adolescent (et même l'adulte) présente température et catarrhe, avec rhume, crachats, écoulements divers, il est préférable de supprimer l'alimentation, sauf l'eau seule suivant la soif, et non au-delà. Cesser impérativement tous les fruits quels qu'ils soient, et les jus de fruits. Les fruits sucrés (figue, par exemple) accentuent l'émission de mucus, donc l'expectoration, ce qui a conduit à considérer abusivement que les sirops de sucre candi et de figues étaient « bons pour la toux » — alors qu'ils la favorisent.

6°) Fruits, jus de fruits, légumes et conserves en bocaux ou en boîte pour les enfants : En principe, les jus de fruits donnés aux enfants doivent être frais et exempts de toxiques (conservateurs notamment). Dans certains cas exceptionnels, ne peut-on recourir aux préparations en boîte pour l'enfant ? Une telle solution est admissible, mais temporairement, en restant attentif aux signes éventuels de troubles qui peuvent survenir : langue blanche, selles plus rares ou plus fréquentes, de consistance anormale, caractère « chagrin » et nerveux, sommeil troublé, etc. A titre incident, notons que les purées de légumes données aux enfants, si elles sont préparées à la maison, doivent être finement « mixées » afin d'éviter des fermentations gastro-intestinales, surtout s'il s'y trouve des carottes cuites.

7°) La constipation chez le jeune enfant : Nous avons vu, chez les bébés, plusieurs cas de constipation dus à ce que le lait partiellement écrémé du premier âge était poursuivi trop longtemps. Il a suffi de donner du lait entier pour que tout rentre dans l'ordre ; la ration grasse était insuffisante. Dans la majorité des cas de constipation ou de diarrhée chez l'enfant, l'alimentation est en cause. Dans certaines situations, des facteurs psychologiques peuvent aussi intervenir.

47. 3 menus-types pour un adolescent

1. — **Au lever :** jus de fruits.
— **Petit déjeuner :** 200 g de pain bis beurré, un œuf cuit mollet, un succédané de café ; un peu de lait.
— **Midi :** salade composée de chou rouge, céleri en branche, noix, un peu de pomme coupée en morceaux, persil haché, huile, citron, levure alimentaire sèche, blé germé. Haricots verts cuits. 150 g de poulet grillé (ne pas donner la peau). Une tranche de pain. Dessert.
— **Soir :** soupe aux carottes ou jus de carottes crues + levure et germe de blé. Mâche crue + persil, huile et citron. Poireau cuit et gruyère râpé. Riz au lait.

2. — **Au lever :** jus de fruit lacto-fermenté.
— **Petit déjeuner :** porridge (au lait sucré), une dizaine d'amandes ou noisettes ou une cuillerée à soupe de purée de fruits oléagineux. Une ou deux figues sèches ou 4 ou 5 dattes. Blé germé.

— **A midi** : salade crue : mâche, carotte râpée, betterave rouge crue, persil haché, navet cru râpé. Huile, citron et levure alimentaire. 120 g de bœuf grillé. Salade cuite. 2 ou 3 pommes de terre vapeur. Une tranche de brioche avec confiture ou autre dessert.

— **Soir** : potage de légumes verts additionné de levure. Légumes verts : fenouil, laitue, persil. Un œuf cuit mollet et une tranche de pain ou un peu de pâtes ou de riz. Compote de fruits.

3. — **Au lever** : jus de pomme ou de pamplemousse.

— **Petit déjeuner** : 150 g de pain beurré et 80 g de fromage blanc ; quelques fruits secs. Lait additionné d'un peu de chocolat de bonne qualité.

— **Midi** : crudités et salade. Préparation avec pilpil et un ou deux œufs. Compote ou fruits cuits.

— **16 ou 17 heures** : collation légère : pain séché au four ou biscuits secs, ou fruits secs.

— **Soir** : soupe de légumes ou légumes cuits. Gâteau de semoule ou de riz au lait et à l'œuf.

48. Menu du travailleur de force (ou en période d'exercice physique)

— **Au lever** : eau ou jus de fruits.

— **Petit déjeuner** : 2 ou 3 tranches de pain ; 1 ou 2 œufs ou 50 à 80 g de fromage ; levure alimentaire sèche.

S'il y a lieu, *petit repas intercalaire* vers 10 heures : fruits secs, ou biscuits, ou une tranche de pain miellé.

— **Midi** : crudités et légumes cuits ; 100 ou 150 g de poisson ou de viande ; 250 ou 300 g de pommes de terre, riz, pâtes, etc.

— **16 ou 17 heures** : 1 ou 2 tranches de pain miellé ou biscuits ou fruits secs.

— **Le soir** : repas plus léger : soupe ou légumes cuits ; crudités, riz au lait ou riz à l'œuf, ou pâtes alimentaires, etc.

Eviter le café et l'alcool, qui excitent ou dépriment et, en tout cas, « rompent le rythme » et entraînent rapidement la fatigue ou l'épuisement.

49. L'alimentation suivant les saisons

Le pentagramme du Dr Gillard

Le Dr Gillard nous a fait part de nouvelles notions qu'il a pu acquérir lors de son séjour en Chine. Dans ce pays, le système d'action et de pensée qui a évolué en dehors des sphères intellectuelles occidentales a imposé des solutions originales. Le modèle chinois, par sa réussite exceptionnelle, doit retenir notre attention à plusieurs titres.

Dans ce pays, la volonté de promouvoir une écologie de subsistance, une polyculture, une consommation sur place de produits frais a non seulement soustrait le pays à une ruineuse économie d'échanges, mais se trouve être aussi la source d'un rendement qualitatif du travail et d'un état de santé bien supérieur à celui des autres états parvenus à ce degré de civilisation, sous tutelle occidentale.

En Chine, le principe fondamental de cette approche n'est pas résolu en termes de combativité, de lutte ou d'opposition, mais avec le souci permanent de la recherche patiente de l'équilibre, d'une complémentarité des forces en présence, d'une adaptation devant une situation donnée : enfin **d'une adaptation totale de l'homme aux cinq éléments qui constituent son biotope.** Ces cinq éléments (l'eau, la terre, l'air, le soleil, la végétation) sont indispensables à notre nécessaire intégration au milieu vital. Ainsi ont-ils cherché et trouvé les règles de la meilleure adaptation possible de la santé et de l'alimentation à ces éléments. Les chercheurs chinois depuis des millénaires ont mené à bien cette étude des propriétés spécifiques de chacun de ces éléments aussi bien dans leur action complémentaire et réciproque, que dans leurs oppositions.

Ils ont ainsi pu déterminer des actions différentes en fonction des temps cosmiques et temporels (heures, jours, saisons, années) et ont établi des calendriers particulièrement opérants.

Le pentagramme que nous allons développer dans le cadre de l'alimentation s'applique aussi à la médecine, à l'agriculture, à la politique.

Il s'agit en fait d'une considération de **l'évolution de l'énergie** dans le pentagramme, suivant les saisons.

Le déchiffrage attentif de ce pentagramme nous montre comment, à partir de constatations évidentes, les Chinois ont pu placer dans le temps le point culminant du **dynamisme énergétique de chaque élément couplé à l'organe.**

— **Le printemps :** toute la nature, et plus particulièrement la végétation, naît. A cette époque précise toute l'énergie se trouve concentrée dans
les bourgeons, les feuilles naissantes. D'où, très logiquement la prédomi-
nance de la couleur verte, de la végétation. Le foie est également associé à
cette saison car c'est l'organe type de la régénération. C'est l'époque de
l'action maximale des plantes médicinales et des légumes dans l'alimentation. C'est aussi la reprise hautement bénéfique d'un régime strictement végétarien, avec en fin de saison, le repas d'agneau, imprégné de toute l'énergie actualisée en ce point de l'année. Ils associent également le millet qui,
avec son phosphore, son fer et son magnésium, est la céréale la plus revita-
lisante.

— Le cycle extérieur est un cycle de production ou d'engendrement :
par exemple pour le printemps, le bois et la végétation sont engendrement
du feu, c'est le passage à l'élément suivant.

— **L'été** est incontestablement période de chaleur. Toute la dynamique de cette saison à tous les points de vue est bien commandée par l'élément feu. On y associe la couleur la plus chaude, le rouge, d'ailleurs en
rapport avec les fruits de saison (tomates, cerises, fraises, framboises...). Et
l'organe qui répand dans l'organisme l'énergie calorique vitale du sang,
c'est bien sûr le cœur. Pour se bien nourrir à cette époque on mange du blé,
céréale la plus haute, la plus chaude, la plus nourrissante, mûrie et séchée
en ce point culminant d'énergie solaire, et les fruits rouges de saison.
Comme protides animaux on choisit ceux qui craignent le plus l'humidité
et s'approchent le plus du soleil : les volailles. C'est la période où l'énergie
est la plus grande, c'est le « yang », et c'est bien l'époque de l'année où il
ne devrait pas être question de vacances...

— Le processus de photosynthèse est l'engendrement de la terre par
le soleil : la terre est donc l'élément suivant.

— **Fin d'été, début d'automne :** en biodynamie, nous avons aussi ap-
pris que c'est la période idéale de travail de la terre. L'énergie yang baisse
déjà, c'est l'époque des récoltes qui jaunissent, et que l'on emmagasine. La
couleur jaune apparaît partout : maïs, chaume... On y associe les organes
stockeurs comme l'estomac. Pour bien préparer sa santé, on préfère donc le
maïs et le seigle aux autres céréales, les légumes et fruits bien mûrs : me-
lons, haricots, abricots, pommes, poires, piments jaunes... C'est la période
de stockage de toute la nature, nous avons intérêt alors à stocker tous les
fruits et légumes qui peuvent se conserver naturellement par séchage au soleil.

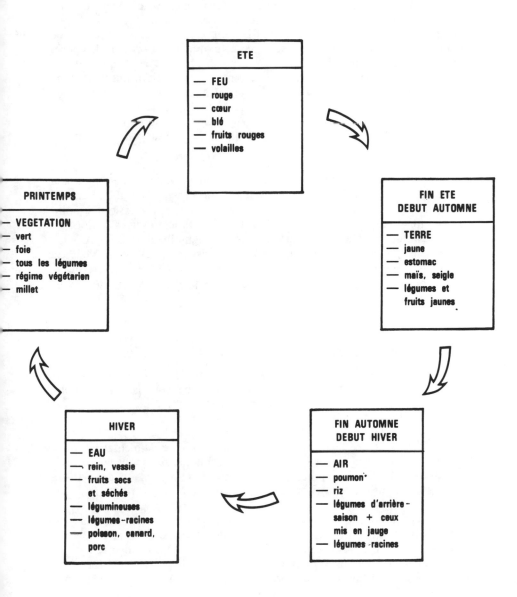

ETE

— FEU
— rouge
— cœur
— blé
— fruits rouges
— volailles

**FIN ETE
DEBUT AUTOMNE**

— TERRE
— jaune
— estomac
— maïs, seigle
— légumes et
   fruits jaunes

PRINTEMPS

— VEGETATION
— vert
— foie
— tous les légumes
— régime végétarien
— millet

HIVER

— EAU
— rein, vessie
— fruits secs
   et séchés
— légumineuses
— légumes-racines
— poisson, canard,
   porc

**FIN AUTOMNE
DEBUT HIVER**

— AIR
— poumon
— riz
— légumes d'arrière-
   saison + ceux
   mis en jauge
— légumes-racines

LE PENTAGRAMME DU Dr GILLARD

— **Fin d'automne, début d'hiver :** cette époque est placée sous le signe du vent, de l'air. L'organe qui y est associé est le poumon, c'est aussi la période des maladies pulmonaires. Après le vent, c'est le règne du froid et de l'humidité qui s'installe, aussi la seule céréale préparée à cet état de chose, c'est le riz. On mange les légumes d'arrière-saison et ceux qui ont été stockés au début de l'automne. A cette période, l'énergie a migré vers les racines, vers le sol. C'est d'ailleurs la saison du bouturage et des plantations. Les légumes racines sont d'ailleurs conseillés particulièrement (carottes, navets, céleris, salsifis, topinambours...). Ils apportent les éléments qualitatifs appropriés au maintien de l'équilibre de la santé pour cette époque bien précise.

— **L'hiver** est la saison yin par opposition au yang de l'été. C'est la saison de l'eau, du froid. L'énergie est alors au plus profond de la terre et des hommes. L'organe que l'on y associe est le rein, et la vessie. Du point de vue alimentaire c'est le moment d'utiliser toutes les réserves qui ont pu être faites : les fruits secs, les fruits séchés, les légumineuses conservées naturellement, les racines. L'alimentation carnée est essentiellement à base de poisson, de canard et de porc. L'hiver, avec toute la nature au repos, est la période propice à la paix, au repos consacré aux loisirs, aux activités culturelles aussi.

Des horizons nouveaux

Ce pentagramme donne les grandes lignes de théories qui sont en fait beaucoup plus complexes, avec des cycles de soumission, de non-action... avec des variantes appliquées aux heures, aux jours, aux mois, aux années.

Il ressort de ce pentagramme que la meilleure alimentation pour l'homme est celle qui est produite dans son biotope, dans son environnement immédiat. Ces options remettent évidemment en cause tout le **système de distribution** utilisé dans les pays occidentaux :

— Les productions hors saisons, obtenues sous serre, apparaissent comme strictement inutiles, voire même dangereuses pour la santé car non adaptées à nos besoins, et pouvant même aller en sens inverse ;
— Les productions hors biotopes, importées de pays éloignés, comme les agrumes, par exemple, nous sont très mal adaptées et fortement déconseillées ;
— Les productions différées, conserves notamment, semblent elles aussi mal adaptées aux besoins réels de l'homme...

50. L'alimentation de ceux qui travaillent à l'extérieur

Ceux qui travaillent hors de chez eux sont fréquemment embarrassés lorsqu'il s'agit d'appliquer les règles de l'alimentation naturelle. Comment éviter la cantine ou le restaurant, à midi ?

Beaucoup d'entre eux travaillent à l'ombre toute la journée et ne disposent que juste du temps nécessaire pour le repas du midi. Ils se plaignent de ne jamais pouvoir profiter du soleil.

La solution est simple : concevoir un repas du midi très léger, sans grande préparation, rapidement pris, de manière à pouvoir sortir au grand air et au soleil au cours de l'arrêt de travail. Les repas du matin et du soir seront alors un peu plus copieux.

Voici un exemple :

— **Le matin** : pain et fromage ou pain et œuf, ou encore une préparation à base de riz avec œuf incorporé.

Comme boisson le matin : sauge ou thym ou menthe, ou romarin, etc. (infusion toujours légère avec un peu de miel ou de sucre complet, si l'on y tient).

— **Repas de midi :** — Par temps chaud : carottes, salade sans assaisonnement, quelques radis, un peu de chou cru, etc. ; une pomme ou un biscuit sec, un peu de fromage blanc ou de fromage à pâte ferme ;

— Par temps froid : quelques crudités ; gâteau de riz ou de semoule, ou pain bis et fromage ou œuf. En plus, une infusion chaude si on le peut.

— **Au repas du soir** : un potage ou des légumes cuits, un plat de pâtes alimentaires ou un autre plat farineux pris en petite quantité et additionné d'œuf ou de fromage s'il n'y en a pas eu à midi. Certains, qui ne sont pas totalement végétariens, prennent parfois un peu de viande : maigre, grillée (sans sauce) ou poulet.

Les fruits oléagineux sont fréquemment pris en trop grande quantité. Se limiter à quelques noisettes, amandes ou noix chaque jour, à prendre au repas sans viande ni œuf, soit le matin, soit à midi.

Nous connaissons des personnes qui prennent un petit déjeuner assez copieux et sautent purement et simplement le repas de midi en le remplaçant par de l'eau ou, éventuellement, par un fruit frais. Elles ont ensuite un peu de repos ou la promenade au soleil et prennent tôt le repas du soir : vers 18 h 30. Elles se trouvent très bien de ce système des deux repas quotidiens.

51. L'alimentation au troisième âge

Le métabolisme

Des modifications anatomiques et fonctionnelles importantes apparaissent progressivement au troisième âge. Il n'est guère possible de fixer d'âge précis car ces transformations interviennent plus ou moins rapidement suivant l'hérédité, le mode de vie et d'alimentation, le climat, le milieu, etc.

Petit à petit, le métabolisme basal diminue ; la régulation de la température devient plus difficile ; les cellules assimilent et désassimilent moins efficacement ; la fixation des minéraux est moins active ; l'adaptation à des régimes différents est plus lente, moins efficace ; les organes digestifs, comme les autres, ne doivent plus être surchargés ; les compensations internes se réalisent d'une manière moins tonique.

Les vaisseaux se sclérosent plus rapidement et il faut éviter les aliments capables de favoriser ce processus : les graisses animales et d'une manière générale les graisses cuites deviennent néfastes.

La suralimentation est l'ennemi de la personne âgée. Toutefois, il ne faut pas tomber dans l'excès contraire : un régime carencé.

La ration quotidienne doit être assez **pauvre en aliments caloriques** car l'excès de ces aliments retentit immédiatement sur la formation de cholestérol, sur la régulation de la glycémie, c'est-à-dire du taux de sucre dans le sang, sur l'apparition ou le développement de maladies catarrhales avec altération des muqueuses. La ration calorique sera étroitement proportionnée à l'activité physique et à la température.

On réduira, d'autre part, les aliments susceptibles de fournir de l'acide urique en excès et tous les aliments porteurs de toxines ou de toxiques : les substances chimiques utilisées dans l'industrie agricole ou alimentaire peuvent avoir des conséquences très fâcheuses chez la personne âgée, de même d'ailleurs que le tabac et l'alcool.

Aliments conseillés et déconseillés

D'une manière générale, certains aliments sont nettement **déconseillés** : les abats de viande, les graisses cuites, les graisses animales, les margarines, les bouillons gras, l'oseille, la rhubarbe, l'excès de fruits acides ou les fruits acides mal mûris, le café, le thé, les boissons dites toniques, les alcools distillés et les boissons fermentées.

Sont considérés comme **recommandables** ou **tolérables** les aliments suivants : pomme de terre, pâte alimentaire, farine blutée de 60 à 80 %, riz, maïs, seigle, marron et châtaigne, pain plutôt grillé légèrement ou rassis, miel — parfois des farines pour enfants sont utiles. L'œuf est à prendre à petite dose (œuf entier en mélange ou jaune d'œuf) ; la viande, si l'on en prend, sera maigre, grillée, sans sauce ; le lait sera de préférence écrémé partiellement ; les lentilles et les pois jeunes sont acceptables. On préférera l'huile d'olive, d'arachide, de courge, de tournesol et d'orge au beurre, mais celui-ci pourra être consommé, s'il est très frais, en petite quantité. Les olives, les noix, les amandes et les noisettes sont des fruits excellents mais à consommer avec grande modération.

La priorité est à accorder aux aliments crus : légumes et fruits, bien choisis, bien mûrs, d'acidité modérée.

Pour ce qui concerne la cuisson des légumes, l'envisager à grande eau ou à deux eaux afin d'éviter un excès de minéralisation ici intempestive.

La laitue, la chicorée, le chou, la carotte, le persil, la betterave rouge, le blé germé, le germe de certaines céréales (soja, cresson, avoine...) sont utiles comme compléments alimentaires naturels, de même que la levure alimentaire sèche.

La boisson de la personne âgée est, plus que jamais, l'eau vitale des fruits et des légumes ainsi que l'eau potable peu minéralisée. Si une boisson fermentée est prise, que ce soit en quantité très faible et occasionnellement.

Menu-type d'une journée pour un vieillard d'activité moyenne

— **Au lever :** un jus de fruits frais.

— **Petit déjeuner :** bouillie de farine de blé de bonne qualité, préparée au lait et légèrement sucrée ; une cuillerée à café de purée d'amande ou de noisette ; une ou deux bananes sèches trempées ou quelques fruits secs.

— **A midi :** laitue tendre ou mâche, carotte finement râpée, betterave rouge crue, persil frais, huile vierge et une cuillerée à café de jus de citron. Courgette cuite avec un peu de pâtes alimentaires ou de semoule ; un peu de beurre frais ; 80 g de viande grillée sans sauce. Un peu de compote de pommes ou un fruit frais, s'il est bien toléré.

— **Repas du soir** (à prendre très tôt) : potage de légumes verts ; un verre de lait si celui-ci est bien toléré. Jus de carotte crue avec par exemple un peu de cerfeuil ou de persil, un plat cuit : légumes ou pâtes alimentaires ou riz. Un œuf frais cuit mollet.

(Le repas du soir peut être fait simplement d'une tasse de lait coupé d'eau et cuit mélangé à du tapioca.)

52. L'alimentation de l'automobiliste

Nous avons eu à conseiller un chauffeur de camion qui en était à son deuxième accident après le repas de midi. Pourtant, il prenait abondamment du café pour rester éveillé toute la journée. L'étude de son problème a révélé qu'il conduisait très tard le soir et même dans le courant de la nuit afin d'éviter la circulation intense. Il se dopait alors. Il mangeait également d'une manière trop abondante, d'où une surcharge calorique (farineux et graisses) fortement défavorable à son état sanguin, à sa circulation et à sa digestion.

D'autres personnes, et notamment des représentants de commerce, nous ont dit qu'ils éprouvaient, en fin de matinée et après le repas de midi, un besoin incoercible de dormir. Plusieurs prenaient alors du **café** ou des **drogues** pour se tenir éveillés. Rapidement, ils souffraient de vertiges, de maux de tête, et plusieurs présentaient déjà des troubles cardio-vasculaires importants : angoisses, arythmie, etc.

Chez certains, l'**alcool** était en cause : le vin pris au repas de midi, notamment, a fréquemment pour effet de réduire les réflexes, d'allonger le temps de réaction et de provoquer le sommeil, ou tout au moins la perte de vigilance.

Il en est de même du **tabac, même si le conducteur ne fume pas personnellement**. La fumée de tabac abolit les réflexes, fatigue le système nerveux, entraîne une hyposphyxie fort préjudiciable aux réflexes et à la résistance nerveuse du conducteur.

Le stress est fréquent chez l'automobiliste, qui se trouve à tout moment placé devant des difficultés ou des dangers imprévus. Une attention concentrée importante et prolongée est requise. La dépense nerveuse et hormonale est très importante. Chaque stress entraîne un orage hormonal qui perturbe parfois longtemps les réflexes et le métabolisme tout entier.

La dépense physique, en revanche, est très modeste au cours de la conduite en voiture. Il en résulte qu'il est préférable de s'alimenter très légèrement, tout en veillant à garder dans le sang une quantité suffisante de sucre.

Nous conseillons les petits repas fractionnés. On sait qu'un repas important ne commence à être utilisé que 7 ou 8 heures après son ingestion, tandis qu'un repas très léger comportant des fruits secs, du miel, du pain séché, des biscottes ou des biscuits secs, est assimilé au bout d'une heure ou deux.

Voici donc nos **suggestions** :

— **Avant de partir :** une infusion miellée (thym, romarin, menthe, sauge, etc.) ; une tranche de pain et 20 ou 30 g de fromage.

— **2 heures plus tard :** quelques fruits secs (peu de fruits acides, qui risquent de causer une fatigue nerveuse chez des sujets intolérants aux agrumes et à l'excès d'acidité). Un peu plus tard : grignoter une carotte et quelques crudités diverses. Une tranche de pain et un morceau de fromage ou un œuf dur.

— **3 heures plus tard :** pain miellé ou biscuits secs ou fruits secs.

— **Au repas du soir**, à l'étape : repas un peu plus consistant mais toujours léger de manière à favoriser le sommeil et le repos.

Dans la journée, toutes les deux heures environ, arrêter la voiture et se relaxer pendant 10 minutes, si possible étendu à l'extérieur. Pratiquer alors quelques mouvements d'élongation et de mobilisation musculaire.

Surtout : **éviter l'alcool sous toutes ses formes.**

UN DERNIER CONSEIL : la technique du **palming** sera très utile si l'on doit conduire sur une route très ensoleillée. Cette relaxation consiste à couvrir les deux yeux avec les mains en coupe et à laisser mollement reposer la tête sur les paumes, de manière à détendre les muscles du cou et à laisser les yeux « dans le noir » pendant 5 ou 10 minutes. Il s'agit d'ailleurs là d'une des techniques utilisées en rééducation visuelle.

53. L'alimentation en vacances

Changement rapide ou progressif de l'alimentation ?

Faut-il profiter des vacances pour modifier brutalement et radicalement le mode d'alimentation ou bien faut-il progresser graduellement ?

En principe, l'individu en bonne ou assez bonne santé supporte bien le changement radical. Le pouvoir digestif est satisfaisant et l'adaptation à la nourriture naturelle très aisée. Certains mal portants s'y adaptent très facilement eux aussi.

En revanche, les sujets très maigres, les débiles, les nerveux, les rénaux, les hépatiques, les cardiaques, ceux qui ont été traités trop longtemps par des médicaments très « actifs » supportent souvent moins bien le changement brutal d'habitudes alimentaires et générales.

Il faut tenir compte également de l'état d'esprit, des problèmes psychologiques de l'individu. La modification brutale d'habitudes bien établies crée chez certains une véritable angoisse.

Chaque fois que possible, le jeûne (court, de quelques jours, si l'on n'est pas suivi par un hygiéniste qualifié) est très utile pour la restauration du pouvoir digestif. L'alimentation réduite peut rendre de grands services.

Pour ceux qui ne peuvent jeûner ni modifier sans délai leur mode de vie, l'adaptation progressive est tout indiquée. On peut procéder comme suit, par exemple :

Première période : prendre 3 repas par jour. Rien entre les repas sauf de l'eau.

Deuxième période : réduire la consommation de viande, de pain, de pommes de terre, de riz, de pâtes, de sucre et de plats sucrés, supprimer le café et les boissons fermentées. Réduire les rations en général tout en augmentant celles des légumes verts crus et des fruits. Supprimer le tabac, bien entendu.

Troisième période : ne plus prendre d'aliments qui ne soient pas biologiques. Réduire encore la ration alimentaire et l'adapter au travail physique, qui doit être progressif et non pas brutal chez ceux qui sont habituellement sédentaires ou peu actifs physiquement.

De temps à autre : sauter le repas du soir ou même jeûner toute la journée, ou, encore ne prendre que des fruits de saison, bien mûrs, peu acides. Comme boisson, de l'eau légèrement citronnée. Evoluer dans le sens de la recherche de l'aliment naturel, orthobiologique, de la simplicité des repas et du mode de vie général. Profiter des vacances pour un « renouvellement ».

Les mauvaises habitudes en appellent d'autres. Inversement, l'abandon d'une habitude biologiquement incorrecte entraîne l'abandon des autres, comme par une réaction en chaîne. En augmentant la ration de crudités et de fruits, on perd facilement l'habitude du tabac, de l'alcool du vinaigre, du poivre et des condiments violents.

Bien entendu, en cas de travail physique (marche, ascension, jardinage ou travail des champs, etc.), il y aura lieu d'adapter la ration alimentaire et notamment la ration énergétique (hydrates de carbone). Il sera alors bon de prendre un peu plus de pain, pommes de terre, riz, pâtes alimentaires, plats sucrés, etc., mais se méfier de l'excès dans ce domaine.

Compléments alimentaires

Un des meilleurs compléments en vacances est sans doute le blé germé, à prendre à raison d'une cuillerée à café à une cuillerée à soupe, selon l'âge. L'incorporer au petit déjeuner ou au repas de midi mais ne pas le prendre le soir, car il peut être excitant. Pour sa préparation, utiliser du blé non toxique, non traité, à faire germer 1 ou 2 jours. La levure alimentaire sèche sera également précieuse.

Crises de désintoxication

Il ne faudra pas s'étonner de traverser des périodes plus ou moins troublées, marquées de fatigue, d'inappétence, parfois même aussi de vomissements, de nausées, de fièvre, de transpiration, de vertiges, d'éruptions cutanées, de diarrhées ou de constipations, de catarrhes, de rhumatismes, etc. Ces symptômes sont des signes de désintoxication indiquant (si la réforme alimentaire générale est bien menée) que l'organisme se débarrasse de ses impuretés, condition préliminaire indispensable au rétablissement de la santé.

Les exceptions

Le problème des repas dits « régionaux » ou « gastronomiques » se pose pour la majorité des vacanciers. La vie en société impose parfois de se retrouver devant une nourriture un peu trop riche ou composée d'une manière qui ne soit pas purement orthobiologique.

L'essentiel est alors d'y prendre plaisir, d'éviter le sentiment de culpabilité mais de se montrer extrêmement modéré, d'éviter la suralimentation de se méfier de l'alcool, des excitants. Il faudra aussi sauter purement et simplement le repas suivant et ne prendre qu'un peu d'eau seule ou d'infusion légère suivant la soif (thym, romarin, menthe, sauge, etc.).

En tout cas, il n'est pas question pour l'automobiliste de prendre un repas copieux avec boissons alcoolisées au cours du voyage. En voiture, grignoter de temps à autre un fruit sucré, des dattes, pruneaux, raisins secs, bananes sèches, etc., ou encore quelques biscuits secs ou un peu de pain avec du fromage. Seule boisson : de l'eau. Se reposer toutes les deux heures environ en s'allongeant sur le sol ou, par temps froid ou pluvieux, dans la voiture même. Il ne faut pas que le sang du conducteur manque de sucre (affaiblissement de la concentration), mais non plus qu'il soit surabondant (assoupissement, perte des réflexes).

En cas de dépense physique

Prenez un petit déjeuner assez consistant ; par exemple :
— Deux ou trois tranches de pain et un ou deux œufs ;
— Ou deux ou trois tranches de pain, fromage et miel.

En route, vous prendrez à trois ou quatre reprises dans la journée du miel, des fruits secs, du pain avec un peu de fromage, des biscuits, mais comme seule boisson de l'eau éventuellement légèrement citronnée. Quelques fruits frais mais pas trop car le fruit acide peut « couper les jambes ».

Par temps très chaud, arrêter tout travail physique entre environ 10 heures et 15 heures.

Surtout, se mettre **à l'ombre avant et après les repas. Ne pas manger ni se reposer en plein soleil**, si celui-ci est vif.

Dès que l'on se sent un peu lourd, mal à l'aise, cesser toute alimentation et se reposer à l'ombre, sans prendre froid mais en évitant d'avoir excessivement chaud.

54. Maigrir avec sagesse

C'est bien connu, la surcharge pondérale n'est pas signe de bonne santé. La maigreur n'en est pas un non plus mais... elle correspond davantage à la mode actuelle.

Ces canons actuels de la beauté ne seraient-ils pas eux-mêmes le résultat d'une évolution du type humain sur quelques générations ? Beaucoup de jeunes sont naturellement très minces, squelette y compris. Entre ces deux extrêmes, à la recherche de formes harmonieuses et de la bonne santé, que faire pour maigrir avec sagesse ?

Il faut éviter de croire aux « cures miracle » mais penser, décider, bien agir, connaître les risques d'une cure mal conduite et rire des perles de l'amaigrissement.

Penser

Un temps de réflexion est indispensable avant de décider et d'entreprendre un régime amaigrissant. Cette réflexion porte sur les causes de l'embonpoint, sur l'opportunité d'entreprendre une cure, sur les moyens à prendre pour le réduire. Cette démarche nécessite souvent l'intervention compréhensive et compétente d'un conseiller de santé, psychologue averti (anorexie, boulimie). C'est en quelque sorte une prise de conscience.

Il ne s'agira pas d' « obéir aveuglément », en le suivant, à un régime prescrit, mais de changer profondément sa manière de vivre et ce, bien au-delà du problème alimentaire ! Cette « reprise en main de soi-même » engage l'avenir personnel (vie d'adulte pour une jeune fille, troisième âge pour une femme de 40 ou 50 ans).

Pour retrouver le poids proportionné à votre conformation, il vous faudra penser aux possibilités :

— De **retrouver du goût pour une vie plus active** si vous êtes devenue passive et sédentaire, économe du moindre mouvement ; si vous vous abritez dans votre coquille, même avec des raisons valables ; si vous avez abandonné la marche, le sport, les exercices de respiration oxygénante.
— De **découvrir de nouvelles joies de réalisation de vous-même** si le désœuvrement ou la routine se sont emparés insidieusement de vous.
— De **retrouver du goût pour une vie plus active** si vous êtes devenue passive et sédentaire, économe du moindre mouvement ; si vous vous tisez. Créez-vous des buts précis et proches à atteindre afin de maîtriser votre situation actuelle.
— De **manger moins**, en suivant un régime alimentaire sain, très modéré et surtout satisfaisant qui rénovera votre santé en même temps que votre allure !
— A la possibilité, donc, d'une **opération toute positive et confiante** pour vous et votre entourage.

Décider

Vous décidez :

a) De **remodeler votre corps par une culture physique adaptée**, progressive, relaxante et régulière ; par le sport également (dont la toute naturelle marche à pied) ;

b) De **pratiquer une cure de démarrage** sous la forme la mieux adaptée à votre cas :
— Jeûne long (sous surveillance) dans une maison spécialisée ;
— Jeûne court (3 jours) pouvant être pratiqué par toutes, sauf contre-indication médicale exceptionnelle ;
— Journée de jeûne (eau seule), de diète hydrique (jus de fruits et bouillon de légumes ou infusion, ou ananas frais) ; cette journée sera à répéter de temps à autre selon le plan ;
— Cure « spécialités diététiques » simplement à suivre, s'étalant sur 3 ou 7 jours, (gel au riz, au blé, ou biscuits équilibrés pour ration-repas, ou

cure temporaire macrobiotique : ces cures sont livrées avec mode d'emploi) ;
— Cure de désintoxication sur trois semaines.

c) D'**établir un régime alimentaire personnalisé**, très modéré, plaisant, praticable dans votre milieu habituel, sans cuisine spéciale.

d) De **persévérer sans regret... Un laps de temps d'une année est généralement utile pour se renouveler**, acquérir sveltesse et santé. Vous continuerez ensuite à pratiquer votre nouvelle manière de vivre avec une joie et une facilité que vous ne soupçonnez pas encore. Vous ressentirez rapidement les bienfaits d'un regain de vitalité et non la fatigue supposée en début de cure, à laquelle vous croyiez et que votre entourage ignorant vous prédisait...

e) De **respecter le grand rythme travail-repos**, ainsi que les rythmes traditionnels de votre région, de votre environnement. Ainsi, pour la France, l'habitude des trois repas, matin, midi, soir, peut être respectée mais aménagée selon les cas personnels.

Agir

Bien agir pour faire un bouquet d'habitudes nouvelles et saines dont l'ensemble forme une manière de vivre bien définie, dont ces quelques-unes :
— **Se peser une fois par semaine,** à jour fixe, le matin. Noter le poids sur un carnet.
— **Ne consommer que peu de sel** mais du sel marin non raffiné. Très peu de sucre... ce qu'on appelle couper un sucre en quatre ! Surtout, ne pas remplacer le sucre par des substituts chimiques sucrants.
— **Mastiquer longuement** les aliments.
— **Se nourrir avec l'intention de bien assimiler les aliments absorbés.** L'aliment est alors constructif selon sa définition même ; il est en même temps régulateur de l'appétit. Certains régimes s'efforcent d'empêcher l'assimilation, ce qui entraîne momentanément des pertes de poids mais, à longue échéance, il y a augmentation de l'appétit, carences et troubles de santé.
— **Se reposer suffisamment.** La station allongée en relaxation favorise en effet l'élimination (rénale en particulier). Une vie régulière est souhaitable avec espacement suffisant des repas d'exception.
— **Rendre inutile le « coupe-faim »** ou le « coupe-fringale ». A la rigueur, le vouloir sain et choisi (yoghourt écrémé, cuillerée de pollen de fleurs, quelques radis, de la levure en paillettes dans un verre d'eau, quel-

ques comprimés d'algues marines et infusion sans sucre, un verre de lait écrémé, jus d'ananas non resucré, quelques fruits secs, etc.). Mais **éviter le grignotage** systématique entre les repas.

— **Se procurer par l'alimentation suffisamment d'iode.** La carence en iode peut, à elle seule, être à l'origine de cellulite. Certaines régions très éloignées de la mer ont un air qui en est particulièrement dépourvu. Sources naturelles : produits de la mer, cresson, soja, ail, biscuits et entremets à base d'algues, comprimés aux algues marines, etc.

— **Traiter la cellulite localement,** sans brutalité. Bains marins ou aux algues, frictions avec lotions, gelées ou crèmes aux algues. Quelques massages sont bienfaisants. Sudation avec prudence, pour activer la peau.

— **Après la cure de démarrage, le régime amaigrissant** peut être suivi à la table familiale. Les repas servis étant équilibrés et sains, seule la ration diffère !

— **Le « repas-collation »** lui aussi, peut être pris avec d'autres. Manger moins donne à la maîtresse de maison une certaine liberté à utiliser pour assurer calmement le service pour les siens. Elle peut aussi profiter de ce moment pour servir des mets que les autres aiment particulièrement et auxquels elle tient moins pour, de temps à autre, accomplir un travail en retard ou récupérer des heures de sommeil.

— **Boire selon la soif, loin des repas.** Une sensation de faim est souvent apaisée par un verre d'une boisson légère. A l'occasion, déguster un verre de jus d'ananas non resucré (vérifier les étiquettes). Certains éléments de ce merveilleux fruit aident à mobiliser les résidus graisseux.

Quelques écueils à éviter

> *« Toutes les drogues données pour maigrir sont inefficaces et dangereuses »* (Professeur Trémolières).

— Prendre garde de faire **erreur dans l'estimation des kilos à perdre.** Certains barèmes sont établis en fonction de la vente de produits amaigrissants. D'après eux, vous ne manquerez pas d'être énorme ! D'autres se veulent rassurants et sont pleins d'indulgence !

— **L'auto-punition.** Elle pousse certaines femmes à restreindre leur alimentation au-delà des limites raisonnables ; certaines autres à maigrir trop et par n'importe quel moyen. Heureusement, la compensation est une force puissante et soudaine mais elle détruit les résultats obtenus déjà et la vie « en dents de scie » crée un déséquilibre générateur de troubles.

— **Danger ! sucreries et pâtisseries** très concentrées en sucre et matières grasses. Les sucreries poussent à manger davantage et favorisent la rétention d'eau. Les réduire donc au minimum et leur préférer les « sucres longs » c'est-à-dire ceux fournis par les céréales, farineux, après transformation dans l'organisme.

— **Danger ! les boissons alcoolisées,** y compris les apéritifs.

— Et encore **thé, café, chocolat, sauces grasses, charcuteries.**

— Autre toxique nocif à échéance : le **tabac.**

— **Danger ! croire trop vite qu'un dérèglement hormonal est cause de tous les maux.** Un régime sain et modéré favorise au maximum le retour à l'équilibre.

— **Eviter toute entrave à une circulation sanguine correcte** (vêtements et sous-vêtements serrés ou trop resserrés par des élastiques, tension nerveuse constante...).

— **Eviter les régimes hyperprotidiques,** régimes qui intoxiquent lourdement l'organisme en le forçant à une suractivité, aboutissant à une fatigue des organes d'élimination au moment où cette élimination est déficiente. Ces régimes entraînent à boire beaucoup.

— **Se méfier des excès de fruits et légumes** crus et cuits.

— Enfin, pour éviter l'obsession des kilos superflus, pensez aux autres et **riez de ces quelques « perles » de l'amaigrissement** ; nous vous les citons, vous pourrez aisément en apprécier le caractère fantaisiste ;

— « Remplacez le sel par le poivre ! »

— « Mangez à satiété de ce légume peu calorique... et vous pesez 3 kg de haricots verts pour votre journée ».

— « Pour maigrir sans faim, je mange : 3 œufs et quelques yaourts, le midi, 3 œufs et quelques yaourts le soir ».

— Il y a aussi le « citron-miracle » : « Consommez 12 à 15 citrons par jour ! »

— Enfin un exemple de régime hyperprotidique sans mesure, avec 250 g de viande le midi et 250 g de viande ou poisson le soir.

Plan-type d'une journée

Petit déjeuner
— Un peu de jus de fruit ou un fruit.

— 2 biscottes complètes, ou une tranche de pain complet, blé ou seigle, couche légère de beurre, de miel.

— Une boisson légère très peu sucrée (ou encore, si votre musculature est trop peu abondante : 1 œuf cuit mollet un peu dur et 1 ou 2 biscottes de blé ou de riz).

Midi-collation
— Une boisson (eau, cacao dégraissé, thé léger ou café réduits à une tasse par jour pour les habitués, infusion, lait écrémé + chicorée, jus d'ananas ou d'autres fruits frais).

— Une ration-repas de biscuits diététiques « amaigrissants ».

— Quelques comprimés aux algues marines.

ou

— 2 bananes et un verre de lait écrémé, ou de lait caillé, ou de lait frais entier cru et coupé de moitié d'eau.

— Si vous êtes de musculature insuffisante, les protides de la viande, du poisson, de l'œuf ou du fromage vous seront probablement utiles.

Repas du soir

— Composé de : crudités, un œuf + riz complet, yaourt.

ou

— Salade de concombres (sauce yaourt persillée), haricots en grain (nouvelle récolte), compote de mirabelles (inutile de sucrer si les fruits sont bons).

ou

— Salade de champignons, purée de pommes de terre, gruyère ou fruits frais.

ou

— Assiette de crudités, jardinière de légumes, fromage blanc à la gelée de cassis, etc.

Obésité et tension nerveuse

Certaines formes d'obésité ont pour cause principale ou secondaire un excès de tension nerveuse ; plusieurs kilos peuvent alors être pris ou perdus en quelques jours, suivant que le sujet se tend ou se relaxe. D'où l'importance fondamentale de la relaxation, pratiquée à plusieurs reprises au cours de la journée, en position couchée, jambes surélevées.

Il faut par ailleurs éviter l'excès de dépense physique, d'où résulte une formation excédentaire d'acide lactique et, dans certains cas, d'acide urique, avec besoin de suralimentation.

Tempérament et amaigrissement

Il est bien évident que chaque individu a son style de vie propre et qu'il serait déséquilibrant pour lui de s'imposer un régime mal accepté physiologiquement et psychologiquement. Le sanguin, qui a besoin de mouvement et de grand air, ne peut s'alimenter exactement comme le nerveux, qui recherche la sédentarité et les excitants intellectuels.

Il ne faut pas que la remise en ordre alimentaire puisse apparaître comme une épreuve traumatisante. L'alimentation saine et naturelle peut être l'occasion d'une sorte de « renouvellement » de « re-création ». Il suffit d'y apporter un état d'esprit positif et d'avoir bien en vue le but à atteindre : **non seulement « perdre des kilos » et peut-être aussi de la cellulite et des formes disgracieuses, mais encore et surtout améliorer son niveau de santé et augmenter sa joie de vivre.** (1)

55. Grossir avec sagesse

Combien de maigres s'acharnent à grossir, se suralimentent et ne parviennent qu'à perdre leur santé tout en maigrissant encore ?

La maigreur connaît bien des causes : nutritionnelle, organique, pathologique, psychologique, etc. Il en résulte que chaque cas doit être étudié d'une manière très personnalisée.

Il nous est arrivé bien souvent de **conseiller à des maigres de réduire leur alimentation** à quelques centaines de grammes par jour — et de les revoir, quelques semaines plus tard, grossis de plusieurs kilogrammes.

A éviter

Il fut un temps — et nous trouvons encore une telle aberration — où l'on conseillait aux maigres de prendre une alimentation plus riche en hydrates de carbone : pain, pommes de terre, riz, sucre, etc. Cette habitude néfaste a conduit bien des maigres à la maladie : troubles catarrhaux (rhumes, bronchites, sinusites, pertes blanches chez la femme, hypertrophie des amygdales, etc.).

Dans d'autres cas, si la ration protidique est trop importante, les conséquences en sont des troubles hépatiques et rénaux, ces deux organes étant particulièrement sensibles à la suralimentation en viande, œuf, fromage, etc.

Les éventualités

Reprenons donc les différentes éventualités.

Généralement, le maigre est un nerveux, anxieux, bilieux, qui ne sait pas se reposer. Il doit apprendre à se relaxer avant le repas de midi et même, souvent, à prendre les deux principaux repas en position couchée, du fait de l'apparition ou du développement de **ptoses** (descente d'organes). Une excellente habitude a été décrite par Martin de Beauce : prendre le repas couché sur le ventre ou sur le dos. Si l'on n'a pas pu le faire, se

---

1. Louise Florin-Bonnet.

coucher pendant 30 ou 60 minutes après le repas de midi ; il est même utile, préalablement à ce repos allongé, de se mettre dans la position du poirier (position inversée, jambes par-dessus tête) pendant une ou deux minutes, pour ensuite adopter la position couchée d'abord sur le côté droit puis sur le côté gauche (pour des raisons de digestion gastrique).

Les problèmes psychologiques

Les problèmes psychologiques, lorsqu'ils existent, doivent être réglés par une psychothérapie s'il y a lieu. Nous n'y insisterons pas ici.

Les désordres digestifs

Certains désordres digestifs, avec fermentations gastro-intestinales, peuvent entraîner une dégradation des aliments dans le tube digestif. Il y a donc lieu de réduire la ration alimentaire et d'éviter certaines combinaisons néfastes : fruits acides au même repas que des aliments hydrocarbonés (par exemple le pain pris avec de l'orange) ; excès de légumes crus et cuits, ce qui diminue l'activité des sucs digestifs et ne permet pas l'assimilation correcte des protides et des glucides. Par exemple, si l'on prend en excès des fruits et des légumes à un repas où il y a du pain, des pâtes, des pommes de terre, etc., ces derniers aliments fermentent rapidement et se transforment en alcool dans le tube digestif, ce qui les empêche d'être assimilés normalement.

L'insuffisance d'aliments glucidiques (pain, pommes de terre, etc.) est également nocive. D'où la nécessité d'adopter une formule propre à l'individu. La formule normale : 60/20/20 sera alors modifiée et deviendra par exemple : 40/30/30.

Certains individus tolèrent mal les repas importants et ils ont alors intérêt à prendre **un ou deux petits repas intercalaires,** vers 10 h ou 17 h. Les nerveux - anxieux maigres - ont intérêt à pratiquer un tel système des cinq repas. D'autres ont pu se contenter de 2 repas et s'en trouver bien. Nous ne pouvons pas édicter une règle générale. Contentons-nous de donner quelques suggestions.

Schéma alimentaire

— **Au petit déjeuner :** une ou deux tranches de pain bis et un œuf ou un peu de fromage ; ou encore gâteau de riz avec un œuf incorporé. Une infusion légère de romarin ou d'anis vert, par exemple.

— **Vers 11 h,** s'il y a eu un exercice physique assez important : quelques biscuits secs ou dattes ou un peu de raisins secs.

— **Midi :** quelques crudités (pour exciter les sécrétions digestives) ; deux œufs ou 60 g de fromage ou 80 g de lentilles ou pois. Comme aliments glucidiques : un peu de pâtes ou de riz ou une préparation de marrons.

(Repos allongé après ce repas).

— **Vers 17 h :** un ou deux biscuits secs ou une tranche de pain séché avec un peu de miel ou quelques fruits secs.

— **Le soir :** un tourin ou une soupe gratinée ou un minestrone, etc. A ce repas, s'il n'y a pas eu de fromage ou d'œuf dans la journée, un de ces deux aliments peut figurer.

(Après le repas du soir, promenade et détente, pas de travail intellectuel, repos au lit très tôt, avant 20 h, et lever tôt).

L'exercice physique alternant avec le travail intellectuel est indispensable à ceux qui veulent grossir. Que l'on ne cède pas à l'illusion de la graisse qui peut, à un certain moment, donner l'impression d'une prise de poids sérieuse : **pour grossir en sécurité, il faut prendre du muscle et non de la graisse en excès.** Sans doute le revêtement adipeux est-il nécessaire chez la femme et à un moindre degré chez l'homme ; il n'en reste pas moins qu'une adiposité excessive conduirait à la fatigue cardiaque et organique et ne serait en rien un gage de santé. En fait, il est préférable de peser quelques kilos de moins que les centimètres de sa taille :

— Par exemple : pour 1,80 m : 75 kg ;
— Pour 1,65 m : 60 kg.

Grossir c'est vieillir ; grossir en vieillissant, c'est vieillir beaucoup trop rapidement.

56. L'alimentation doit-elle être salée ?

Les avis sont très divergents quant à l'opportunité de saler ou non les aliments.

Le Dr Carton a décrit certains des troubles engendrés par la privation totale de sel : atonie digestive, asthénie neuro-musculaire, torpeur, somnolence, vomissements, diarrhée, appauvrissement des sécrétions externes et internes.

Par contre, l'excès de sel risque d'avoir pour conséquence des troubles rénaux, de l'hypertension, de l'anémie, de la lipémie, de l'azotémie, etc.

Certains grands insuffisants surrénaux peuvent être maintenus en vie en recevant beaucoup de sel. Des diurétiques peuvent provoquer une dangereuse « hémorragie » de sel.

Le problème est donc complexe.

L'homme et la plupart des êtres vivants ont besoin régulièrement de sel. La vie est apparue en milieu aquatique ; la concentration plasmatique en chlorure de sodium est restée spécifique chez les êtres supérieurs. Chez l'homme, cette concentration est de 6 à 9 %.

Les herbivores et les mangeurs de graminées et de légumes-racines trouvent généralement un surcroît de potasse dans leur nourriture et ils éprouvent le besoin d'équilibrer leur ration en prenant du chlorure de sodium (sel de cuisine). En revanche, les êtres carnassiers (les animaux et l'homme en général) trouvent dans la viande et le poisson le sel qui répond à leurs besoins anémiques.

L'insuffisance de sel chez l'homme peut se traduire par une insuffisance de formation d'acide chlorhydrique, dans le suc gastrique, d'où résultera une mauvaise digestion des aliments protidiques.

Des régimes fortement restrictifs en sel peuvent être favorables dans certains cas pathologiques mais, généralement, il y a lieu de les réduire et de les supprimer dès que l'état de santé se normalise. Par exemple, le régime de Kempner, basé surtout sur l'ingestion de riz, de fruits et de miel, réduit la ration quotidienne de sel à 0,35 g par jour mais il est trop absolu pour durer. Un régime sans sel, modéré, est plutôt un régime sans supplément de sel car, en fait, notre alimentation en comporte une quantité appréciable : de 1,3 à 2 % pour les fromages ordinaires ; de 1 à 2 % pour le pain complet ; 0,3 % dans l'œuf ; 0,16 % dans le lait, etc.

Il est donc admis qu'un homme qui s'alimente normalement puisse vivre sans adjonction de sel. Cependant, si du riz, des pâtes ou des pommes de terre sont pris en larges quantités, une adjonction de sel deviendra nécessaire, en quantité modérée bien entendu.

Dans le cas de régime « sans sel », la nourriture pourra être rendue plus sapide grâce aux condiments aromatiques, à la levure autolysée, ainsi qu'à certaines préparations diététiques.

Au cours de la grossesse, il est préférable de réduire au minimum la ration salée afin d'éviter la rétention dans le sang de quantités excessives d'eau. L'excès de sel entraîne un relâchement des tissus et des muscles, d'où peut résulter un accouchement laborieux, indépendamment des troubles que l'excès de sel peut causer chez le fœtus.

Les personnes qui se nourrissent de fruits et de légumes crus ont intérêt à se passer totalement de sel.

En période chaude, il est fréquemment recommandé de saler les boissons. En fait, une bonne partie du sel ainsi ingéré est éliminée par la transpiration ; plus le sang contient de sel, plus l'organisme doit en rejeter !

57. Le jeûne

La conduite de l'abstinence alimentaire

Un être humain meurt après quelques jours sans manger, après quelques heures sans boire, après quelques minutes sans respirer.

En ce qui concerne la respiration, c'est sans aucun doute exact.

Mais en ce qui concerne l'arrêt de boire et manger, il s'agit là d'une idée communément admise et répétée, mais qui est fausse.

Si l'on se reporte à la tradition chrétienne, tout le monde se souvient des quarante jours de jeûne total de Jésus au désert « sans boire ni manger ». Moïse fit de même, deux fois de suite. Tout le monde n'est pas Jésus, ni Moïse, direz-vous. Sans doute. Mais tout le monde peut faire l'expérience du jeûne. Bien des gens en parlent savamment sans jamais tenter l'expérience.

Or, **que se passe-t-il lors de l'arrêt de nourriture solide ?** Ce sont tout d'abord les toxines et les graisses qui sont massivement éliminées (d'où urines chargées, expectorations, parfois boutons et furoncles qui disparaissent rapidement ; plus rarement, en cas de toxémie importante, il y a une véritable « crise de désintoxication » qui survient). Ensuite, au bout d'un très petit nombre de jours, s'installe une délicieuse sensation de calme et de repos. C'est, au sens propre, le repos « physiologique ». Le Dr Bertholet avait coutume de magnétiser ses malades lors du jeûne.

Après la graisse, ce sont les muscles qui diminuent de volume, si l'on continue le jeûne. Seul le cœur, qui est pourtant un muscle, n'est absolument pas touché, ce qui prouve que la Nature a prévu le jeûne.

Le système nerveux n'est pas touché non plus, pas plus que le cerveau. Lorsque le jeûne est très long, s'installe alors le processus que les Anglais appellent « starvation ». C'est au propre, « mourir de faim ». Or, **ce processus ne s'établit qu'aux environs du quatre-vingt-dixième jour.** On voit qu'il n'y a donc pas à craindre de « mourir de faim » après quelques jours de jeûne.

Notons ici qu'il s'agit bien d'un **jeûne total.** C'est-à-dire de **l'abstention de toute nourriture quelle qu'elle soit, à l'exception de l'eau pure** (nous allons en reparler dans un instant). Les jus de fruits ne sont pas seulement une boisson, mais constituent une nourriture. Il ne faut donc pas poser la question stupide que l'on entend parfois formuler par des personnes qui n'ont jamais de leur vie « sauté un repas » de crainte de mourir la nuit : « Mais quand vous jeûnez, que mangez-vous ? » demandent-ils. Ils confondent jeûne et diète. **Jeûner signifie ne rien manger.**

Venons-en à la **boisson**. Soit, admettent certains. Mais s'arrêter de boire ? Eh bien, si ces personnes-là essayaient de jeûner quelques jours, elles s'apercevraient que la soif persiste pendant deux ou trois jours ! Par la suite, on n'a plus besoin d'eau.

La reprise alimentaire

Signalons que si le jeûne est absolument sans danger, **la reprise alimentaire, elle, doit être menée avec intelligence.** Le temps de la reprise doit être, en bonne règle, de la même longueur que le temps du jeûne. Elle se fait en administrant des jus de fruits (que l'on presse soi-même : pas de boîtes de conserves), puis de jus de légumes crus (jus de carottes en particulier) ; ensuite des fruits frais et peu à peu, des légumes cuits. On en profitera pour ne plus s'adonner à la nourriture excitante (café, thé, alcool, ... et tabac !) et pour réduire ou supprimer la viande.

Un détail encore : la personne qui jeûne parvient, nous l'avons dit, après un très petit nombre de jours (deux à quatre) à une période très agréable, très reposante, souvent euphorisante. Au bout d'un certain temps, le jeûneur sait de lui-même que le jeûne est suffisant. Alors que, dans cette période de calme, des convives dégustant un banquet à côté de lui laissent le jeûneur parfaitement indifférent aux « plaisirs de la table » (ce qui n'est pas le cas pendant les tout premiers jours), il arrive un moment où le jeûneur, à nouveau, désire s'alimenter. C'est **le retour à la faim.** Les fameuses sensations de faim, sur le coup de 11 heures du matin, ne sont que des crampes d'estomac, non la douce et délicieuse sensation de la faim, provenant d'un estomac reposé et prêt à recevoir à nouveau de la nourriture. Chez la plupart des gens, au contraire, la pseudo-faim de 11 h n'est autre que la tourmente d'un estomac perpétuellement sollicité, bourré, rempli, alors qu'il n'est pas encore vidé du précédent repas. Que dire de la funeste habitude qu'ont beaucoup, de « casser la croûte » à 10 h (pour éviter la crampe de 11 h !) et à 16 h. Ainsi, l'estomac est perpétuellement plein, bourré, plâtré, et l'individu ne ressent un peu de répit, de calme, que lorsque le plâtrage est constant. Quelle pauvreté dans les sensations physiologiques ! Quelle jouissance, au contraire, connaît celui qui sait jeûner de temps en temps... Ou simplement « sauter un repas », celui du soir en particulier, permettant ainsi, de temps en temps (au début d'un rhume, par exemple) à l'estomac de se vider totalement. Un jus d'orange en guise de petit déjeuner le lendemain matin et le rhume s'est envolé comme par enchantement après une nuit particulièrement calme et reposante.

Une deuxième question, souvent posée : **et les enfants,** peut-on les faire jeûner ? Evidemment, tout aussi bien que les adultes et les vieillards.

Il est d'ailleurs inutile, dans la plupart des cas, d'avoir un recours à un jeûne de moyenne durée (cinq à six jours). Un **jeûne court** (un ou deux jours) est dans la plupart du temps suffisant. Qui n'a pas admiré le regard clair, le visage calme et rayonnant d'un jeune enfant qui jeûne, ne peut savoir quelles sont les vertus du jeûne... Quant aux vieillards, on leur éviterait bien des souffrances inutiles, si l'on remplaçait les piqûres et autres moyens drastiques par le calme d'un jeûne revigorant et lénifiant.

Si le jeûne est si peu prisé actuellement, c'est parce qu'il ne coûte rien (1).

La valeur du jeûne

La valeur du jeûne a été maintes fois illustrée dans l'histoire des méthodes naturelles. Nous voudrions nous borner à présenter quelques citations médicales, en premier lieu trois extraites de l'œuvre du Dr Bertholet :

« Un cas, tiré de notre pratique, illustrera la **valeur d'un jeûne avant une opération.** Une femme d'une quarantaine d'années était atteinte d'un volumineux fibrome de la matrice, de la grosseur d'une tête d'enfant. La malade, avant de se soumettre à l'opération de l'ablation de cette tumeur, décida, sur notre conseil, de faire un jeûne préparatoire de quinze jours. Grâce à cette précaution, l'intervention chirurgicale eut un plein succès : la narcose fut facile, tranquille, sans nausées au réveil ; la cicatrisation fut particulièrement rapide, car l'opérée, parfaitement rétablie, pouvait quitter la clinique au bout d'une quinzaine de jours. Fait intéressant à retenir, le même jour où notre malade était opérée, le même chirurgien opérait une malade de même âge, ayant une tumeur identique ; comme la malade n'avait subi aucune préparation préliminaire par le jeûne, la cicatrisation fut plus lente et la patiente ne put quitter la clinique qu'au bout d'un mois. »

« Citons encore un cas typique de **guérison rapide de blessure** chez un de nos jeûneurs. Ce malade, de tempérament lymphatique et scrofuleux, très affaibli et toujours malade, suite d'auto-intoxication par mauvaise assimilation, se soumit à une longue cure de jeûne (21 jours) qui lui fut très profitable. »

« Illustrons les bienfaits du jeûne dans le traitement des **troubles oculaires ;** nous avons eu l'occasion d'en observer l'efficacité dans plus d'un cas ; des malades atteints de glaucome ont vu leurs douleurs disparaître à la

1. Henri Blanquart.

suite de l'abaissement de la pression intra-oculaire ; des cas de conjonctivite rebelle, de catarrhes chroniques ont disparu à la suite de la désintoxication ; enfin, symptôme remarqué par la plupart des jeûneurs, la vision s'améliore sensiblement, la lecture pouvant de nouveau se faire sans lunettes ou avec des verres moins forts. »

Citons maintenant le Dr J. H. Tilden, qui fut un des plus grands naturopathes américains (décédé en 1940) :

« Le processus d'autolyse peut revêtir un grand intérêt pratique ; il est capable d'éliminer les tumeurs et autres excroissances. Pour bien le comprendre, il faut savoir que les tumeurs sont constituées de chair, de sang et d'os. Il existe divers noms pour indiquer les différentes sortes de tumeurs, mais ces noms indiquent la nature du tissu dont la tumeur se compose. Par exemple, un ostéome est fait de tissu osseux, un myome est fait de tissu musculaire, un neurome de tissu nerveux, un lipome de tissu adipeux, un fibrome de tissu fibreux, un épithéliome de tissu épithélial, etc. Des excroissances de ce genre sont techniquement désignées sous le nom de néoplasmes (nouvelles croissances) pour les distinguer des simples gonflements ou enflures. Une grosse boule au sein ne peut être que l'enflure d'une glande lymphatique ou d'une glande mammaire. Une telle glande ainsi enflée peut être fort douloureuse mais ce n'est pas un néoplasme.

« Les **tumeurs** étant composées de tissus du même genre que les autres tissus du corps, elles sont susceptibles de désintégration autolytique, de même que les tissus normaux, et elles se résorbent et sont digérées dans certaines circonstances et en particulier pendant le jeûne. Celui qui comprend comment le jeûne peut réduire la quantité de graisse et de muscle sait comment il peut réduire une tumeur et même la faire complètement disparaître. Il lui suffira d'apprécier le fait que le processus de désintégration (autolyse) s'effectue beaucoup plus rapidement dans la tumeur que dans les tissus normaux. »

Schéma de reprise alimentaire après jeûne prolongé

NOTE PRELIMINAIRE IMPORTANTE : **Si les fruits ne sont pas de qualité parfaite, il vaut mieux reprendre avec des jus de carotte ou éventuellement de betterave rouge crue.**

— **1er jour.** Toutes les deux heures, jus de carotte crue, dilué, ou jus de pomme **douce** dilué avec un peu de miel et autolysat de soja ; ou encore jus de melon, d'abricot très mûr, de reine-claude, de raisin **blanc** (chasselas, de préférence).

— **2ᵉ jour.** Jus de carotte crue, jus de pomme douce ou des mêmes fruits.

— **3ᵉ jour.** Au lever : pomme râpée avec une ou deux cuillerées à café de yoghourt ou de lait caillé.

11 h. Jus de carottes.

Midi. Carotte râpée, carotte cuite, autolysat de levure.

16 h. Pomme râpée avec un peu de miel.

Soir. Laitue, poireaux cuits à grande eau, autolysat de levure.

— **4ᵉ jour.** Jusqu'à midi, comme la veille. Augmentez légèrement les quantités.

Midi. Mâche ou laitue, salade cuite. 1/2 ou 1 granose ou galette de riz avec un peu de miel et 1/2 cuillerée à café de purée d'amandes.

16 h. Banane sèche, trempée.

Soir. Soupe avec un peu de tapioca plus des légumes cuits. Carotte râpée. Un peu de fromage blanc avec une biscotte ou une galette de riz.

— **5ᵉ jour.** Petit déjeuner : Pruneaux trempés + yoghourt ou lait caillé ou lait en poudre.

11 h. Jus de carotte.

Midi. Céleri + chou rouge crus. Salade cuite + 2 cuillerées à soupe de fromage blanc et un peu de gruyère râpé sur une biscotte ou une galette de riz.

16 h. Si besoin, une ou deux figues fraîches ou trempées.

Soir. Laitue avec un peu de choucroute crue + 4 ou 5 cuillerées à soupe de gel de céréales mouillé d'un peu de jus de soupe chaude et 1 cuillerée à café rase de purée d'amandes.

— **6ᵉ jour.** Petit déjeuner. Pomme râpée + une ou deux dattes et fromage blanc.

11 h. Jus de carotte.

Midi. Laitue, carotte cuite + un peu de pain blanc au levain + 20 g de Cantal ou Saint-Paulin + un biscuit sec (si désiré).

16 h. Infusion avec un peu de miel.

Soir. Carotte râpée, salade cuite + une ou deux galettes de riz et un peu de miel ou de beurre frais + une cuillerée à café de purée de noisettes ou d'amandes.

Continuer en augmentant légèrement chaque jour les quantités.

Vers le 18ᵉ jour, prendre un peu de viande grillée (si l'on n'est pas végétarien) avec une ou deux pommes de terre cuites à la vapeur ou riz ou pâtes alimentaires.

Reprendre alors une alimentation plus variée avec de l'œuf, cuit mollet ou légèrement dur, en mélange ou en petite quantité dans une brioche ou un autre plat. (Ne pas prendre de crèmes, ni de sauce à l'œuf avant un mois au moins.)

L'assaisonnement des mets peut se faire avec un peu de levure alimentaire autolysée que l'on trouvera dans un magasin diététique.

maladies et carences

58. L'alimentation, facteur de longévité

Le cas des Hounza est bien connu. Les habitudes de cette population ont été décrites dans plusieurs livres : la simplicité de leur vie et la qualité de leur climat, à 2 000 mètres d'altitude, étaient éminemment favorables à leur santé et à leur longévité. Il n'en est d'ailleurs plus de même maintenant, depuis que la civilisation s'est introduite dans cette région, qui voulait devenir moderne.

Plus récemment, l'attention a été attirée sur le cas de Vilcabamba, un village de montagne du Sud de l'Equateur.

Pour atteindre Vilcabamba, il faut franchir les Andes en avion puis effectuer un trajet de plusieurs heures. La température y est très douce : 19 ou 20° en permanence. La végétation est abondante. Les flancs des montagnes sont couverts d'arbres et, dans la vallée, s'étendent des champs de maïs ou de canne à sucre, des bananeraies et des potagers.

Les maisons sont faites d'adobes avec un toit espagnol typique en tuiles. Le sol est fréquemment en terre battue.

Le régime alimentaire est tout à fait ordinaire : pommes de terre, bouillies de maïs, haricots, lentilles, yucca. Habituellement aussi, des œufs, du fromage et du lait mais peu de viande.

Le mode de vie est simple comme la nourriture. La journée de travail commence au lever du soleil et se termine à la tombée de la nuit. Chacun rentre alors chez soi pour se reposer.

Les événements mondiaux ne causent pas beaucoup d'émoi ici. Le mode de vie est paisible. 75 personnes seulement dans toute la vallée possèdent la radio. Les gens travaillent dur physiquement, ils s'intéressent surtout à leur famille.

Revenons à l'alimentation : elle est pauvre en calories : 1 200 par jour en moyenne, 1 360 au maximum. La consommation quotidienne des fruits frais va de pair avec une nourriture très simple.

Les personnes âgées fument et boivent avec modération.

L'eau est pure. L'air est également très sain : Vilcabamba est située à l'orée de la jungle amazonienne. (On a estimé que 50 % de l'oxygène de la terre sont produits par cette immense forêt.)

A Vilcabamba, les gens vivent jusqu'à 100, 120 et même 140 ans. 16,4 % des habitants ont plus de 60 ans alors que le pourcentage n'est que de 4,6 dans le reste de l'Equateur rural.

Un exemple, donné parmi tant d'autres, illustrant les bienfaits d'une vie saine.

59. Les carences alimentaires irréversibles

Voulez-vous des enfants robustes et intelligents ? **Evitez certaines erreurs alimentaires chez les géniteurs et au cours de la grossesse.**

Certaines carences nutritionnelles importantes (en quantité et en qualité) durant les premiers mois de la vie, et même au cours de la période prénatale, entraînent des dommages définitifs au niveau du système nerveux central.

Même si, par la suite, ces enfants sont correctement nourris et acquièrent un développement corporel à peu près normal, **ils risquent de conserver un déficit mental** qui aura des incidences fâcheuses sur leur travail scolaire, leur apprentissage, leur comportement à l'âge adulte.

Des animaux (rats, porcs, etc.) dont l'alimentation a été carencée en calories ou en protéines avant ou immédiatement après le sevrage, puis réalimentés à volonté, manifestent un retard permanent sur les animaux normaux dans l'acquisition des réflexes conditionnés et la résolution de certains tests.

Des chiots présentent des troubles de la démarche et des lésions de cellules cérébrales.

Ces troubles sont encore bien plus accentués si les petits sont nés de mère elle-même sous-alimentée. Il y a alors une insuffisance de dépôt de myéline (substance graisseuse du tissu nerveux), notamment au niveau des neurones, et une diminution du nombre définitif des cellules cérébrales.

Récemment, une analyse effectuée sur 5 cerveaux d'enfants morts de carence alimentaire au cours de la première année de leur vie a révélé une diminution allant jusqu'à 60 % du nombre de leurs cellules cérébrales, apprécié par la teneur en ADN.

La multiplication des cellules cérébrales ne se poursuit que durant quelques mois après la naissance, et leur maturation biochimique durant quelques années. C'est pourquoi **les effets des carences subies pendant la vie intra-utérine ou dans le tout jeune âge ne peuvent être compensés par la suite, du moins en totalité.**

Des observations réalisées en Amérique du Sud, en Inde, en Afrique du Sud ont montré chez des enfants et des adolescents anciennement sous-alimentés, des insuffisances visuelles, motrices et intellectuelles, un périmètre crânien diminué, des altérations de l'électro-encéphalogramme.

L'aide alimentaire aux populations sous-alimentées devrait s'adresser plus spécialement aux femmes enceintes et aux jeunes enfants. Les carences intervenant chez l'adulte déjà formé ont une importance bien moindre que chez les jeunes enfants ou les femmes enceintes.

Est-il étonnant de constater des retards « de civilisation » chez les populations mal alimentées ? Est-il étonnant d'observer une recrudescence d'anomalies du comportement social : crises épileptoïdes chez les jeunes, violence, instabilité, toxicomanies, etc ?

Notre alimentation empoisonnée et déséquilibrée, l'eau et l'air pollués, les médicaments, les vaccinations abusives, le tabagisme, les irradiations (rayons X, expériences atomiques), le bruit, le refus par la mère d'alimenter son enfant au sein, voilà des causes essentielles des déséquilibres physiques et mentaux actuels.

Tant que ces causes seront entretenues volontairement pour la sauvegarde d'intérêts privés, rien de radical ne pourra être espéré, et les dépenses dites « sociales » continueront à épuiser financièrement les sociétés.

Il appartient à chacun de nous d'apprendre et de respecter les lois de la vie, dans la mesure où nous pouvons encore nous prémunir des agressions imposées par le milieu.

60. Le chrome et les carences

Le cas du chrome illustre bien l'importance que peut revêtir la carence en un corps simple, considéré habituellement comme négligeable. Lorsqu'on découvrit l'insuline, on en vint logiquement à considérer que les diabétiques n'en fabriquent pas assez. Cette croyance est devenue la théorie officielle : le diabétique reçoit généralement de l'insuline exogène. Or, plusieurs autopsies effectuées après la guerre sur les cas les plus graves ont montré que le pancréas de ces diabétiques était aussi normal que celui des bien portants.

Il a été récemment découvert que l'insuline existe bien chez la majorité des diabétiques, mais elle est rendue inefficace par la carence en certains éléments. Ayant nourri des rats pendant quelques mois avec un régime à peu près complètement dépourvu de chrome, le médecin américain Schroder put constater que 80 % des animaux étaient devenus diabétiques. Cette carence en chrome expliquerait que, dans bien des cas, l'insuline reste inactive chez des diabétiques.

Il est maintenant reconnu que le chrome est un oligo-élément essentiel pour l'action de l'insuline et le maintien du taux de glucose. Il permet d'éviter des états diabétiques qui peuvent conduire à l'arthérosclérose et à l'infarctus du myocarde. Le chrome peut faire baisser le taux de cholestérol chez les rats.

On a pu mettre aussi en évidence une association entre une consommation excessive de sucre raffiné et une **mortalité cardio-vasculaire** élevée. La relation de cause à effet n'est pas entièrement confirmée mais on a observé que les habitants des régions où les maladies cardiaques sont fréquentes contiennent moins de chrome.

Le sucre non raffiné contient beaucoup plus de chrome que le sucre raffiné. Le miel est généralement riche en chrome et, par bien des aspects (teneur en enzymes, vitamines, etc) il est préférable au sucre.

Il faut aussi que le chrome soit présent dans les aliments sous forme de complexe organique, c'est-à-dire sous la forme vitalisée par la nature. Le chrome inorganique a une très faible activité biochimique à l'intérieur de l'organisme.

Les aliments suivants sont également recommandables : le pollen (merveilleux aliment équilibré), l'eau de mer et certaines algues. En revanche, le cadmium contenu dans les insecticides et les engrais phosphatés ainsi que l'abus de sucre et de farines raffinés contribuent à chasser le chrome du sang et des tissus.

En conclusion, le chrome, comme la majorité des autres oligo-éléments, est nécessaire au métabolisme. Non seulement il faut apporter ces oligo-éléments mais il faut éviter qu'ils ne soient chassés par des toxiques ou des pratiques anti-biologiques. Telle est une des conditions essentielles de la nutrition équilibrée et de la santé.

61. Les antivitamines, voleurs de santé

Dès l'instant où la vitamine passe dans votre bouche, elle mène un combat analogue à celui du saumon qui remonte le courant. Il lui faut parvenir là où elle est appelée à vous procurer quelque bienfait. Chaque élément nutritif se heurte dans le système digestif à une série d'obstacles capables de le neutraliser ou de le détruire en un clin d'œil, ne vous laissant ni la protection contre la maladie, ni les éléments essentiels au maintien en bonne santé des organes.

Il faut être réaliste et ne pas compter aveuglément sur une utilisation intégrale du contenu vitaminique C de la tomate consommée. De même, les chances d'utilisation intégrale de la carotte (même croquée) sont loin d'être celles que la plupart des gens imaginent !

Si des infections surviennent, en dépit de la ration quotidienne de vitamine C contenue dans les fruits frais consommés, si les nerfs lâchent en dépit d'un régime alimentaire riche en vitamines B, il se peut que des **antagonistes vitaminiques** vous dérobent ces éléments nutritifs qui vous sont indispensables.

Les vitamines B sont parmi les plus facilement déviées. Rares sont les journées exemptes de lourdes pertes de vitamine B.

C'est ainsi que l'acide para-amino-benzoïque, composant du complexe vitaminique B, est dégradé par l'arsenic. Or la plupart d'entre nous ignorent qu'une bonne partie des fruits et légumes vendus à l'heure actuelle sur le marché sont enrobés d'une pellicule invisible d'insecticides contenant de l'arsenic. N'oublions pas les colorants alimentaires et parfois les papiers d'emballage pour aliments. Il arrive même que l'on retrouve tous ces insecticides (D.D.T., parathion et d'autres par douzaine) sur les emballages mêmes d'aliments dont on vante la teneur en vitamine B !

Si vous n'avez pas la chance d'être ravitaillé entièrement en aliments provenant de cultures ou d'élevages biologiques, ni celui d'être à l'abri des pulvérisations qui empoisonnent l'air pendant les mois d'été, les vitamines B que vous absorbez sont très certainement détruites en partie.

Vitamines B : besoins énormes, apport minime

C'est lorsque vous êtes malade que plus qu'à tout autre moment les vitamines B sont indispensables et que vraisemblablement leur destruction est massive.

La plupart des médicaments ordonnés par votre médecin **travaillent contre le complexe vitaminique B.**

Les antibiotiques, de la chloromycétine à la streptomycine, ne sont pas sélectifs par nature. Ils détruisent les vitamines aussi bien que les bactéries « ennemies » qu'ils combattent. Pire encore : ces antibiotiques détruisent les bactéries stockées dans l'intestin et qui sont indispensables à la formation normale de la vitamine B dont vous avez tant besoin. Ainsi donc, le traitement par antibiotiques détruit non seulement les vitamines B existantes mais encore il prive votre organisme de sa capacité d'en élaborer.

Si les médicaments prescrits comprennent des hormones (les femmes en usent couramment lors de la ménopause), attendez-vous à des pertes massives de thiamine et de riboflavine, deux vitamines indispensables du groupe B. La riboflavine, elle aussi sera dans une mauvaise passe si les sulfamides sont prescrits, ce qui est très fréquent dans les troubles de l'appareil urinaire.

La consommation, à l'orientale, de poisson cru ou de coquillages tels que les huîtres exige le sacrifice de quelques réserves de vitamines B.

Le blanc d'œuf cru contient de l'avidine, qui annihile la biotine, une autre vitamine du groupe B, aussi sûrement que ne le feraient les sulfamides. **Cuisez donc vos œufs** pour préserver votre biotine !

Pour nous, les vitamines B revêtent beaucoup d'importance car notre alimentation en est pauvre. Bien plus, nos aliments préférés sont les destructeurs de vitamines B ! Notre régime alimentaire comprend, au moins pour moitié, des aliments à base de sucre blanc ou de farine blanche (pâtisseries, pâtes alimentaires, bonbons, pain, pour n'en citer que quelques-uns). Ces deux types d'aliments hydrocarbonés de base, pain et sucre, ont perdu presque toutes leurs vitamines B naturelles par raffinage. De plus, leur digestion et leur assimilation dans l'intestin ne peuvent être assurées qu'en présence de la vitamine B. Les vitamines B nécessaires devront donc être subtilisées au foie ou à tout autre organe qui en contient pour accomplir un travail inhabituel et normalement superflu.

Les vitamines A et B ainsi utilisées pour la digestion d'un bonbon ne pourront remplir leur tâche normale : **la préservation de l'équilibre nerveux.**

Beaucoup de gens perdent tout le profit de leur repas de par le café qu'ils absorbent. Le café est un réel danger pour la vitamine B. D'après les études qui ont été faites sur le problème, Walter H. Eddy, Ph. D., pense que la caféine peut être à l'origine d'une carence en biotine et inositol.

Des chiens qui recevaient, outre leur pitance habituelle, du café, souffraient de paralysie et de maladies oculaires. La paralysie disparaissait par addition d'inositol et les yeux s'amélioraient par l'adjonction de biotine dans leur nourriture (1).

VOUS NE DEVEZ PAS VOUS CONTENTER D'UNE SEULE ESPECE DE VITAMINE DU GROUPE B.

Pour quiconque subit en permanence des pertes en vitamines, une solution consiste à renforcer les quantités de vitamines B à titre de compensation. Il importe de les absorber dans leur forme la plus naturelle.

Prises isolément, les vitamines B peuvent créer plus de problèmes qu'elles n'en résolvent ou au mieux ne rien résoudre du tout. L'acide pantothénique en est un bon exemple. Associée à la riboflavine, cette vitamine B œuvre au mieux. En outre, elle est nécessaire au maintien de l'efficience de l'inositol. Nos bactéries intestinales qui fabriquent d'autres vitamines B dans l'intestin ont besoin elles aussi d'acide pantothénique pour accomplir leur tâche.

---

1. Rappelons que nous sommes opposés aux expériences déséquilibrantes pour l'animal. De telles expériences sont inutiles car l'observateur perspicace et objectif n'en a nul besoin.

Les savants ont découvert le rapport qui existe (chez les porcs) entre les croissances trop lentes, les foies hypertrophiés, l'anémie et la quantité de bile produite. Ils ont constaté que la quantité de bile indispensable dépend elle-même de la quantité de vitamine B12 fournie par le régime alimentaire.

Supposons maintenant que vous vous appliquiez à trõuver quotidiennement votre riboflavine et votre thiamine. Si l'apport en est insuffisant pour la formation de certains enzymes indispensables à l'assimilation des sucres et des féculents, dites vous bien que vos efforts sont vains. D'une baisse dans la proportion d'enzymes riches en niacine résulterait une action affaiblie et défectueuse de la thiamine et de la riboflavine.

En somme, prendre isolément des vitamines B ne peut jouer le rôle d'assurance tous risques dans ce système très compliqué. **Les vitamines B doivent être prises telles qu'elles opèrent dans l'organisme, c'est-à-dire en complexe.** Il semble que les vitamines synthétiques ne puissent prétendre donner le change par rapport aux combinaisons naturelles idéales de vitamines, d'enzymes et de protéines. D'où, à notre avis, la nécessité, qui est sagesse, de se soumettre à la solution toute naturelle de ce problème : utiliser des aliments naturels, riches en vitamines B, et se procurer ainsi les vitamines du complexe vitaminique B en une combinaison qui est la plus souhaitable et la plus efficace. La levure alimentaire est un complément d'une teneur optimum en vitamines du groupe B.

La vitamine C est oxydable

La vitamine C est un facteur nutritif qui se combine littéralement à l'air. **Les tables qui codifient la richesse en vitamine C d'une tasse de baies ou d'un verre de son jus, sont établies sur une base inexacte.** Que dire alors de la ration journalière recommandée ?

Nous savons qu'un fruit ou un légume non réfrigéré, trempé, coupé en tranches, râpé ou cuit se voit déjà privé d'une bonne partie de son contenu théorique de vitamine C.

Ajoutez un peu de **bicarbonate de soude** à vos petits pois pour qu'ils gardent leur jolie teinte verte et le prix payé sera la destruction de l'acide ascorbique (vitamine C).

Le contact avec un récipient de cuivre est lui aussi fatal à la vitamine C.

Si vous parvenez à conserver leur valeur aux aliments riches en vitamines C que vous absorbez, d'autres possibilités de destruction la guettent.

Fumer est une cause de destruction rapide de la vitamine C. Il en est de même de **l'exposition au froid ou à la trop grande chaleur** de l'été ; de la respiration en atmosphère enfumée, de l'air pollué dans lequel vous vivez et des efforts successifs ou surmenage tant sur le plan mental que physique.

Les barbituriques entament votre réserve en vitamine C comme le font la **pénicilline** et l'**acide tanique** du thé.

La vitamine C est utilisée très rapidement au cours de troubles de santé.

Or, le corps humain ne stocke ni n'élabore la vitamine C comme il le fait pour d'autres vitamines. Un **apport journalier** quantitativement suffisant est donc indispensable.

La ration minimale quotidienne de 70 à 75 milligrammes de vitamine C, généralement préconisée, nous semble malheureusement inadéquate par rapport aux exigences de la vie moderne et à la facilité avec laquelle nous détruisons cette vitamine.

Un verre de jus d'orange vous donnera la quantité minimale d'acide ascorbique nécessaire pour prévenir le scorbut, maladie au cours de laquelle on constate l'absence totale de cet élément nutritif.

Se baser sur ces rations types pour s'assurer contre la déperdition en vitamine C d'une part, pour lutter contre les maladies infectieuses, les poisons, les stress normaux à toutes les vies actives d'autre part, c'est leur en demander plus qu'elles ne peuvent leur en donner.

Consommez donc chaque jour des aliments riches en vitamines C. Gardez toujours une marge de sécurité suffisante afin de faire face aux déperditions absolument imprévisibles.

Les **vitamines liposolubles A, D, K, E** présentent deux avantages appréciables :

1) La cuisson à l'eau ou à la vapeur telle que nous la pratiquons ne les détruit pas.

2) L'organisme est capable d'en assurer le stockage. Il faut cependant s'assurer une marge de sécurité suffisante pour le cas où beaucoup d'entre ces vitamines ne parviendraient pas là où l'organisme l'exige. Il faut savoir que nous n'avons parfois connaissance d'une certaine déficience que lorsque des symptômes caractéristiques nous en alarment.

Carotène et vitamine A

La vitamine A est particulièrement intéressante par l'originalité qu'elle présente de ne point se trouver telle quelle dans des légumes mais de devoir être élaborée par le corps humain à partir du carotène. (Le carotène est cette substance jaune que l'on trouve dans les fruits et légumes frais).

D'après Bickell et Prescott (dans « *Vitamine in Medicine* »), l'absorption de carotène à partir du régime alimentaire habituel est extrêmement pauvre : tellement pauvre que les tables qui indiquent les quantités de carotène pour chaque aliment semblent n'avoir aucune signification. Il est probable que la moitié du carotène par nous absorbée est perdue.

Le carotène, pour survivre, nécessite des conditions bien spéciales permettant sa transformation normale en vitamine A.

Une carence en vitamine E, par exemple, entrave ce processus. La vitamine E doit être présente à l'opération afin de protéger le carotène de l'oxydation. La vitamine A oxydée ne conserve que 1/2 % de potentialité. Il faut aussi un peu de matière grasse disponible pour le transport et l'absorption du carotène.

Les huiles minérales couramment utilisées comme laxatifs ont le pouvoir de ruiner tous les efforts faits par ailleurs pour assurer les besoins de l'organisme en vitamine A. Ces huiles véhiculent des éléments nutritifs et contribuent à leur élimination intempestive. Comme la plupart des autres vitamines, l'usage du médicament est incompatible avec l'**approvisionnement en vitamine A** puisqu'il nuit à la transformation du carotène.

Ainsi, l'emploi de l'éther lors d'anesthésie augmente considérablement la consommation, donc les besoins, de vitamine A.

Il en va de même des *aliments « blanchis »* (différentes sortes de farines) et d'autres aliments traités au peroxyde au cours de leur transformation.

Ceux d'entre nous dont la ration en vitamine A devrait normalement être obtenue par la quantité de lait qu'ils ingèrent journellement savent-ils que **la pasteurisation est ennemie de la vitamine A ?** Ce procédé détruit 20 % du carotène du lait et 19 % de sa vitamine A.

Il est bon de se rappeler, d'autre part, que **les acides (même celui du citron) détruisent la vitamine A** (par exemple celle des carottes sur lesquelles on verse du jus de citron).

La vitamine D vous est-elle nécessaire ?

La vitamine « rayon de soleil » se trouve principalement dans le beurre, les œufs et le lait, mais en petites quantités. Les humains élaborent la vitamine D lors de l'exposition au soleil — en particulier au soleil d'été. Ne pas croire que prolonger cette exposition soit nécessaire. Les glandes sébacées de la peau sécrètent de l'ergostérol et du cholestérol, substances susceptibles, sous l'effet de l'ensoleillement, de se transformer en vitamine D.

Les civilisés sont tellement « super-propres » que beaucoup d'entre eux balaient, lors de leur toilette, ces huiles essentielles avant de leur donner la possibilité de se transformer en vitamine D pour leur plus grand bien.

Et l'hiver ? Combien d'entre nous s'exposent régulièrement aux rayons solaires ? Vêtements et vitres font écran aux rayons essentiels. Ce n'est donc pas en restant cloîtrés que nous nous enrichirons de vitamine D.

Les travailleurs de nuit, les personnes qui portent de lourds uniformes, les personnes âgées qui sortent rarement, devront veiller tout spécialement à s'assurer un apport supplémentaire de vitamine D.

Malgré toutes ces précautions, le supplément de vitamine D ingéré peut ne pas vous garantir une bonne santé.

Ainsi les personnes âgées, qui vivent principalement de céréales cuites, ingèrent beaucoup *d'acide phytique,* ce composé qui est un violent antagoniste de la vitamine D. Ainsi en est-il également du *plomb,* que la plupart d'entre nous ingèrent à chaque repas sous la forme de résidus d'insecticides.

Et encore de cette hormone fréquemment utilisée dite *testérone,* qui entrave le travail de la vitamine D dans le système osseux.

Et du fluor, qui empoisonne un enzyme sans lequel la vitamine D ne peut contribuer à une calcification normale.

La vitamine K

La vitamine K, fabriquée pour une bonne partie dans les intestins grâce à l'action du colibacille, permet la coagulation sanguine.

Son antagoniste principal est l'*aspirine.*

Elle est également abîmée par les *médicaments sulfamidés,* les *huiles minérales* (l'huile de paraffine, par exemple), les désordres du foie et une insuffisance biliaire. On s'attachera à consommer des légumes verts crus, et à suivre un régime alimentaire et un mode de vie permettant de sauvegarder l'équilibre de la population microbienne de l'intestin.

La vitamine E

La vitamine E que contient le blé ne parvient guère au consommateur qui ne s'approvisionne pas en pain de froment contenant le germe du blé. Cette vitamine E disparaît lors des opérations de meunerie, le reste lors du processus du blanchiment.

La vitamine E est rare dans nos aliments si ce n'est dans les huiles végétales. Il faut surtout préserver cette vitamine de ses adversaires. **Dans l'huile rance, la vitamine E est détruite.** Les médicaments qui contiennent des composés du *fer* la rendent inactive comme le ferait une huile minérale. L'huile de foie de moruc l'antidote également.

Les synergies alimentaires

Les problèmes qui se posent quant aux vitamines, leur ingestion par les aliments, les facteurs divers qui permettent ou entravent leur utilisation ultérieure par notre corps sont des problèmes typiques en matière de nutrition. Il nous faut reconnaître que **le contenu vitaminique des aliments tel que nous le présentent les livres a en fait peu de rapport avec l'utilisation effective de ces vitamines par l'organisme.** Il convient d'aller au-delà des estimations théoriques afin de parer aux destructions probables d'éléments nutritifs dans le corps.

Notre régime alimentaire doit être riche de **tous** les éléments nutritifs. **Le calcium et le phosphore doivent s'accompagner de vitamine D,** sous peine de n'être point absorbés. Il peut donc vous arriver de penser être sujet à décalcification alors que les troubles seraient dus en fait à une carence en vitamine D.

Les vitamines A et E réagissent l'une sur l'autre. **La vitamine A ne serait aucunement utilisée par l'organisme sans la présence de vitamine E, mais l'excès de A inhibe E.**

Les interférences sont multiples entre les éléments nutritifs. Vous devez vous les procurer tous, en quantité suffisante, sous peine de voir apparaître des troubles de santé. Chaque individu doit connaître les antagonistes vitaminiques et déceler ceux qui le concernent directement, selon son mode de vie. Il compensera au besoin les carences par des apports grâce à certains compléments alimentaires naturels.

Il est fallacieux et dangereux de recourir aux vitamines de synthèse, qui ne sont que des produits chimiques, morts, intoxicants et facteurs de carences. Après le premier effet d'excitation (fugace), survient la phase de dépression marquée d'un déséquilibre plus ou moins profond et durable et de troubles parfois très graves : digestifs, sanguins, rénaux, hépatiques, mentaux...

Vous combattez un ennemi invisible et souvent sous-estimé : le voleur de vitamines.

Mettez tous les atouts possibles dans votre jeu. C'est un combat duquel il vous faut sortir vainqueur. Vous y serez puissamment aidé par les produits naturels de culture orthobiologique.

62. Le sucre accélère la croissance et favorise les maladies de civilisation

Le sucre est normalement un matériau indispensable en tant que source énergétique et au titre d'agent responsable de l'amorçage du système hormonal de la régulation de l'économie de l'organisme. Le sucre est fourni sous des formes diverses : sucres proprement dits et aliments farineux (hydrates de carbone), c'est-à-dire aliments glucidiques.

Depuis un demi-siècle environ, la consommation de sucre a augmenté d'une manière considérable, ce qui n'a pas été sans entraîner des conséquences dont certaines sont apparemment très défavorables, si l'on en croit les travaux du Dr B. Ziegler, de Winterthur (Suisse).

Une consommation excessive de sucre peut, en effet, causer une élévation brutale de la glycémie, provoquant une décharge insulinique et la chute consécutive du glucose sanguin, ce qui conduit à une stimulation de certaines hormones, accélérant la synthèse des protéines.

Il semble plausible qu'en présence d'un apport protidique suffisant, un excès de sucre puisse intensifier la croissance. A l'appui de cette constatation, l'auteur cite l'exemple du gros enfant de la mère en état prédiabétique. Indépendamment du facteur génétique, l'apport excessif de sucre pendant la vie intra-utérine joue également un rôle important.

La croissance excessive de certains nourrissons a pu être rapportée à une richesse excessive de l'alimentation en sucre ou en hydrates de carbone dextrinisés, c'est-à-dire facilement convertibles en glucose.

On a pu montrer qu'il existe certains rapports entre la tendance générale du siècle à l'accélération des processus du développement chez l'enfant et l'adolescent et la courbe d'accroissement de la consommation du sucre. Cette tendance ascensionnelle a été vérifiée dans tous les cas où l'on a assisté à l'évolution débutante de la société industrielle moderne et lorsque l'urbanisation a abouti à une consommation accrue de sucre. Ce furent d'abord les personnes jouissant d'un niveau de vie élevé qui furent les premières atteintes par cette accélération du développement. Actuellement, **tous les individus ont trop de sucre et tous ont un développement excessivement rapide.**

On note parallèlement un avancement de la maturité sexuelle avec un achèvement précoce de la croissance, ainsi qu'un état de labilité psychique lors d'une puberté prolongée.

On peut ainsi expliquer pourquoi les Japonais qui vivent aux Etats-Unis deviennent plus grands que leurs compatriotes vivant dans leur propre pays.

Des études faites en Hollande sur de jeunes soldats ont montré qu'**ils étaient devenus plus grands et plus gros mais non en meilleure santé.**

Le phénomène d'accélération du développement de l'enfant et de l'adolescent, qui aboutit, par ses conséquences, à plus d'une difficulté pédagogique, pose par lui-même un véritable problème sociologique. Ce problème prend encore une acuité plus grande du fait de la survenue accrue d'anomalies de posture, de troubles statiques, d'asthme et de labilité psychique, et avant tout du fait de la **constatation toujours plus précoce de maladies de la civilisation.**

On sait par ailleurs, et Yudkin l'a souligné, qu'une consommation accrue de graisse est plus souvent associée à cette consommation élevée de sucre. Chez les peuples ruraux vivant sur un mode ancestral, les graisses atteignent 10 à 20 % du nombre total des calories dont les individus disposent, les hydrates de carbone 80 %, mais le sucre à peine 5 % ; la consommation en lipides (graisse et huile) est basse ; l'artériosclérose, l'obésité et le diabète constituent des privilèges de riches. Au contraire parmi les peuples industriels hautement civilisés, les graisses atteignent 30 à 40 % de la ration calorique, les hydrates de carbone, 50 à 60 % dans leur totalité, mais le sucre à lui seul représente 15 à 20 % des calories dont on dispose.

A cet égard, la majeure partie des hydrates de carbone est représentée par de la farine blanche et des céréales décortiquées, privées de leur partie la plus vitalisée.

Selon la conception de Yudkin et de Cohen, **l'apparition d'une artériosclérose et d'un infarctus du myocarde serait plutôt favorisée par une consommation élevée en sucre. Il en est de même de l'obésité, des troubles gastro-intestinaux et des troubles biliaires.**

L'auteur démontre scientifiquement que, par suite du couplage des métabolismes lipidique et glucidique, un apport élevé en sucre doit s'avérer particulièrement néfaste en présence d'une alimentation déjà excessive en graisses.

L'auteur conclut de la manière suivante : « *De ces réflexions découle la nécessité d'une limitation stricte de la consommation du sucre, qui est actuellement aussi inconsidérément élevée, et cela à tous les âges de la vie, ainsi que d'un rationnement raisonnable des hydrates de carbone dextrinisés. Il va de soi qu'il conviendra d'éviter simultanément une alimentation excessive riche en graisse.*

« Nous, pédiatres, avons dès aujourd'hui toutes raisons de réfléchir à ces faits et aussi de faire le premier pas vers une prophylaxie de l'accélération du développement de l'enfant et des diverses maladies de la civilisation qui se manifestent chez l'adulte, certes, mais qui débutent effectivement dès l'enfance. »

La consommation excessive de sucre et de graisse n'est cependant pas la seule cause des maladies de la civilisation. Nous citerons d'autres facteurs : une consommation excessive de viande et de nutriments susceptibles d'apporter des hormones ou d'autres substances qui troubleront la régulation neuro-hormonale chez l'enfant comme chez l'adulte ; la consommation excessive de lait de vache dans la première enfance, au détriment de l'allaitement au sein ; les déséquilibres émotionnels chez l'individu, en relation avec un déséquilibre psycho-social. Ces causes de troubles neuro-endocriniens ont toutes chances d'intervenir sur les processus de la croissance et de la vie humaine en général, dans ses aspects moteurs et psychologiques.

63. La santé mentale commence avec la nutrition

Il est frappant de constater combien de nos contemporains sont affectés de troubles nerveux ou de maladies mentales. Ces troubles sont presque toujours examinés sous un angle analytique, alors qu'il y aurait lieu de les étudier d'une manière synthétique, en recherchant quelles sont toutes les données du problème, c'est-à-dire toutes les causes des troubles.

L'organisme humain est un tout inséparable, corps et mental. En fait, on pourrait aller plus loin et chercher à démontrer l'unité du corps et de l'esprit. Une anormalité à n'importe quel niveau de l'être se répercutera inévitablement aux autres niveaux. Il est donc indispensable de considérer le patient comme un tout.

Il est probablement erroné de parler de « santé mentale ». Il y a seulement une santé qui comprend l'aspect mental et l'aspect physique de la Vie.

Nous voudrions à nouveau attirer l'attention sur l'axiome déjà souvent répété : « **L'homme est ce qu'il mange, ce qu'il boit, ce qu'il respire et ce qu'il pense** ».

Il est vrai que des anormalités physiologiques et émotionnelles affectent le fonctionnement physique normal du corps ; il est également vrai que la santé « mentale » est pratiquement *impossible* dans un corps malade ou en état de dysfonctionnement, et ce ne sont pas les inhibitions dues aux médications modernes qui changeront les termes du problème.

L'organisme humain doit être considéré et soigné en synthèse

Le rythme et la tension de la vie dans le monde actuel sont insupportables à beaucoup parce que leur système nerveux-hormonal, leur cerveau et leur circulation sanguine sont épuisés et déséquilibrés. Il y a, chez la plupart de nos contemporains, un état de toxémie dû à une insuffisante élimination des déchets cellulaires, une accumulation des toxines dont la vie moderne est si prodigue (empoisonnement de l'alimentation, de l'eau, de l'air). A cela s'ajoutent les médicaments et les drogues ainsi que les interventions préventives (vaccination, irradiation, etc.), conçues pour soulager l'humanité de ses maux mais génératrices de déséquilibres de plus en plus prononcés dans le milieu et chez les individus.

Autrefois, la nourriture était plus simple et souvent plus saine qu'aujourd'hui. Elle contenait beaucoup moins de facteurs toxiques. Elle n'était pas dévitalisée comme le pain blanc, le sel blanc, la farine blanche, etc...

Ces « aliments de luxe » sont maintenant livrés en abondance et consommés librement, ce qui est sans doute une des causes de la baisse de la santé physique et mentale. Le nombre de thromboses coronaires, d'infarctus du myocarde, de diabètes et de maladies mentales était bien au-dessous du nombre impressionnant que nous connaissons de nos jours.

La médecine naturelle a toujours insisté sur le fait que les symptômes de dérangement mental sont souvent associés à une anormalité fonctionnelle et un sang altéré. Très souvent, les états mentaux pathologiques sont observés parallèlement à un déséquilibre des sucres résultant d'une nutrition perturbée. Dans ce cas, il est souhaitable de réduire la ration de protides et d'hydrates de carbone, en recourant plutôt à un régime de désintoxication : légumes et fruits crus de bonne qualité biologique.

Nombre de situations physiologiques difficiles bénéficient d'une désintoxication obtenue par un régime alimentaire bien conçu. Une nutrition correcte signifie non seulement une remise en ordre de l'alimentation, mais aussi une oxygénation suffisante, une orientation mentale plus positive, une alternance judicieuse du rythme travail-repos, etc.

Les traitements de choc (par l'insuline, l'électricité ou autrement), les médicaments et les drogues ne parviennent guère qu'à réduire temporairement certains symptômes. Dans beaucoup de cas, ils ne font qu'ajouter des facteurs anti-naturels, toxiques et déséquilibrants à un organisme qui en est déjà surchargé.

Il y a quelque temps, la presse a publié l'information selon laquelle, dans un asile d'aliénés, les patients ont fait une « grève de la faim » pour protester contre la mauvaise qualité de la nourriture. Plusieurs d'entre eux restèrent plus de 10 jours sans aliments solides, en ne prenant que de l'eau, de la soupe et des jus de fruits. Les rapports indiquent que 14 patients récupérèrent une santé normale et furent libérés. Apparemment, aucune signification spéciale n'a été attribuée à ce phénomène bien que, dans les annales orthodoxes comme dans les écrits non orthodoxes, il existe des comptes rendus concernant des **malades mentaux rétablis complètement après avoir jeûné sous contrôle.**

Quand on sait à quel point, dans la majorité des hôpitaux et des cliniques psychiatriques, les malades mentaux sont gavés de nourriture (de qualité douteuse), à quel point ils peuvent se livrer à la toxicomanie tabagique, à quel point ils sont drogués, on ne peut guère s'étonner que le jeûne puisse se révéler souvent comme salvateur ! La paix thérapeutique est, qu'il s'agisse de troubles physiques ou mentaux, une mesure de la plus haute importance.

Il serait d'un intérêt vital pour la nation que les méthodes naturelles puissent être appliquées sous le contrôle de praticiens qualifiés, dans une institution psychiatrique où les résultats seraient librement diffusés et discutés. En Russie, le Professeur Nicolaiev a déjà travaillé dans ce sens ; en France, le Dr Vivini a une certaine expérience de la question.

Certains cas très graves (les agités ou les déprimés à conduite agressive ou suicidaire, par exemple) doivent être placés dans une institution spécialisée mais pourquoi leur refuser le bénéfice des méthodes naturelles ?

Il y a aussi de nombreux cas de petites altérations de l'humeur, du caractère, ou du comportement susceptibles de bénéficier immédiatement des méthodes naturelles. Pour eux, l'intervention par médicaments, drogues et thérapeutiques de choc, signifie presque toujours (après une période d'illusion) une aggravation des troubles. Drogues et tranquillisants conduisent presque sûrement aux déséquilibres mentaux.

La méthode naturelle réclame de l'attention, du temps et de la discipline personnelle, de même que la coopération du patient et, souvent, de son entourage. Ce n'est pas un « système miracle », ni une panacée, bien que dans certains cas les résultats puissent être qualifiés de « miraculeux ». Son efficacité dépend beaucoup de l'adoption d'un mode de vie nouveau. La possibilité pour l'organisme de restaurer ses propres fonctions physiques et nerveuses (mentales) sera plus ou moins grande suivant que l'altération aura été plus forte et que le patient disposera d'un pouvoir de récupération plus ou moins efficace. Tout est affaire d'individualisation.

Ceux qui souffrent de symptômes tels que : **anxiété et tension nerveuse constantes, dépression, bouche sèche, migraines, transpiration, fatigue persistante, tendance à réagir par des colères de plus en plus marquées,** feront bien d'adopter un programme d'alimentation et de vie équilibrée, sans tarder, en évitant les excitants et les sédatifs. L'accent doit être porté sur les aliments vivants, crus si possible, riches en vitamines et en oligo-éléments ; fruits et légumes de provenance biologique, pain au levain, lait frais, œufs frais, fromages de bonne qualité.

Dans certains cas, les conseils d'un hygiéniste-psychologue ne sont pas sans intérêt. Celui-ci donnera probablement les suggestions utiles en ce qui concerne non seulement l'alimentation, mais encore le rythme de vie, l'alimentation et le sommeil, l'exercice physique au grand air, etc.

Indépendamment des facteurs physiques, les problèmes psychologiques (du conscient et de l'inconscient) méritent d'être étudiés et les moyens ne manquent pas : entretien, tests, etc., permettant une anamnèse et une prise de conscience par le sujet, des causes principales de ses difficultés.

Nous avons parlé de l'attitude mentale. Celle-ci n'est pas sans influence sur le style de notre existence. Une orientation positive, la confiance, l'acceptation des difficultés regardées en face, permet de surmonter bien des états dépressifs dus à une incompréhension des problèmes objectifs. De nouveaux problèmes, de nouvelles images mentales sont à créer pour remplacer des modèles et des images inadéquats. Il ne s'agit pas de lutter contre des tendances, de se sentir coupable d'avoir « mal agi », mais de **canaliser vers des buts positifs des énergies qui se trouvent bloquées ou détournées de leur destination normale.**

Nous devons reconnaître, en toute simplicité et en toute loyauté, que **notre vie est réglée, sur cette terre, par certaines lois naturelles dont nous ne pouvons guère nous éloigner sans souffrances.** Si nous obéissons à ces lois, si nous vivons en harmonie avec la nature, nous sommes probablement assurés d'une meilleure santé physique et mentale que si nous nous contentons de « végéter » sans règle ni frein, conditionnés par l'ambiance dépersonnalisante d'un monde perturbé.

64. Protégez-vous des maladies de la civilisation

Les responsabilités excessives, les tensions nerveuses prolongées, le bruit, les diverses pollutions et l'alimentation dénaturée sont à l'origine de la majorité des maladies de notre civilisation.

Dans ce domaine comme dans les autres, « il vaut mieux prévenir que guérir ». Effectivement, les guérisons que l'on obtient habituellement ne sont que des rémissions ; les symptômes sont effacés, masqués, refoulés, mais les troubles profonds subsistent car les causes ne sont pas rectifiées.

Prévenir conduit à l'adoption d'une hygiène de vie fondée sur des lois biologiques naturelles, d'application facile mais exigeant une certaine persévérance. Beaucoup de nos contemporains ont malheureusement perdu le sens d'une discipline stable et ferme, qui va d'ailleurs de pair, dans le cas présent, avec le sens de nos propres responsabilités individuelles.

Il faut cependant bien savoir que les troubles de santé appelés « maladies de civilisation » conduisent à des échéances tragiques si les mesures nécessaires ne sont pas prises en temps utile. Rien ne sert de vouloir vivre trop intensément ; la douleur physique et mentale, l'invalidité, la déchéance sont le lot de la majorité de ceux qui prétendaient se libérer des lois de la vie et agissent d'une manière anarchique.

Le cœur

Les maladies cardio-vasculaires sont un des fléaux des temps modernes, avec le cancer. L'Organisation Mondiale de la Santé a diffusé récemment une statistique révélant que les troubles cardio-vasculaires causent en moyenne la moitié des décès dans les pays développés. Le taux va de 37 % en France à 58 % aux Etats-Unis. On sait que la fréquence de ces troubles croît avec l'âge mais que, dans la quarantaine, on compte 22 % des décès à la suite de maladies de cœur et des vaisseaux. On a même trouvé un infarctus du myocarde chez des nouveau-nés décédés au moment de l'accouchement !

L'**infarctus du myocarde** est principalement le lot des gens trop ambitieux, des insatisfaits, qui recherchent toujours de plus grandes responsabilités, au risque de dépasser leurs propres limites. La recherche de la promotion sociale et professionnelle, lorsqu'elle devient déraisonnable, est à l'origine des troubles les plus graves.

Quels sont les signes d'alarme qui précèdent la crise ? En premier lieu, une douleur du thorax, à gauche, intermittente et constrictive, qui apparaît à la fatigue et caractérise l'angine de poitrine.

Quant à l'infarctus, il progresse sournoisement : il se forme, dans le muscle cardiaque, une lésion due à l'oblitération d'une branche des artères nourricières du cœur : les coronaires.

La crise est surtout déclenchée par l'effort ou le froid mais ceux-ci ne sont pas les causes réelles de l'infarctus ; ce ne sont que des causes occasionnelles. Le patient ressent une intense douleur qui irradie vers les mâchoires et les bras et s'accompagne d'une chute de la tension artérielle, de pâleur, de malaise, souvent aussi de fièvre et de troubles digestifs tels que le hoquet et les vomissements.

Le traitement classique consiste dans l'administration d'anticoagulants, de vaso-dilatateurs et d'antalgiques. Ces substances permettent sans aucun doute d'obtenir une sédation des troubles mais... **les causes sont-elles rectifiées ? Quels seront les effets à brève ou longue échéance de substances dont la toxicité est maintenant reconnue ?** N'y a-t-il pas mieux à faire ?

Mesures d'hygiène naturelle

Qu'il s'agisse de mesures curatives ou préventives, l'essence en est la même : une réduction drastique de l'alimentation et parfois même le jeûne sous surveillance ; le remplacement des produits carencés ou altérés par la chimie ou par l'industrialisation destructive des aliments de production biologique, autant que possible crus ou très peu altérés par la cuisson ; l'exercice physique progressif alternant avec les périodes de repos et de relaxation, en fonction des besoins du sujet ; le recours éventuel à certains compléments alimentaires naturels que l'on trouve dans le commerce diététique, par exemple les aliments lacto-fermentés.

Il s'agit d'obtenir, par les aliments crus, un effet coagulant naturel ; il faut également fortifier le cœur, lui permettre une meilleure irrigation de l'organisme en même temps que de ses propres structures, d'amplifier et de rendre plus efficace la respiration (rééducation cardio-pulmonaire selon la méthode de Martin de Beauce et de Plent) ; d'apprendre l'art de la relaxation progressive, c'est-à-dire l'art de se libérer des tensions parasites, physiques, mentales et nerveuses.

L'hypertension artérielle

10 % des individus en sont affectés. Les émotions et les soucis jouent un rôle aggravant. Un examen de médecine préventive peut la découvrir mais il s'agit souvent du résultat d'un examen médical effectué à

l'occasion d'une autre maladie ou de malaises que le sujet trouve inquiétants (maux de tête, brouillards de la vue, vertiges, etc.).

Dans certaines situations, les poussées d'hypertension peuvent être graves au point de déclencher de véritables drames : un œdème du poumon, une insuffisance cardiaque, une hémorragie cérébrale, une paralysie de la moitié du corps ou une hémorragie de la rétine, pouvant rendre aveugle temporairement ou définitivement.

Les causes sont approximativement les mêmes que pour les troubles cardiaques ; certaines formes sont constitutionnelles mais, dans la plupart des cas, une amélioration spectaculaire peut être obtenue très aisément après quelques jours ou quelques semaines d'application des méthodes naturelles.

En particulier, une réduction de l'alimentation, surtout en farineux, sucres et graisses, une gymnastique physique progressive et une respiration plus ample font des « miracles ».

Si les mesures adéquates sont prises à temps, l'intervention de drogues n'aura pas à être envisagée, et ce sera certainement préférable à tous égards pour le patient...

65. Les troubles digestifs et nutritionnels

Indéniablement, on constate une recrudescence des difficultés d'ordre digestif non seulement dans les couches de population où la nourriture est insuffisante en quantité et en qualité mais encore et surtout dans les milieux aisés, où sévissent fréquemment la suralimentation et l'intoxication alimentaire.

Les troubles hépatiques et gastro-intestinaux sont d'ailleurs fréquemment compliqués, chez les « responsables », par les soucis, la tension nerveuse excessive et constante. La *recto-colite hémorragique* et l'*ulcère gastro-duodénal* sont devenus des maladies très courantes qui conduisent fréquemment à des échéances douloureuses (intervention chirurgicale et, dans certains cas, cancer).

Il importe donc de déterminer les causes essentielles de ces troubles de santé afin d'en déduire des mesures d'hygiène naturelle susceptibles, à elles seules, d'apporter non seulement une rémission passagère mais plutôt une guérison réelle.

Les causes

En premier lieu, mentionnons l'alimentation, qu'elle soit carencée ou excessivement riche. Nos aliments sont de plus en plus altérés par des méthodes de culture, de transformation et de conservation qui interviennent non seulement sur la qualité de l'alimentation mais encore sur sa digestibilité et son assimilabilité. Il est bien évident que la présence de substances destinées à détruire les parasites et les champignons exerce une action défavorable sur les sucs digestifs et, d'une manière plus générale, sur les processus de la nutrition. Une digestion et une assimilation correctes ne peuvent plus être assurées. Fréquemment, on en vient aux fermentations gastro-intestinales, avec aérophagie, lourdeurs d'estomac, acidité gastrique, digestion imparfaite, sensation de pesanteur, notamment après le repas, dégoût de l'effort, troubles de l'humeur.

C'est alors que, classiquement, les médicaments interviennent. Transitoirement, ils peuvent apporter une amélioration mais celle-ci n'est pas définitive et, d'autre part, l'intervention de certains médicaments risque de compliquer, d'une façon parfois considérable, une situation qui pourrait être rétablie en quelques jours ou quelques semaines.

L'inquiétude s'ajoute alors à la crispation nerveuse d'origine professionnelle ou autre. La fatigue s'accentue. Le prétendu « surmenage » et la dépression nerveuse ne sont pas loin.

Dans les classes aisées, notamment chez les chefs d'entreprise et les cadres, les **repas d'affaires trop copieux,** largement arrosés, donnant lieu à une ingestion d'**alcool** parfois considérable, sont la cause de nombreuses perturbations et d'une torpeur physique et intellectuelle que le sujet essaiera de compenser par le café ou autres excitants non moins nocifs.

Le **tabac** (que l'on fume ou que l'on ait à travailler dans une atmosphère de tabagie) exerce une influence sournoise mais très défavorable sur les processus digestifs. La nicotine et les goudrons ne sont pas seulement des toxiques pour les poumons. Ils irritent les voies digestives et entraînent l'émission de sucs de défense au détriment de la sécrétion de véritables sucs digestifs ; les muqueuses gastrique et intestinale s'en trouvent irritées, et l'on peut assurer que le fait de fumer accroît les chances de contracter le cancer des voies digestives.

La recto-colite hémorragique

Cette maladie, qui affecte tout particulièrement les intestins, évolue par poussées entrecoupées de rémissions. Les selles sont nombreuses, sanglantes et douloureuses.

Ce trouble s'accentue lorsque le sujet est en proie à des problèmes psychologiques, qu'il est tendu et anxieux. Cette maladie est donc, dans une bonne mesure, en rapport avec les stress dont la vie moderne est si prodigue.

Une dysenterie apparaît, avec parfois vingt selles par jour, amaigrissement, gonflements et douleurs abdominaux, pâleur, et même parfois troubles de la formule sanguine (anémie). Les selles sont fréquemment rougies par le sang et l'analyse y décèle de grandes quantités de mucus, de sous-produits de fermentations, avec indice de flore microbienne intestinale déviée.

Ce point est très important car on sait que, de la bonne qualité de la microflore intestinale, dépendent une digestion et une assimilation correctes. Quand, par exemple, le colibacille est altéré, il devient virulent et on le retrouve dans des organes tels que les reins et la vessie où il produit alors la colibacillose, si douloureuse et gênante. De plus, c'est ce colibacille intestinal qui permet à l'organisme, par digestion de la cellulose, de former ses propres vitamines B (d'équilibre nerveux) et K (de coagulation sanguine). Il n'est pas étonnant que les troubles digestifs soient souvent accompagnés d'une sensation de faiblesse et d'une chute du tonus mental, avec apparition de désordres nerveux.

Classiquement, on utilise dans cette affection des désinfectants intestinaux et des tranquillisants. En hygiène vitale, l'expérience montre que la simple remise en ordre du mode de vie et d'alimentation permet d'obtenir des résultats spectaculaires.

L'ulcère gastro-duodénal

L'ulcère est une « plaie » qui se forme dans l'estomac ou le duodénum ; il s'agit donc d'une perte de substances au niveau de la muqueuse. On le trouve à tous les âges et les causes sont celles que nous avons déjà rappelées.

Les symptômes sont parfois difficiles à interpréter. Souvent, le sujet ressent des douleurs sourdes ou violentes dans le thorax ou l'abdomen, ou encore dans le dos. Ces douleurs sont rythmées par les repas. Lorsque le patient vient de s'alimenter, les douleurs cessent pour reprendre ensuite de plus belle. Des vomissements peuvent accompagner les douleurs. La radiographie est un moyen de diagnostic assez sûr, et elle décèle alors une niche, plus ou moins profonde suivant le degré d'évolution de l'ulcère.

Le traitement classique comporte quelques prescriptions hygiéniques et diététiques mais aussi de très nombreux médicaments. Dans certains cas, on recourt à la chirurgie (ablation plus ou moins totale de l'estomac et même du duodénum), spécialement lorsqu'il y a hémorragie ou perforation.

Les mesures préconisées par les méthodes naturelles sont simples (mais efficaces) :

— **Supprimer totalement l'alimentation pendant quelques jours ou parfois quelques semaines** (ne prendre alors que de l'eau seule) ; il s'agit donc du jeûne, qu'appliquent maintenant certaines cliniques de naturopathie et même certains établissements allopathiques ; le jus de chou cru est souvent conseillé.

— **Reprendre ensuite l'alimentation avec prudence et progressivité,** en commençant par des bouillons de légumes, des jus de légumes crus, des aliments de digestion aisée mais non formateurs de fermentations et de décomposition gastro-intestinale.

Normalement, le patient peut reprendre une alimentation assez large mais correctement conçue au bout de quelques semaines.

— **Il ne faut pas oublier les causes d'ordre psychologique.** Le repos est souvent nécessaire pendant une ou plusieurs semaines, avec relaxation, exercice physique progressif mais non excessif, oxygénation abondante à l'air pur, tonification générale de l'organisme, notamment par l'intermédiaire de la peau, celle-ci constituant pour l'homme un organe de la plus grande importance.

Nous pouvons assurer que non seulement la rémission mais encore le rétablissement des troubles nutritionnels est, dans la plupart des cas, aisé, rapide et durable si l'on recourt aux méthodes d'hygiène naturelle, non toxiques. Il ne s'agit pas de palliation mais bien d'auto-rétablissement de la santé générale et, partant, de la santé locale des organes en cause.

66. Santé intestinale et santé générale

Facteurs de perturbation

Nombreux sont nos contemporains qui souffrent de fermentations gastro-intestinales, gaz, ballonnements, éructations, perturbations nutritionnelles, diarrhées pouvant alterner avec constipations, selles fétides, etc.

L'étude qui suit sera de nature à les éclairer sur les causes précises de leurs troubles et sur le programme des soins d'hygiène naturelle à appliquer.

Les médecins, les conseillers hygiénistes et les diététiciens y trouveront des informations utiles.

La plupart des maladies ont leur siège dans l'intestin. Les myriades de minuscules organismes qui y vivent en saprophytes, en symbiose avec l'organisme humain ou animal, peuvent être bienfaisants ou perturbateurs en fonction de l'état du milieu intestinal.

C'est le déséquilibre intestinal qui cause la transformation des microbes qui s'y trouvent. Une hygiène alimentaire et générale incorrecte (physiquement et psychologiquement) entraîne ipso-facto la dégradation de la santé intestinale — d'où résulte la dégradation de la santé générale.

Eubactérie et dysbactérie intestinales

Dans l'organisme normal, il existe un certain équilibre de la flore intestinale, entre les différents groupes de micro-organismes saprophytes.

La flore intestinale normale est représentée, chez l'adulte, par des bactéries aérobies et anaérobies, ainsi que par quelques rares levures.

L'étude de cette flore intestinale est malaisée du fait :
— de la haute mortalité des germes ;
— du nombre considérable de germes dans les selles (200 milliards par gramme de selles) ;
— de la nécessité d'utiliser de nombreux milieux de culture pour analyser la flore fécale totale aérobie et anaérobie ;
— de la variation de la flore colique au cours du transit et de l'impossibilité de l'étude de la flore caecale par la coproculture.

La constitution de la flore intestinale dépend à la fois :
— du segment du tube digestif ;
— de la durée de transit.
Un équilibre acido-basique existe entre la flore de fermentation du caecum et du côlon ascendant et la flore de putréfaction du milieu intestinal dans le sens de l'alcalinisation, qui favorise la prolifération des germes pathogènes.

La flore intestinale possède une certaine spécificité (la flore intestinale humaine est différente de celle des animaux) et une certaine stabilité :
— stabilité quantitative : chez un même sujet, le nombre de germes (dans des limites cependant assez larges) est constant ;
— stabilité qualitative : les espèces varient peu, il n'y a que les types et les sous-types de ces espèces qui sont en perpétuel renouvellement.

Rôles physiologiques de la flore intestinale

Ils sont au nombre de 3 :

1) Digestif et métabolique. Les germes intestinaux achèvent :
— la digestion de l'amidon et de la cellulose, avec production d'acides organiques (flore anaérobie et flore de fermentation) ;
— la dégradation de protides avec production de corps aromatiques (flore de putréfaction) ;
— la réduction de la bilirubine intestinale en stercobiline ;
— l'hydrolyse de l'urée ;
— la production d'ammoniaque.

Le rôle digestif de la flore intestinale, surtout anaérobie, est important ; l'indigestion colique qui survient en son absence peut, en effet, être très tenace.

2) Vitaminique. Les germes intestinaux synthétisent les vitamines, notamment celles du groupe B et la vitamine K. Il est vrai que la plus grande partie de la production microbienne intestinale est réalisée dans le caecum et le côlon, régions où les vitamines ne peuvent pas être absorbées sous forme active, puisque les phosphorylations nécessaires à leur absorption digestive ont lieu seulement dans l'intestin grêle et que les germes intestinaux consomment la plus grande partie des vitamines synthétisées, mais pour le maintien de l'équilibre de la flore intestinale elle-même.

3) Antimicrobien. La flore intestinale normale s'oppose, par sa présence même, au développement intempestif de germes parasites ou pathogènes (concurrence vitale). Nous savons aussi que les microbes se transforment suivant le milieu, et qu'un milieu déséquilibré a pour conséquence une flore microbienne déséquilibrée.

Le dysmicrobisme intestinal (dysbactérie)

Ce terme désigne les perturbations quantitatives et relatives de l'équilibre normal de la flore intestinale. Ce dysmicrobisme peut revêtir plusieurs aspects :

1) Déséquilibre par excès d'une flore normalement présente dans l'intestin :
— soit de la flore iodophile de fermentation (Gram négatif) normalement prédominante dans le caecum et le côlon ascendant et qui active la dégradation des glucides (amidon, cellulose) ;
— soit de la flore de putréfaction (Gram positif) normalement prépondérante dans le côlon gauche, qui joue un rôle dans la digestion des albumines avec libération d'ammoniaque et de bases aromatiques. Il ne faut pas non plus oublier le rôle des enzymes cellulolytiques et amylolytiques de la flore coliforme dans la digestion de la cellulose et des hydrocarbones.

2) Déséquilibre par invasion ascendante vers les segments digestifs normalement stériles : estomac, duodénum, jéjunum. Il est certain que la présence de germes dans des segments du tube digestif normalement stériles a une signification pathologique. L'acidité gastrique et surtout la mobilité duodéno-jéjunale sont les facteurs responsables du maintien de la stérilité de ces segments digestifs. Toute acholie gastrique et toute stase de grande activité digestive (stase duodéno-jéjunale) permettent l'invasion ascendante de la flore intestinale.

3) Migration des germes hors du côlon vers le sang et colonisation des voies urinaires par élimination rénale.

4) Libération excessive d'ammoniaque et de bases aromatiques au cours de la digestion des albumines par la flore de putréfaction Gram positive dans l'insuffisance hépatique sévère.

5) Dysmicrobisme intestinal postantibiotique :
— Développement excessif, faute de concurrence vitale.
— Exaltation de la virulence des germes normalement rares ou absents.
— Simultanément, raréfaction ou disparition de la flore coliforme normale (qui inhibe la flore pathogène grâce à un mécanisme de compétition) après administration prolongée d'antibiotiques à large spectre et ayant une élimination fécale importante (tétracycline, chloramphénicol, peut-être aussi ampicilline).

Les antibiotiques modifient d'autant plus la flore intestinale que leur élimination fécale est importante, la durée du traitement plus longue, les doses fortes, le spectre antibactérien large, les antibiotiques sont responsables :
— d'un appauvrissement qualitatif et quantitatif de la flore intestinale normale (réalisant une véritable insuffisance digestive du côlon) ;
— de l'apparition et de l'augmentation de souches pathogènes, endogènes ou exogènes.

Une flore nouvelle est constituée, avec sélection d'un certain nombre de bactéries résistantes aux antibiotiques :
— dans un premier temps, destruction des espèces sensibles à l'antibiotique et productrices de vitamine B, qui entraîne :
— dans un deuxième temps, la disparition des espèces qui, grosses consommatrices de vitamines B, et bien qu'autobiorésistantes, ne peuvent résister à la carence en vitamines B, métabolites indispensables à leur multiplication.

La disparition des germes producteurs de vitamines entraîne la mort des germes consommateurs de ces vitamines ; ces antibiotiques sélectionnent ainsi les espèces résistantes à la fois aux antibiotiques et à la carence en vitamines B. La diminution de la quantité de vitamines synthétisées dans le tube digestif exerce donc une influence profonde sur le développement de la flore intestinale. L'altération de la flore intestinale, après les antibiotiques, est surtout rebelle lorsqu'il y a tare digestive antérieure ou atteinte organique de la paroi intestinale.

6) Le stress psychique :

Des expériences sur les animaux, rapportées par le Pr Dubos, de l'Institut Rockefeller de New York, ont démontré qu'un simple climat d'agitation psychologique entretenu parmi des animaux de laboratoire suffit à modifier leur flore intestinale de façon durable. Ce stress, pour utiliser le mot consacré par le célèbre Hans Selye, détruit certains germes intestinaux (les lacto-bacilles) et ouvre ainsi la voie à l'infection par des germes nuisibles.

Au niveau des intestins, le stress, s'il n'entraîne pas la mort immédiate des jeunes animaux, freine en tout cas leur croissance. En effet, les germes nuisibles, dont il favorise la prolifération (streptocoques, staphylocoques, clostridies, pseudomanas, *proteus* et *escherichia coli,* monstrueux parasites), utilisent à leur compte et au détriment de l'animal les acides aminés, les vitamines et les facteurs de croissance que celui-ci ingurgite.

7) Synthèse des causes selon la conception hygiéniste :

L'étude des phénomènes de la digestion et de la nutrition nous a montré que les principaux déséquilibres intestinaux d'origine alimentaire sont imputables :

a) aux médicaments destructeurs de la microflore (antibiotiques et autres substances) ;

b) au stress psychologique ;

c) aux erreurs alimentaires.

La mastication et l'insalivation insuffisantes, la suralimentation, l'excès d'aliments protidiques, sucrés, amylacés, gras, cellulosiques, alcalins ou acides, les combinaisons alimentaires défectueuses, les poisons chimiques contenus dans les aliments industrialisés, l'altération de la qualité des légumes et des fruits par des méthodes de culture non biologiques, voilà les causes alimentaires principales de la dégradation du milieu gastro-intestinal.

Les conséquences de ces erreurs sont multiples au niveau des divers constituants de la microflore intestinale ; par exemple, l'excès de flore de putréfaction (avec libération d'ammoniaque et de bases aromatiques).

Produits biologiques utilisés en médecine courante

Ceux-ci ont comme premier intérêt d'apporter des protides, des acides aminés et des enzymes divers :

— Les levures, qui synthétisent les produits vitaminiques du groupe B, sont génétiquement résistantes vis-à-vis des ferments digestifs et des antibiotiques.

— Les agents microbiens : une part importante appartient aux lactobacilles produisant à partir des hydrates de carbone de grandes quantités d'acide lactique dont le rôle antiseptique est bien connu vis-à-vis des shigellae et des staphylocoques.

Ce sont des agents minoritaires mais constants de la flore intestinale de l'adulte (à l'exception de *L. bulgaricus*) ; on les rencontre dans les yoghourts, le kéfir, les laits fermentés ; les variétés en sont nombreuses ; les lactobacilles sont rendus antibiorésistants ; ils posent certains problèmes techniques de conservation, car ils ont souvent une conservation difficile et toujours une vitalité rapidement décroissante (ils sont très sensibles aux carences du milieu, au *p*H, aux enzymes digestifs) ; en outre, ils sont dépourvus d'enzymes lytiques pour la cellulose, c'est-à-dire qu'ils ne digèrent pas la cellulose. Leur développement est favorisé par la présence du lysozyme.

Bifidobacterium bifidum est l'hôte prédominant de la flore intestinale du nourrisson et du lait maternel (il coagule le lait). Il a le pouvoir de produire de l'acide lactique à partir des sucres et il est naturellement antibiorésistant.

Le *Bacillum subtilis* acidifie le milieu fécal, complète la digestion par une action amylolytique et cellulolytique, et peut s'attaquer directement à des germes pathogènes grâce à des enzymes bactériolytiques.

Conditions d'efficacité des micro-organismes introduits dans l'intestin

Pour être utiles, les micro-organismes doivent répondre à certaines conditions :

— être vivants lors de leur absorption ; la lyophilisation tue les germes dans des proportions de 50 à 90 % ;

— parvenir vivants dans le côlon, c'est-à-dire résister, dans le cadre gastro-duodéno-jéjunal, aux enzymes digestifs, à l'acidité gastrique, à la bile, à l'alcalinité intestinale, les bactéries (formes végétatives) franchissent difficilement vivantes l'ensemble gastro-duodéno-jéjunal, alors que la

forme sporulée *(B. subtilis)* et certaines levures parviennent dans l'iléo-côlon sans dommages notables ;
— s'adapter au milieu intestinal, s'implanter dans le côlon et s'y fixer.

Traitement du dysmicrobisme intestinal

Les moyens préconisés par la médecine orthodoxe, pour prévenir et corriger ce microbisme, sont multiples :
— le régime sans déchets, pauvre en cellulose, le petit-lait (apport de lactose, d'acide orotique), l'administration de protéines du lait (yoghourt) pour maintenir une acidité intestinale convenable et accélérer la reconstitution d'une flore anaérobie ;
— les produits biologiques (germes vivants) ;
— les vitamines du groupe B.
La thérapeutique par les préparations bactériennes a connu un regain d'actualité depuis l'avènement des antibiotiques, par l'introduction de techniques plus récentes :
— la lyophilisation ;
— l'utilisation de souches à résistance naturelle ou acquise aux antibiotiques administrés.
Les vitamines du groupe B sont souvent associées aux traitements antibiotiques :
— afin de corriger l'asthénie et les effets catabolisants des antibiotiques ;
— afin de s'opposer à la destruction des germes intestinaux gros consommateurs du complexe B ;
— afin de reconstituer la flore anaérobie ;
— afin de corriger les manifestations muqueuses, considérées généralement comme des manifestations d'hypovitaminose. On sait en effet qu'il existe pour les vitamines, comme pour les hormones, un véritable équilibre harmonieux (interdépendance vitaminique) ; l'excès d'une vitamine pouvant provoquer la carence d'une autre vitamine, malgré un apport alimentaire normal et, inversement, un déficit vitaminique pouvant empêcher une autre carence vitaminique de se manifester.

Indications médicales orthodoxes

Les produits biologiques sont indiqués dans tous les cas susceptibles d'engendrer et d'entretenir des dysbactéries intestinales :
— acholie gastrique ;
— colite de fermentation et de putréfaction ;

— dysmicrobisme postantibiotique ;
— syndrome entéro-rénal ;
— état d'hyperammoniémie au cours de l'insuffisance hépatique.

Les vitamines du groupe B à dose relativement élevée leur seront associées, lors de traitements massifs ou prolongés. Cette association sera de règle chez les sujets ayant déjà présenté une quelconque intolérance aux antibiotiques, chez les fatigués, les dénutris, les asthéniques.

En pratique, diététique, apport protéique, produits biologiques, apport vitaminique B, doivent être maintenus pendant plusieurs jours et parfois plusieurs semaines, même après l'arrêt de l'antibiothérapie.

Rétablissement par les soins d'hygiène vitale

Une nutrition et une hygiène de vie correctes sont les facteurs les plus simples et les plus sûrs de la restauration et de la sauvegarde de l'équilibre microbien intestinal. Nous sommes donc amenés à préconiser :
a) la cessation des pratiques médicales déséquilibrantes, en particulier des médicaments nocifs pour la microflore ;
b) l'adoption de mesures alimentaires sensées : jeûne court ou prolongé, puis alimentation de désintoxication, suivie d'une reprise progressive de l'alimentation normale, c'est-à-dire naturelle ;
c) la mastication soigneuse et l'insalivation prolongée ;
d) la recherche d'un équilibre des rythmes psycho-organiques (travail-repos) ;
e) l'élimination des causes de tension psychique excessive ;
f) des mesures de tonification organique sans excitation débilitante : ensoleillement prudent, exercice physique progressif, etc.
Progressivement, la digestion deviendra plus aisée ; des aliments cellulosiques pourront être pris en quantité croissante.

Thomson applique dans sa clinique d'Edimbourg une méthode très simple de régénération de la flore intestinale :
1°) Repos et calme émotionnel.
2°) Ration alimentaire très légère :
— au début : 3 fois par jour ; une feuille de laitue et 10 ou 20 grammes de lait caillé ;
— après une période de 8 à 10 jours (parfois plus, parfois moins, chez certains individus), reprise alimentaire avec une ration quotidienne ne dépassant pas 500 à 600 grammes (boissons comprises) et conforme à la règle des 60/20/20.

Précisons encore que Thomson préconise, pour la remise en ordre de la flore intestinale :
— des feuilles crues et non lavées (seulement frottées légèrement avec du lintage) de laitues cultivées biologiquement ;
— du lait caillé naturellement.
Thomson assure que les champignons de l'atmosphère ainsi « valorisés » constituent le meilleur des facteurs d'équilibre bactérien intestinal.
Ce programme est d'une grande simplicité, et il a l'avantage sur le traitement habituel d'être infiniment moins coûteux.

L'équilibre intestinal est une des clés essentielles de notre santé. Veillons-y d'une manière sensée. L'application des facteurs naturels représente notre meilleure sauvegarde.

67. La pomme

A la découverte de la pomme

Redécouvrons la pomme. Avant de nous la mettre sous la dent, nature ou en préparation culinaire, regardons ce fruit familier avec des yeux neufs.

Fruit défendu ? Non pas si elle provient d'un verger de culture biologique ou d'un jardin familial. La terre y est analysée, équilibrée, puis entretenue raisonnablement, biologiquement. Les arbres et les fruits n'y sont pas aspergés de produits toxiques. Les fruits récoltés sont sains et savoureux, un peu tachés parfois. Leur chair est ferme. Croqués à pleines dents, aucun des éléments nutritifs, précieux et situés sous la peau, n'est perdu. En même temps, les dents sont nettoyées et les gencives se fortifient. Les fruits issus de cette culture sont très différents de ceux du pommier sauvage dont les fruits à l'état de nature sont plus nombreux que gros, souvent véreux, acides et trop fermes. Ils diffèrent aussi des pommes « industrielles » à l'aspect trop parfait ; la chair de ces fruits gorgés d'eau est moins ferme, de valeur nutritive amoindrie. Vous connaissez les méthodes de culture de ces vergers à haut rendement et les dangers que présente la consommation de ces fruits. Le citadin dépourvu de fruits garantis sains y aura parfois recours mais avec modération. La pomme doit être lavée soigneusement puis essuyée ou mieux pelée.
Toute l'année on trouve des pommes. Le pommier se développe bien en climat océanique humide et doux dans les deux hémisphères. Les trans-

ports et le commerce en assurent la distribution. En province, il faut compter avec les productions locales qui peuvent être naturelles et de prix avantageux.

Il existe 10 000 variétés de pommes ! De quoi satisfaire tous les goûts. Les plus courantes sont :
— la Reinette (Belle de Boskoop, Reinette du Canada, Reinette du Mans, Reinette grise). Sa chair jaunâtre, mi-ferme, est juteuse et parfumée ;
— la Golden delicious : entièrement jaune à maturité ;
— la Calville : rouge ou blanche (peau jaune clair striée de rouge) ;
— la « Cox » : Winston, Cox orange ;
— la Stark : Red delicious (entièrement rouge, peau épaisse, cireuse, résistante ; chair jaune, croquante, parfumée).

Fruit des quatre saisons, la pomme, en France, est avant tout reine de l'hiver. Sur toutes les tables : au petit déjeuner du matin, à midi, à l'heure du goûter, le soir... au coucher. Elle est tour à tour : fruit rafraîchissant, entrée, légume, collation, dessert. Les desserts confectionnés à base de pommes varient à l'infini, du plus simple au plus somptueux.
Le fruit sain et mûr est choisi en fonction de l'utilisation prévue : compote, corbeille de fruits, pommes au four, etc. Achetons des fruits de bonne taille, meilleurs biologiquement et plus avantageux.
Le magasin de diététique offre des « compotes de pommes », conserves faites de pommes de culture biologique, sucre de canne non raffiné. On y trouve aussi des blocs de pâte de pomme, confiserie saine.
Dans le commerce courant également : des tranches de pommes épluchées, séchées, déshydratées. S'assurer que ces fruits secs ne sont pas passés par la « boîte à soufre », ce qui est fréquent, sinon systématique.
Le prix des pommes varie selon les espèces, la provenance, le calibre, la saison. Il reste généralement abordable.
La pomme est très riche en sels minéraux. Elle contient aussi à des dosages divers, des vitamines A, B1, B2, C, PP, ainsi que du potassium, fer, sodium, magnésium et bien d'autres composants encore. Elle est recommandée pour la santé des os, des dents, dans le rachitisme, l'arthrite et le rhumatisme. La pomme râpée est également précieuse dans certains troubles gastro-intestinaux.
Plusieurs dictons promettent santé et longévité à qui croque une pomme chaque jour !
Remarque importante : la pomme étant un fruit acide ou mi-acide, suivant les variétés, il ne faudra en consommer que dans les limites de la tolérance individuelle (1).

_____

1. Voir dans la dernière partie, les recettes n° 117 à 121 à base de pommes.

La pomme en médecine naturelle

La pomme a été retenue empiriquement par les campagnards de nombreux pays comme salutaire dans bien des troubles, et elle est conseillée par des adages issus de la sagesse populaire : *« Là où entre la pomme, le diable ne peut pas entrer ». « Une pomme par jour et faire la nique au médecin »*, etc.

Bien que toutes les variétés de pommes possèdent des propriétés thérapeutiques communes, il semble que, comme remède naturel, certaines de ces variétés soient préférables. On s'attachera en tout cas, à faire appel à des fruits d'origine biologique.

Il est évident que la pomme ne convient pas pour toutes les maladies. Elle est un **véritable spécifique du traitement des perturbations digestives de l'enfance, tout spécialement pour combattre la diarrhée infantile, si fréquente lorsqu'on commet des erreurs d'alimentation et d'hygiène de vie.**

On administre la pomme sous la forme râpée qui en réduit la consistance à une substance semi-liquide, permettant une déglutition facile. La dose est d'environ **150 g toutes les 4 heures,** ce qui laisse le temps à la pomme de produire son effet. Il convient que, pendant le traitement de la diarrhée infantile, on ne donne à l'enfant **aucun autre aliment à l'exception — éventuellement — du lait maternel** s'il est encore au sein, mais en alternant de façon que ne se mélangent pas dans l'intestin le lait maternel et la purée de pomme râpée.

On cite le cas d'un bébé de trois mois qui, sans aucun trouble d'infection intérieure, commença à avoir de la température avec des selles diarrhéiques allant jusqu'à provoquer des convulsions. Heureusement, les parents eurent la chance que le médecin qu'ils appelèrent pour combattre la maladie connaissait le traitement par les pommes et le prescrivit immédiatement. Au bout de 4 heures après l'administration de la première dose, la fièvre qui était montée à 40° commença à baisser et, le jour suivant, la température redevint normale, les selles étaient moins diarrhéiques, avec tendance graduelle à redevenir compactes jusqu'à être tout à fait normales.

Les principales thérapeutiques par la pomme ont une base scientifique et il ne s'agit pas de mesures empiriques, employées uniquement par tradition, sans savoir pourquoi ni comment elles guérissent la diarrhée infantile et les autres troubles digestifs.

L'expérience clinique a signalé en premier lieu l'action de l'acide tanique, dont le tanin se présente sous une forme entièrement naturelle ; c'est pourquoi les remèdes de laboratoire ou pharmaceutiques contenant du tanin sont également efficaces contre la diarrhée infantile.

La purée préparée par la machine à râper la pomme doit être **crue,** parce que **la pulpe de la pomme cuite** (au four ou soumise à l'action directe) **perd ses propriétés thérapeutiques** et n'a aucune efficacité dans le traitement.

L'action de cette purée (mousse) de pomme râpée crue consiste dans le fait que son tanin s'étend comme une pellicule sur la muqueuse intestinale, sans contact avec aucun autre aliment et en évitant par-là même que se poursuive l'inflammation due précisément aux aliments. Par ailleurs, l'action du tanin crée un état semblable à celui qui résulte d'un jeûne complet.

La pomme crue râpée a la vertu thérapeutique de modérer la sécrétion des sucs digestifs en refrénant leur activité excessive et en calmant en même temps les mouvements péristaltiques de l'intestin. Cet ensemble contribue à la prompte guérison de la diarrhée.

Cette guérison sera favorisée aussi par l'action de la cellulose, très abondante dans la pulpe de pomme ; la cellulose agit dans le sens de rendre plus compactes les selles, elle se mélange à la pectine, substance antiseptique qui neutralise ou empêche l'action des germes pathogènes. Le bol intestinal est mis en condition de devenir un terrain inadéquat au développement de la virulence de ces germes.

L'administration de la pomme sous forme râpée ou en purée convient particulièrement à l'enfant encore au sein, qui ne dispose pas de la première dentition et, de ce fait, ne peut pas mastiquer. La pomme produit cependant les mêmes effets thérapeutiques si elle est mangée crue, non râpée, mais alors mâchée très soigneusement.

Lorsque certaines personnes disent que les pommes ne leur conviennent pas, cela provient du fait qu'elles ne les ont pas mastiquées suffisamment, pour former une masse fluide, semblable à une purée bien claire (1).

UN CONSEIL : ne pas laisser à l'air libre la mousse de pomme râpée parce qu'elle s'oxyde très vite.

68. Menus-types d'une journée

En cas de fermentations colitiques

— **Au lever :** eau non gazeuse et non glacée, bue très lentement.

— **Petit déjeuner :** galettes de riz, très légèrement beurrées, mastiquées convenablement. 30 g de fromage à pâte ferme. Infusion chaude sans sucre.

---

1. Dr Sagrera Ferrandiz, d'après *« Salud y Vida ».*

— **Repas de midi :** jus de carotte crue, en début de repas. Laitue cuite à grande eau, avec beurre cru et un peu de jus de persil cru. 100 g de viande maigre grillée et 4 cuillerées à soupe de riz blanc, cuit à l'eau, ou de pâtes non complètes (à bien mastiquer).

— **Repas du soir :** jus de betterave crue et un peu de jus de cerfeuil cru. Courgette cuite à l'eau (préparation épaissie avec tapioca). Un œuf cuit dur. Riz ou pâtes alimentaires.

Dans la diarrhée

L'idéal serait de ne rien prendre d'autre que de l'eau pure, ou encore de l'eau de riz blanc légèrement salée, sans sucre. Le jeûne est à conseiller, avec reprise alimentaire progressive.

Si le repos ne peut être observé :

— **Au lever :** eau de cuisson du riz.

— **Petit déjeuner :** une ou deux galettes de riz avec un peu de gelée de coings. Ou encore une ou deux pommes très finement râpées, pelées.

— **Repas de midi :** carottes râpées finement et un peu d'huile d'orge, riz blanc nature et poisson poché. Dessert : une galette de riz et gelée de fruits (coings ou myrtilles).

— **Après-midi :** eau de riz.

— **Repas du soir :** bouillon de légumes épaissi avec du gel de céréales. Carottes râpées finement et un œuf cuit dur. Dessert : tapioca légèrement sucré et aromatisé avec un peu de gelée de fruits.

Pour la constipation

— **Au lever :** un jus de fruits frais (pommes, raisins, oranges ou fruits de saison : cerises, fraises, etc.) bu bien frais.

— **Petit déjeuner :** une cuillerée à soupe de pollen (croquer pur ou délayer dans de l'eau). Pruneaux trempés et lait écrémé. Ou quelques pruneaux trempés et une ou deux pommes cuites plus un yaourt.

— **Repas de midi :** crudités, huile d'olive et citron. Légumes verts cuits et beurre cru. 100 g de viande grillée ou de poisson avec une céréale complète (riz, orge, blé, millet) ; ou 60 g de gruyère râpé sur des pâtes et une biscotte complète, ou un œuf cuit mollet et du riz complet. Dessert : une pomme cuite ou un flan aux algues. (Si un légume cuit est pris, donner la préférence aux épinards cuits dans deux ou trois eaux afin de leur faire perdre leur excès de nitrates).

— **Dans l'après-midi :** une boisson chaude, sucrée avec un peu de miel.

— **Repas du soir :** crudités et huile d'olives. Légumes verts cuits ou courgettes. Un œuf cuit mollet (ou 40 g de fromage) et une tranche de pain complet. Comme dessert : compote de pruneaux ou de figues, ou panade aux pruneaux.

— **Au coucher :** carré de pâtes de fruits aux algues (agar-agar, figues et pruneaux).

Pour le régime de la lithiase biliaire

— **Au lever :** jus de fruits frais *ou* une cuillerée à soupe d'huile d'olive, *ou* jus de radis.

— **Petit déjeuner :** pomme, cerises, prunes, mirabelles ou abricots et un yaourt maigre. Ou encore : pain semi-complet au levain, fromage blanc frais, maigre, boisson chaude prise ensuite.

— **Midi :** laitue et carotte râpée, huile d'olive en quantité modérée, jus de citron. Courgette cuite et un soupçon de beurre frais. 80 g de viande maigre avec un peu de pâtes alimentaires ou de riz. Dessert : un fruit frais ou cuit.

— **Après-midi :** infusion légère si besoin.

— **Repas du soir :** crudités ou soupe légère. Fenouil cuit à la vapeur. Compote de pommes.

Eviter l'excès de graisses. Si possible, éviter les graisses animales, surtout cuites. Se méfier du soja dans ce cas, de même que du chocolat, du café, de l'alcool.

Pour le rhumatisant et l'arthritique

L'alimentation doit être extrêmement légère, et il faut réduire au maximum la viande, les œufs et les fromages, de même que les légumineuses (haricots, pois, fèves, lentilles, etc.)

En période de crise aiguë, il est préférable de jeûner totalement ou de ne prendre que quelques fruits frais et des jus de légumes, ou encore de la salade et des crudités. Si la fièvre survient, elle est généralement salutaire et il faut se garder de la juguler.

Pour le tempérament arthritique, voici un menu type :

— **Le matin au lever :** jus de légumes lacto-fermentés ou un fruit de saison bien mûr.

— **Petit déjeuner :** une ou deux pommes, ou encore un fruit de saison. Par temps froid : bananes, figues sèches trempées, quelques dattes, etc. Un peu de lait caillé ou de fromage blanc.

— **Midi** : crudités et légumes verts cuits à l'eau ou à la vapeur et non à l'étouffée (de manière à éviter une minéralisation excessive). Un peu de riz ou de pâtes alimentaires avec très peu de fromage ou éventuellement un jaune d'œuf.

— **Le soir** : soupe fraîche, légumes crus et cuits. Une infusion (reine des prés, par exemple).

Rarement, faire des repas plus copieux. Après un repas d'exception, il est indispensable de jeûner, la diathèse arthritique ne tolérant pas l'alimentation riche et concentrée répétée.

Sont également favorables : la levure alimentaire sèche, l'huile d'orge ou de germe de blé, les préparations à base de chlorophylle naturelle.

69. L'alimentation et la santé des dents

Les populations civilisées souffrent d'une carie dentaire généralisée. Cette situation apparaît et se développe chez les peuples « primitifs » qui accèdent à notre forme de civilisation. *« Il y a une maladie qu'on a tendance à oublier : c'est ce que j'appelle la maladie de l'ouvre-boîte. L'alimentation traditionnelle avait ses défauts, ses insuffisances, mais au moins elle fournissait des aliments frais. Maintenant, dans tous les petits centres, dès que s'ouvre la première boutique, on se met à la conserve. Alors apparaissent les carences vitaminiques et les caries dentaires. »* (Déclaration du médecin-colonel Joany, dans *« Santé du monde »*).

95 % de nos contemporains, en Occident, souffrent de caries dentaires très prononcées. C'est dès l'enfance que des anomalies apparaissent au niveau des maxillaires et vont de pair avec une altération de la qualité de la structure dentaire, d'où résulte une fragilité des dents et une carie précoce.

Pour que la dent soit solide et résistante, il faut que l'alimentation lui apporte la quantité nécessaire de sels de calcium de bonne qualité et que les processus nerveux et humoraux dirigent ces sels et les fixent sur la dent, en association avec d'autres minéraux : phosphore, magnésium, etc.

Les principales sources de calcium sont le lait, le jaune d'œuf, les légumes, les céréales.
Les trois grands fixateurs du calcium sont les hormones, les vitamines et la lumière.

L'équilibre nutritionnel et l'intervention des facteurs naturels de santé assurent une bonne harmonie neuro-hormonale.

Les vitamines sont apportées par l'alimentation correcte et équilibrée.

Le rôle de la lumière sur la fixation du calcium et la minéralisation des os et des dents est indéniable. Le soleil est un grand bâtisseur des dents et des os. C'est lui qui règle le métabolisme du calcium et du phosphore. **La calcification des dents,** a pu écrire le Dr Beltrami, **est un phénomène héliophile.**

A l'origine, l'espèce humaine ignorait la carie. L'homme en parfaite santé ne connaît pas les maladies dentaires, la pyorrhée alvéolaire ni les parodontoses.

A l'état primitif, les humains, comme les animaux, utilisent leurs dents au point de vue masticateur, pour des aliments durs, résistants, exigeant un effort musculaire d'où résulte une abondante salivation. Le caractère manifeste de l'alimentation des animaux terrestres et des primitifs humains est d'être sèche et grossière.

La salive est sécrétée par des glandes qui émettent chacune une forme particulière de sécrétion. La salive de mastication est émise par les parotides ; elle contient la ptyaline, qui solubilise les amidons cuits.

Une salive de gustation est fournie par la glande sous-maxillaire. Cette sécrétion est visqueuse grâce à sa mucine.

La glande sublinguale, située sous la langue, sécrète une salive riche en mucine, nettement plus épaisse que les précédentes ; c'est la salive de la déglutition.

La salive parotidienne est, par sa quantité et sa qualité, l'élément primordial. Elle assure, par sa sécrétion en masse, selon l'intensité de l'effort masticateur, une chasse mécanique qui défend la stagnation des résidus alimentaires.

La première étape de la décadence a été marquée par l'utilisation de l'eau chaude dans l'alimentation. Le feu a été utilisé pour se chauffer et s'éclairer, mais aussi pour rôtir les viandes, faire éclater les akènes puis pour faire prédigérer les amidons des graines. C'est ainsi que les hommes ont obtenu des bouillies qui ont réduit l'effort masticateur, réduisant la vigueur des muscles de la base de la tête.

D'autre part, les céréales et bien d'autres produits ont progressivement été blanchis, c'est-à-dire privés d'une part appréciable de leur valeur nutritive fondamentale. Le pain naturel a été remplacé par un pain blanc déminéralisant ; le riz a été privé de son enveloppe ; bien d'autres aliments ont subi un raffinage appauvrissant.

L'art culinaire se développa progressivement : la cuisine devint de plus en plus destructive, elle aussi, des équilibres biologiques et des principes vitaux des aliments. Le sucre, dont la consommation s'est accrue d'une manière inconsidérée, a compliqué le problème avec les bonbons, les pâtisseries hyper-sucrées, les aliments sophistiqués, etc.

Les conserves ont entraîné, de leur côté, des conséquences dramatiques. Le Dr Beltrami a pu écrire : « *Nous mangeons mou, nous mangeons mort, nous mangeons mal.* »

Des aliments mous se nichent entre les dents. Sous l'influence de l'eau chaude, les amidons passent à l'état d'empois pâteux, ils collent aux surfaces et ainsi pénètrent et se fixent dans tous les interstices et les fissures. Des microbes se développent, fournissant l'acide lactique, qui dissoudra les sels minéraux des tissus durs de la dent.

La salive bienfaisante est remplacée par une salive nocive. Cette salive parotidienne, dont la sécrétion ne se trouve plus sollicitée par l'effort masticateur, diminue considérablement de volume et cesse d'alcaliniser le milieu buccal, qui tend vers l'acidification. Les hydrates de carbone ne subissent plus cette transformation totale que l'inondation parotidienne leur imposait.

Sous l'influence des mets cuisinés fortement relevés d'épices, se forme une salivation qualifiée par les physiologistes de salive de gustation qui, par sa mucine, vient encore ajouter au caractère pâteux et collant des amidons originels. Des praticiens observent que des caries prédominent chez ceux qui ont une salive épaisse à quantité diminuée.

Les produits raffinés, dégradés, imprégnés de substances toxiques, sont les ennemis des dents. Il faut les bannir autant que possible de l'alimentation. Il est bien entendu difficile de les éliminer totalement mais il faut alors les accompagner, ou plutôt les faire précéder d'**aliments crus, frais, richement vitalisés : salades, crudités, fruits frais et secs, etc.**

Pour avoir de bonnes dents, pour les conserver, il faut tout d'abord **hériter de ses parents une bonne denture.** C'est pourquoi le père et la mère doivent l'un et l'autre s'y préparer sérieusement en adoptant une vie saine et régulière, en s'abstenant de toute intoxication : alcool, tabac, drogues, toxiques. La nourriture doit être prise en quantité modérée et équilibrée. Les bains d'air et de lumière, avec prudence et progressivité, sont indispensables à la fixation du calcium.

Lorsque l'enfant est né, il est préférable de l'élever au sein maternel pour de multiples raisons. Il ne faut pas contrarier l'instinct qui pousse l'enfant comme tout jeune animal, à mordiller tout ce qu'il peut atteindre.

Ne pas donner trop tôt des aliments sucrés et farineux, amylacés.

Devenu grand et sa vie durant, l'être humain doit faire travailler ses dents pour un usage normal et régulier. Les caractères physiques de l'alimentation doivent être bien étudiés : suppression de liquides substantiels au cours du repas ; considérer celui-ci comme une période de repos, de détente, un acte sérieux, exempt de notre agitation quotidienne. Il faut revenir aux coutumes anciennes de manger posément, tranquillement, agréablement, selon la méthode américaine du fletchérisme, c'est-à-dire en mastiquant au moins 30 fois chaque bouchée.

Reprenons la formule du Dr Beltrami : « *Manger sec, manger dur, manger vivant, manger sérieusement.* »

Il faut savoir aussi que, lorsque l'individu est encore assez jeune, une alimentation bien conçue, peut, dans bien des cas, éviter des drames dentaires. Une dentine secondaire peut se former et obturer des cavités déjà importantes, d'où résulte une reconstitution partielle de la dent, qui bénéficie ainsi d'une véritable forme de régénération spontanée.

70. L'alimentation et la santé des yeux

L'œil n'est pas un organe isolé. Il vit en étroite symbiose avec l'ensemble de l'organisme. Il est influencé, favorablement ou fâcheusement, par la qualité de l'air que nous respirons, de l'eau que nous buvons, du milieu dans lequel nous sommes, de nos pensées, de notre activité physique ou mentale, mais aussi, et dans une très large mesure, de notre nourriture.

Un sang pur, transportant de l'oxygène en abondance et des matériaux nutritifs de qualité, apporte aux structures de l'œil les nutriments qui lui sont nécessaires pour sa vie, son fonctionnement, sa santé.

L'œil en bonne santé élimine également les déchets de son propre métabolisme. Lorsque ces déchets ne sont pas éliminés, les structures oculaires vieillissent, se sclérosent, et des troubles de différentes natures apparaissent : mauvaise qualité de la vision, maladies de l'œil, etc.

Les atmosphères polluées sont particulièrement défavorables aux yeux, directement ou indirectement. Nous visons ici notamment la fumée de tabac et les différents toxiques industriels (fumées des usines, des fours, etc), sans oublier par exemple, les émanations ou aérosols provenant des « bombes » qui actuellement sont si répandues chez les particuliers. En effet, ces bombes contiennent des gaz qui peuvent être très nocifs à la santé générale et à la santé des yeux en particulier.

Les lumières violentes, dures, instables (celles des tubes fluorescents, par exemple), les rayons ultraviolets, les rayons émis par la télévision surmènent les yeux et gaspillent le précieux pourpre rétinien, comme l'a bien montré le Pr Lautié.

Nous n'envisagerons pas ici les problèmes de circulation sanguine, si importants dans le domaine qui nous intéresse. Nous nous limiterons à des conseils relatifs à l'alimentation recommandable pour la protection et éventuellement, l'amélioration de l'acuité visuelle et de la santé des yeux.

En premier lieu, l'aliment d'origine orthobiologique est préférable à celui qui a été obtenu ou transformé à l'aide de substances chimiques. La structure de l'aliment est plus vitalisante et cette nourriture n'est pas intoxiquante.

Chaque jour, il faut une large ration de crudités. Les aliments crus sont très favorables au sang et à la santé des cellules. Ils sont particulièrement vitalisants. Le Dr Nolfi a nettement démontré que, dans les cas graves d'altérations de la santé, une alimentation composée de légumes et de fruits crus permet de venir à bout de bien des situations considérées comme graves ou désespérées.

La ration alimentaire doit être réduite. Les yeux sont rapidement fatigués par la suralimentation. Plus la règle de modération est observée, plus il y a de chances de sauvegarder la qualité des yeux et de la vision.

Sont particulièrement nocifs : les graisses cuites, les viandes prises en excès, mais aussi les céréales en rations exagérées.

Autant nous déconseillons l'excès de viande, autant nous sommes opposés à un régime purement céréalien dans les troubles oculaires. Nous mettons en garde à l'encontre de certains régimes composés de céréales salées, dont l'effet néfaste sur la qualité de la vision est indéniable.

Il faut aussi éviter l'excès d'épices ainsi que l'alcool, et nous l'avons vu, le tabac.

Bien des cas d'altérations nerveuse et cellulaire suivent immédiatement un repas trop riche en céréales, en graisse cuite, en boissons alcoolisées et en tabac, même s'il s'agit d'une atmosphère polluée par un autre fumeur. (Nous nous rendons compte de l'aberration qui consiste, pour un chauffeur d'automobile, à fumer ou à laisser fumer dans sa voiture.) L'alimentation doit être la plus variée possible afin que soient apportées en synthèse les différents éléments nécessaires à la santé et à la vigueur des cellules.

Afin que le sang ne soit pas excessivement chargé en matériaux nutritifs à certains moments et insuffisamment à d'autres, il est préférable que la ration alimentaire soit répartie en deux ou trois repas au cours de la journée, ces repas étant équilibrés en protides, glucides, sels minéraux et vitamines.

Le pourpre rétinien se renouvelle sans cesse et a besoin de diverses vitamines, de sucres et d'acides aminés essentiels. Il se renouvelle au fur et à mesure de sa destruction mais seulement si la nourriture lui procure suffisamment de protides, de calcium, de vitamines, de magnésium. D'où la nécessité d'une ration abondante de crudités : salades, choux, carottes, navets, abricots, etc.

Les vitamines les plus nécessaires à l'œil sont les suivantes : A, B12, C, D, E et P.

Selon le Pr Lautié, la carence en vitamine A affaiblit la vue, surtout la nuit, et cause une forme d'héméralopie. Elle est à l'origine de certaines **conjonctivites** et de la **sécheresse de la cornée** (xérophtalmie). Les fruits mûrs sont très riches en vitamines dont la vue a le plus grand besoin. Parmi eux, le cynorrhodon vient en tête, suivi par le cassis et la myrtille. Sont aussi à citer la fraise, le raisin, le citron, l'orange, la mandarine, la cerise, la pêche, l'abricot, la figue, l'ananas, la mûre.

Les associations vitaminées végétales riches en provitamines A sont très efficaces contre l'**amblyopie due au tabac.**

La vitamine B12 du sésame, de la levure alimentaire, etc. renforce les effets de la vitamine A, surtout contre le **daltonisme** provoqué par le tabac.

La vitamine C permet au cristallin de mieux s'oxygéner. Elle rend plus perméable les capillaires sanguins qui nourrissent l'œil. Elle est indispensable pour éviter la cataracte et pour combattre le glaucome. L'opacité du cristallin est freinée par la consommation surtout de cynorrhodon, de citron, de fraises, de cresson et de chou. La vitamine C est mieux utilisée en présence de vitamine P qu'apportent l'amande, la pomme, la poire, la tomate, le blé, l'oignon doux, le haricot vert, la levure, etc.

La vitamine D doit être associée à la C et à la A contre la **cataracte.** L'épiderme a donc besoin d'être exposé à l'air ensoleillé, le plus souvent possible mais sans abus.

La vitamine E assure, comme la C, une meilleure oxygénation de l'œil. Elle améliore l'acuité visuelle et évite la fragilité capillaire. On la retrouve dans les fruits gras, dans les huiles végétales de haute qualité biologique.

Des inflammations gênent parfois la vue. On les retrouve fréquemment au niveau des paupières, des glandes lacrymales, sinus, etc. Elles sont dues, fréquemment, à l'abus des aliments farineux, sucrés et gras cuits. Il faut dans ce cas supprimer pendant un certain temps les aliments que nous venons de nommer et se contenter de jeûner pendant quelques jours puis de prendre une alimentation purement crue et légère.

Dans tous les cas, pour la santé de l'œil, il est bien préférable d'éviter les médicaments, qui sont des toxiques, et de recourir aux méthodes naturelles de restriction alimentaire et de choix biologique des nourritures.

Enfin, on n'oubliera pas l'importance de l'eau de bonne qualité, c'est-à-dire de l'eau potable, minéralisée correctement et en-bonne proportion. Une alimentation insuffisante en eau risque d'avoir des conséquences fâcheuses sur la tonicité des structures oculaires et sur la nutrition des différents tissus et fluides de l'œil. Il est bon de prendre un grand verre d'eau au moins trois fois par jour : le matin au lever ainsi qu'une demi-heure avant les repas de midi et du soir. (1)

71. La base d'un régime anticancéreux

Cancer et méthodes naturelles

Un scientifique éminent, le Pr Raymond Lautié, docteur ès sciences, a particulièrement étudié l'intervention des méthodes naturelles dans les états précancéreux et cancéreux. Nous résumerons ici certaines de ses conclusions essentielles.

Dans les états précancéreux, les vitamines du groupe B, associées dans des complexes naturels, jouent un rôle de premier plan. Il faut donc en absorber suffisamment sous les formes les plus actives.

La cancérisation se caractérise entre autres choses par le **passage, plus ou moins progressif, de l'état cellulaire aérobie,** à forte consommation d'oxygène dissous ou d'oxygène extractible de composés oxydants, **à l'état cellulaire anaérobie** partiel ou total, ce qui signifie que la cellule ne parvient pas, par exemple, à brûler complètement le glucose en eau et gaz carbonique mais à le dégrader moins profondément sous forme d'acides, tels que l'acide lactique (travaux du Pr Warburg). Il s'agit là d'anomalies qui transforment des cellules normales, harmonisées et solidaires entre elles, en cellules aberrantes, parasitaires, en désaccord total avec les tissus environnants.

Pour que ce bouleversement se produise au détriment de l'organisme, pour que l'oxydation fondamentale ne soit pas poussée jusqu'au bout mais, au contraire, qu'elle stationne à un palier intermédiaire, il faut qu'inter-

---

1. D'après les travaux du Pr R. Lautié.

246 VOTRE SANTE PAR LA DIETETIQUE

viennent avec plus ou moins d'activité un ou plusieurs facteurs. On peut incriminer des carences comme celle du cuivre, du magnésium ou du manganèse, ou des avitaminoses.

Le Pr Lautié accorde une importance particulière au groupe vitaminique B. La vitamine B1 (thyamine) intervient dans le métabolisme des glucides, d'où la nécessité de sa présence dans la lutte anticancéreuse.

La vitamine B2 (riboflavine), résultant de l'union de protides, d'acide phosphorique et de flavine, est un transporteur d'oxygène dans les phénomènes de respiration cellulaire.

La vitamine B3 (niacine) est indispensable dans les équilibres oxydoréducteurs.

La vitamine B4 (adéhine) intéresse à la fois la radio-protection et le métabolisme des sucres, des corps gras et des protides.

La vitamine B5 (acide pantothénique) appartient au système enzymatique nécessaire à l'utilisation des glucides. Il permet à la vitamine B2 de mieux agir, surtout s'il est associé à la vitamine B9 (acide folique) et à la vitamine H1 (biotine).

La vitamine B6 (adermine) est importante dans le métabolisme des corps gras et des protides.

La vitamine B12 est un principe anti-anémique du foie et un facteur de croissance. Elle dynamise les précancéreux et les cancéreux.

La vitamine B15 est surtout utile dans les troubles hépatiques et cardiaques.

Il en résulte une **importance toute particulière des vitamines B** (particulièrement B2, B3 et B5) **dans le régime des précancéreux et des cancéreux.** Leur carence favorise le cancer et en accélère le développement, justement par freinage des oxydations cellulaires.

Le Pr Warburg estime qu'une cellule passe au métabolisme anaérobie, au moins partiel, dès que la ration oxygénée descend au-dessous de 70 %. Il pense que cet abaissement dangereux serait évité par un apport important des 3 vitamines précitées. Selon lui, lutter contre les avitaminoses B, c'est stimuler les enzymes nécessaires aux oxydations, freiner ou vaincre le cancer et en éviter les récidives après les ablations chirurgicales.

Sans aller aussi loin, le Pr Lautié pense qu'on peut dire, avec le Dr Fugiara, qu'un régime riche en vitamines B — vitamines naturelles bien entendu — joue un rôle préventif d'une grande efficacité. Où trouver ces indispensables catalyseurs sans lesquels aucun traitement ne sera décisif ? Certains auteurs prétendent que **les régimes végétariens, même les mieux équilibrés, ne peuvent les apporter tous à des taux efficaces.**

Le blé complet, le riz complet, le seigle cultivés biologiquement sont d'excellents fournisseurs de vitamines B. Ils ne sont pas les seuls. Citons aussi l'amande, l'arachide, la datte, l'échalotte, la figue, le millet, l'olive noire, le sésame, etc. On ne choisira pas un seul aliment mais plusieurs, de façon à apporter sûrement à l'organisme toutes les vitamines B dont celui-ci a besoin quotidiennement.

Les huiles vierges de première pression à froid, comme l'huile d'arachide ou d'olive, sont pourvoyeuses bénéfiques de vitamines B. **Toute huile raffinée, trafiquée, hydrogénée ou cuite — effet désastreux des fritures — non seulement a perdu des vitamines mais encore est souillée de poisons cancérigènes.**

On accuse le pain blanc de favoriser des cancers. Comme il est peu digeste, il contribue à toxémier l'organisme, par conséquent à l'affaiblir, à l'asphyxier et à le livrer à l'agression cancéreuse. Par-dessus tout il est dévitaminé et déminéralisé. En particulier, l'extraction du son l'appauvrit en vitamines B.

Le pain intégral, lorsqu'il est fabriqué correctement au levain, est d'une digestibilité parfaite grâce à l'éventail complet des enzymes que contient le son. Il **doit constituer la base nutritive du cancéreux.**

Le Pr Lautié a montré que le taux d'extraction passant de 98 % à 80 % fait perdre plus de 42 % d'acide pantothénique, plus de 55 % de riboflavine, plus de 70 % de niacine. Il s'agit donc d'un très grave appauvrissement vitaminique s'ajoutant à la réduction d'acide phosphorique, de calcium et de magnésium assimilable. Par conséquent, offrir de la farine blanche, c'est voler le client, c'est lui procurer un aliment dégradé qui non seulement le nourrit mal, mais encore le toxémie et même le cancérise.

Parmi les adjuvants de qualité qui complètent le régime de base, le Pr Lautié recommande la **levure alimentaire** de qualité, consommée à froid, saupoudrée sur les mets au moment de les consommer. On peut en admettre, dans la diète anticancéreuse, jusqu'à 5 cuillerées à soupe bien réparties sur les trois principaux repas.

En effet, la levure alimentaire est très riche en thiamine, en riboflavine, en vitamine PP, en acide pantothénique et en acides aminés fondamentaux. On peut dire qu'elle est 100 fois plus riche en vitamines B1 que le pain complet, 6 fois plus que le germe de blé, 20 à 30 fois plus riche en vitamine B2 que le blé, 10 fois plus riche en vitamine B3 (ou PP) que le blé, etc. Par conséquent, elle a un rôle de première importance à jouer dans la lutte contre le cancer.

Le Pr Lautié conseille d'autre part l'administration d'une solution de **chlorure de magnésium** desséché à 12,4 g par litre. Par exemple, le matin, une demi-heure avant le petit déjeuner aux fruits secs ou aux fruits frais, prendre un verre frais (de 16 à 18°) de la liqueur magnésienne précédente (environ 100 cm³) dans laquelle on a ajouté une cuillerée à soupe de levure alimentaire (bien agiter afin d'obtenir un mélange homogène d'aspect laiteux). Boire la préparation par petites gorgées. Ceux que le goût de levure indispose ajouteront un parfum de fruits de saison (quelques gouttes de jus de citron, d'orange, etc.)

Rappelons par ailleurs l'importance du **jus de betterave rouge** dans le régime du précancéreux et du cancéreux.

Expériences médicales avec les aliments vivants

Dans un petit ouvrage intitulé *Mes expériences avec les aliments vivants,* la doctoresse Christine Nolfi, médecin danois, a relaté son aventure à la fois tragique et heureuse. Pourquoi a-t-elle dû, à un moment de sa vie, adopter un régime exclusif de fruits et de légumes crus ? Ce fut la conséquence d'une maladie, **un cancer du sein.**

L'auteur avait, pendant douze ans, souffert constamment de malaises intestinaux et gastriques et même failli mourir d'une hémorragie due à un ulcère gastrique. Un premier pas fut fait lorsqu'elle abandonna la viande et le poisson. D'autre part, elle commença à manger des légumes crus, en en augmentant la quantité graduellement. Elle obtint ainsi une meilleure digestion et une santé qui lui permit, pendant plusieurs années encore, d'exercer son métier en hôpital. Mais elle n'était pas complètement rétablie.

Après une dizaine d'années de régime comportant en permanence de 50 à 60 % de fruits et légumes crus, elle souffrait d'une fatigue persistante sans cause bien définie. Un jour, une petite tumeur au sein droit apparut mais fut pendant un temps négligée. 5 semaines plus tard, elle s'était développée jusqu'à être grosse comme un œuf.

C'est alors que Christine Nolfi adopta un régime purement cru : environ 100 % de fruits et légumes. Elle se réfugia sous une tente, dans une petite île, et prit exclusivement des crudités et des bains de soleil. Elle nageait dans la mer quand le temps était chaud. Sa fatigue persista ensuite pendant deux mois et la tumeur ne diminua pas. Ensuite, elle alla mieux, elle persévéra pendant une année encore et se sentit assez bien rétablie. Elle reprit alors un régime comportant de 50 à 70 % de légumes crus mais ce fut un insuccès : après 3 ou 4 mois, la tumeur reparut progressivement. Elle reprit alors le régime 100 % cru. Les douleurs disparurent rapidement, la fatigue s'estompa.

C'est alors qu'elle se mit à étudier les effets du régime purement cru sur ses patients cancéreux qui souhaitaient s'y soumettre. Pendant une trentaine d'années, elle a traité tous ses patients au moyen de méthodes naturelles : par les aliments vivants et en faisant appel aux facteurs naturels de santé, grand air, soleil, exercices physiques et respiration, climat physique et émotionnel positif. Elle avait d'ailleurs fondé une maison de santé qui a disparu avec sa propre mort.

Nous devons à Christine Nolfi une méthode particulièrement active et bienfaisante, non seulement dans les états cancéreux et précancéreux mais encore dans la majorité des troubles de santé.

Il faut rappeler ici la notion de leucocytose physiologique. L'expression est dérivée de leucocyte, c'est-à-dire globule blanc du sang. 1 millimètre cube de sang en contient normalement 6 000 mais, **quand nous mangeons de la nourriture cuite ou dégradée, le nombre de leucocytes peut doubler et même tripler,** c'est-à-dire s'élever jusqu'à 18 000 par millimètre cube. Les leucocytes étant les défenseurs de l'organisme et apparaissant toujours là où un danger survient, nous pouvons comprendre que le sang soit fortement empoisonné par les aliments morts que nous mangeons. Imaginons seulement quel travail la production de tant de leucocytes dans le sang, plusieurs fois par jour, impose à l'organisme. Le résultat peut être, à la longue, une leucémie mortelle.

Il n'y a pas de leucocytose avec les aliments crus. **La consommation régulière de fruits et de légumes crus ne cause jamais de leucocytose physiologique ou digestive.**

Presque tous les aliments frais et crus, tels que les amandes, noisettes, fruits et légumes sont alcalinisants. Le lait frais est aussi alcalinisant. Mais quand les produits sont cuits, ils deviennent acidifiants, ce qui est dangereux pour l'organisme.

Si un repas se compose d'aliments cuits, il est préférable de prendre préalablement des aliments crus afin que la leucocytose digestive soit moins intense.

N'oublions pas que la dessiccation, le stockage, la fermentation, la préservation, la cuisson ne peuvent que réduire la saveur biologique des aliments. Une nourriture crue amène à prendre une quantité moindre de légumes et de fruits. La ration de crudités n'a donc pas à être extrêmement abondante.

Christine Nolfi est décédée mais son œuvre survit. Des dizaines de milliers de personnes en ont bénéficié : enfants, adolescents, adultes et personnes âgées ; femmes enceintes et allaitantes, tuberculeux, cancéreux, pulmonaires, nerveux, diabétiques, etc.

Le régime du Dr Nolfi est ce que nous appelons maintenant régime de désintoxication ou de purification.

Le lait et ses dérivés sont-ils des causes de cancer ?

Plusieurs médecins sud-américains, dont les idées ont été reprises. récemment par le Dr Dufilho, médecin homéopathe, ont prétendu avoir observé de nombreux cas de rémission et de régression du cancer, de la leucémie, de la lèpre après suppression totale du lait et de ses dérivés (beurre et fromages, ainsi que des œufs). Le Dr Dufilho a rapporté quelques-unes de ses observations personnelles. Nous en avons retenu particulièrement une relative à une jeune femme dont la **tumeur du sein** réapparaissait chaque fois qu'elle reprenait le lait et les sous-produits animaux. Epreuves et contre-épreuves ont permis ainsi d'élaborer une théorie qui est probablement valable dans de nombreux cas. Cependant, n'en déduisons pas pour autant que le lait est toujours à rejeter dans les états cancéreux ou précancéreux.

72. Erreurs chez les adeptes de l'alimentation saine

CAUSES	SUGGESTIONS POUR LA CORRECTION DES CAUSES
1) L'estomac et les voies digestives sont dilatés et irrités par les excès de nourriture et les gaz. La mesure de la vraie faim (l'instinct naturel normal) est perdue. Les états de carence entraînent une tendance à se suralimenter à la première occasion.	a) Jeûne ou alimentation très réduite en volume, de manière à permettre aux tissus et aux voies digestives de reprendre leur tonicité et leurs dimensions normales. L'élimination des fermentations et décompositions évitera la formation des gaz. b) Préparer la ration maximale pour le repas. Aussitôt après celui-ci, quitter la table et se relaxer ou penser à autre chose qu'à manger. c) Eviter l'excès de légumes et de fruits. Il pourrait en résulter, au début, une lenteur de digestion ou une acidification contraires à une bonne assimilation.
2) Fatigue des organes digestifs chez le nouveau venu. Encombrement des voies digestives. Perte du pouvoir digestif.	Repos général. Repos des voies digestives en particulier. Jeûne et alimentation très réduite et légère. Avant tout, il faut viser à reconstituer une microflore intestinale normale.
3) Habitude de manger trop rapidement, sans mastication, des aliments cuits : d'où un bol alimentaire trop important.	S'habituer à manger cru, en agissant progressivement. Mastiquer très longuement. Le volume ingéré sera beaucoup moindre.
4) Difficulté d'adaptation à l'alimentation crue et aux fruits oléagineux, particulièrement chez les nerveux maigres aux voies digestives déjà irritées.	Introduction progressive d'aliments crus, au milieu d'aliments cuits correctement et encore un peu croquants. Pendant la « soudure », chez les maigres, fromage et jaune d'œuf constitueront la base de la ration azotée.

CAUSES	CORRECTION
5) Craignant de ne pas trouver suffisamment de substances nutritives dans l'alimentation végétale crue, le nouveau venu a tendance à se suralimenter en volume et à prendre en excès des aliments très concentrés (fromage, œufs, légumineuses, pain complet, fruits oléagineux, viande).	L'alimentation naturelle est beaucoup plus riche que l'alimentation courante, à base de produits dévitalisés. Réduire à la fois les volumes et les quantités de produits concentrés. Au début, peu de pain complet, fruits secs, légumes secs, œufs, viande, fruits oléagineux. Eviter les légumineuses tant que la digestion n'est pas excellente.
6) Enthousiasmé par le jeûne, les cures de fruits, les vertus des légumes crus, le nouveau venu commet de grosses erreurs : jeûnes inconsidérés, dans de mauvaises conditions, avec reprise alimentaire incorrecte ; surabondance de fruits et légumes verts crus et cuits ; insuffisance d'aliments protidiques (notamment fromage et œufs).	Jeûnes courts seulement, sans excès, si les conditions ne sont pas très favorables. Modération dans les quantités de légumes verts et fruits. Equilibrer la ration protidique.
7) En général : alimentation déséquilibrée. Rapports incorrects : protides/glucides, aliments alcalinisants/aliments acidifiants, calcium/phosphore, etc.	Bien suivre les règles que nous indiquons pour la composition des menus et la variété dans l'alimentation.
8) Application inconsidérée de « régimes » et de « systèmes » schématiques et non individualisés.	Se méfier de ces formules toutes faites qui prétendent régler le fond des problèmes. Garder son bon sens. Ne pas se laisser impressionner par les arguments et les témoignages dithyrambiques présentés par les faiseurs de systèmes. Savoir que chaque situation est particulière. Primauté doit être donnée aux aliments orthobiologiques et à la tempérance.
9) Insuffisance de qualité des aliments (fruits et légumes mal cultivés ou récoltés, insuffisamment mûrs, fermentés, etc.).	S'assurer des aliments de la meilleure origine et de la meilleure qualité possibles, les conserver, les préparer et les cuire correctement. On peut, de nos jours, obtenir presque partout des aliments orthobiologiques.

CAUSES	CORRECTION
10) Fruits et jus de fruits pris entre les repas ou à contretemps.	Rien entre les repas, sauf un peu d'eau si la soif est réelle ou s'il y a eu un effort physique intense. Eviter le grignotage permanent.
11) Fadeur et insipidité apparentes des aliments naturels pour les sens pervertis par l'alimentation courante.	Rééduquer progressivement les sens gustatif et olfactif : jeûne et retour de la faim (la faim est le meilleur apéritif). Transition : occasionnellement, préparations un peu cuisinées — mais condiments (naturels) de plus en plus doux et rares.
12) Monotonie, austérité, manque d'attrait de l'alimentation préparée sans imagination suffisante.	Présenter agréablement les plats (voir les « Menus et recettes »). Varier l'alimentation et les préparations. Savourer les aliments. La satisfaction de la vraie faim procure un plaisir intense dont il faut savoir jouir (sans en faire le but de l'existence, bien entendu).
13) Tentations auxquelles le néophyte est exposé et « refoulements », conflits intérieurs, entravant la digestion.	Il est préférable, au début, d'éviter les tentations ; une certaine austérité est donc souhaitable, mais il ne faut pas qu'elle conduise au refoulement par une sorte de masochisme. Ne pas craindre les « exceptions » mais s'exercer, à ces occasions, à la vertu de modération et de tempérance. Et puis, ne pas se laisser aller au sentiment de culpabilité, au scrupule névrotique.
14) Alternance de périodes de jeûne ou de réduction drastique de l'alimentation et de périodes de suralimentation par perte d'auto-contrôle. Il en résulte : la sous-alimentation, les fermentations et décompositions gastro-intestinales, en permanence la sous-nutrition, l'amaigrissement, etc.	Jusqu'à la rééducation de la volonté, prendre régulièrement 3 repas modérés par jour. Voir aussi en 1b. Avant les repas d'exception, ne pas jeûner afin de ne pas être entraîné à manger exagérément. Compenser ensuite seulement.

CAUSES	CORRECTION
15) Sectarisme. Puritanisme. Angoisse, obsession, crainte de manger des aliments « interdits ». Sentiment de culpabilité et remords quand on se rend compte d'une erreur. Déséquilibre émotionnel très préjudiciable à la digestion.	Agir le mieux possible et manger sans appréhension, sans se sentir coupable d'avoir enfreint une règle. Manger avec plaisir et ensuite ne plus se préoccuper de ce que l'on a mangé. Ne pas être constamment « fixé » sur les questions de nourriture. (« *Ne devenez pas maniaque ni borné dans votre manière de vivre* », a écrit Shelton).
16) Opposition de l'entourage. Le nouveau venu se sent seul, en milieu hostile ; il croit être la risée de sa famille. Il n'ose pas se singulariser.	Ne pas rompre avec le milieu. Suivre les règles hygiénistes dans la mesure du possible, éviter la suralimentation, les excès, faire 3 repas par jour, dont un de fruits, etc. Transitions douces. Ne pas faire d'observations aux autres quant à leur propre alimentation. L'idéal est de se trouver dans un milieu familial orienté vers l'application des méthodes naturelles.
17) Amaigrissement et crises de désintoxication (fréquents au début) peuvent affoler l'intéressé et son entourage.	Le nouveau venu ne commet-il pas d'erreurs ? En tout cas, ne pas craindre les crises de désintoxication et l'amaigrissement, si celui-ci ne résulte pas d'erreurs involontaires. A défaut de jeûne prolongé, transitions douces, sauf cas aigus. Demander les conseils d'un praticien hygiéniste qualifié.
18) Attention portée trop exclusivement sur la nourriture. Tendance à croire que la réforme alimentaire, le « régime » est une panacée. Négligence des autres facteurs naturels de santé. Equilibre émotionnel perturbé : chagrins, soucis, colère, tensions excessives...	L'alimentation correcte est un facteur de santé parmi les autres : exercice, repos, soleil, air pur, équilibre émotionnel, etc. Ne pas l'oublier, en pratique. Egalement se libérer des mauvaises habitudes : tabac, alcool, drogues, dévergondage sexuel... Apprendre l'art de la relaxation.

CAUSES	CORRECTION
19) Certains trouvent d'emblée la formule qui convient, mais beaucoup d'autres tâtonnent et commettent des erreurs parfois graves. Perte de confiance et d'espoir. Impatience, recherche du résultat rapide.	Pas de solution toute faite. Chaque cas est particulier. D'où l'intérêt des conseils d'un hygiéniste qualifié. Patience. « Tout par évolution, rien par révolution ». Eviter les transitions trop brutales (vieillards, sujets épuisés, etc.). Ne pas écouter ceux qui doutent ou critiquent, sans l'avoir étudiée, l'hygiène naturelle. On ne discute pas avec les ignorants.
20) Existence fréquente de problèmes intérieurs, d'ordre inconscient (complexes datant de l'enfance et parfois aussi de l'adolescence — par suite d'un sevrage trop brutal, d'une ambiance familiale défectueuse, etc.). Sentiment de frustration, tendance à se trouver défavorisé par rapport aux autres, crainte de se voir dépossédé de son bien, crainte de voir se perdre des aliments et se forcer pour les manger alors que la faim est satisfaite, désir morbide de nourriture et de boisson, incitation à n'acheter que des produits économiques mais de qualité médiocre, égoïsme, etc. (attitudes mentales qui vont souvent de pair avec la « constipation psychique » et la constipation tout court).	Ici, le problème est beaucoup plus délicat. Sa solution dépend de la prise de conscience de l'origine des troubles psychiques. Les conseils d'un hygiéniste-psychologue seraient alors très utiles.
21) Difficultés d'adaptation des enfants. Mauvaise acceptation du jeûne et des aliments crus. Chapardages et petits vols qui en résultent.	Domaine très délicat. Eviter à l'enfant la frustration grave résultant d'un jeûne imposé, d'un sevrage inopportun, de carences nutritionnelles prolongées. Tenir compte des goûts et attirances de l'enfant : ils indiquent des carences dont il faut rechercher l'origine.

HUITIEME PARTIE

194 recettes; menus pour les quatre saisons

Note préliminaire

Nous souhaitons vous montrer que la cuisine saine n'est pas forcément fade, insipide. C'est pourquoi nous vous présentons des **préparations faciles à réaliser et agréables au goût.**

Ce n'est sans doute pas tous les jours que vous pourrez consacrer suffisamment de temps à l'élaboration des plats que nous vous suggérons. Souvent, vous **simplifierez** au maximum vos menus.

Nous n'avons présenté que quelques recettes avec viande. Inutile de répéter dans cet ouvrage ce qui se trouve partout ailleurs pour ce qui concerne la préparation des plats carnés. Cela ne signifie cependant pas que nous vous incitons à devenir totalement végétarien. Certaines personnes ne le peuvent pas pour des raisons diverses que nous avons étudiées par ailleurs dans cet ouvrage.

Avec ou sans viande, une alimentation peut être saine, équilibrée, savoureuse.

L'essentiel réside en quelques principes :
— **Des aliments aussi sains que possible** (préférez les nourritures provenant de culture et d'élevage biologiques).
— **Modération** dans les quantités.
— **Variété** d'un repas à l'autre.
— **Bonne humeur** à table.
— Laissons la rigidité aux sectaires. **Raison garder !**

L'index récapitulatif de ces 194 recettes se trouve en page 331.

A. POTAGES

1. Bouillon de légumes

Pour 2 personnes, il faut : 100 g de carottes, 120 g de pommes de terre, 30 g de navets, 12 g de pois secs, 12 g de haricots secs, 5 g de sel.

Autre formule : 150 g de carottes, 100 g de navets, 1 poireau, 1 branche de céleri, une poignée de haricots verts, quelques feuilles de laitue ou d'épinards, persil ou cerfeuil, sel.

Préparation 20 minutes ; cuisson 30 minutes ou 3 heures.
Le bouillon de légumes est très pauvre en calories, surtout la seconde formule. Souvent, c'est le seul aliment admis en cas de diète ; il est recommandé aux convalescents et aux personnes dont l'appareil digestif est fragile.
On réunit tous les légumes coupés en morceaux dans 2 litres d'eau bouillante légèrement salée ; on cuit le temps souhaité. On rectifie l'assaisonnement et on saupoudre largement de persil ou de cerfeuil haché ou dans l'assiette ou dans la soupière au moment de servir.
Les légumes peuvent être consommés à part avec un morceau de beurre frais.
On peut additionner, dans l'assiette, du gruyère râpé.

2. Gratinée

3 gros oignons, 25 g de corps gras, 20 g de farine, 1,25 l d'eau ou de bouillon, 80 g de gruyère râpé, pain grillé et un peu de sel.

Eplucher et hacher les oignons et les faire revenir dans le corps gras. Saupoudrer de farine et bien mélanger. Laisser légèrement brunir. Mouiller avec de l'eau ou du bouillon froid, saler et laisser cuire 15 à 20 mn sans cesser de tourner. Disposer des tranches de pain grillé dans une cocotte ou un poêlon de terre. Verser le potage. Ajouter le gruyère râpé et faire gratiner à four chaud.

3. Minestrone

125 g de haricots verts, 125 g de poireaux, 125 g de carottes, 125 g de navets, 125 g de céleri-rave, 1 cuillerée à soupe de concentré de tomate, 125 g de haricots secs (à faire tremper la veille), 1 gousse d'ail, 50 g de spaghettis, 50 g de parmesan, 50 g de corps gras, un peu de sel.

Eplucher tous les légumes et les couper en petits dés. Hacher l'ail. Mettre à cuire à l'eau froide les haricots secs. A ébullition, ajouter les petits dés de légumes variés. Saler et laisser mijoter 1 h 30. Casser les spaghettis en morceaux et les ajouter au potage. Laisser cuire encore 20 à 30 mn. Hors du feu, ajouter le corps gras, le concentré de tomate et le parmesan râpé.

4. Potage au riz

Pour 4 personnes, il faut : 1 kg de courgettes, 1 cuillerée à soupe d'huile d'olive, une gousse d'ail écrasée, un oignon émincé, 4 cuillerées à soupe de parmesan, sel, thym, sauge en poudre, 80 g de riz.

La préparation dure 15 minutes et la cuisson 40 minutes environ. Faire chauffer l'huile dans une casserole et faire revenir l'ail et l'oignon, jusqu'à ce qu'ils soient tendres et transparents. Ajouter un litre et demi d'eau, remuer et faire bouillir. Ajouter les courgettes préalablement lavées et coupées en tranches, un peu de thym et de sauge, un peu de sel. Porter à ébullition puis cuire 10 minutes à feu doux. Ajouter le riz, porter à nouveau à ébullition puis poursuivre la cuisson à feu doux 15 à 20 minutes jusqu'à ce que le riz soit tendre. Saupoudrer d'un peu de fromage râpé, présenter le reste à part et servir le potage bien chaud.

Nota. Au dernier moment, vous pouvez garnir avec quelques fines tranches de courgettes passées au beurre fondu.

5. Potage aux lentilles

Avec le jus de cuisson des lentilles, faire un excellent potage en incorporant simplement du tapioca. Potage d'hiver : à vitaliser avec un peu de persil haché au moment de servir.

6. Potage aux marrons et poireaux

Oter l'écorce de 40 marrons, les ébouillanter pour ôter la seconde peau ; les jeter alors dans un litre et demi d'eau bouillante salée avec 6 poireaux coupés très minces (le blanc seulement). Cuire 3/4 d'heure. Passer dans la soupière. Ajouter une noix de beurre.

7. Potage de petits pois

Pour 4 personnes, il faut : 300 g de petits pois, 2 litres d'eau, 2 oignons, 2 carottes, 1 sucre, 1 bouquet garni, 20 cosses bien lavées de petits pois, huile d'olive, sel et croûtons.

Dans une petite marmite, faire bien revenir à l'huile d'olive, l'oignon, la carotte, le bouquet garni, le petit salé détaillé en petits cubes et les cosses de pois.
Ajouter les petits pois et couvrir d'eau froide. Faire bouillir et cuire 45 minutes à peu près.
Assaisonner au sel. Y ajouter le sucre. Retirer le bouquet garni et les cosses (qui avaient pour but essentiel de relever le goût). Passer au tamis fin.
Servir avec des petits croûtons préalablement rissolés (légèrement) à l'huile d'olive.

8. Potage express

Pour 4 personnes : tapioca, 4 cuillerées à soupe, 2 œufs, 1/4 de litre de lait, 1 litre d'eau, sel.

Porter le litre d'eau à ébullition. Ajouter le sel. Verser en pluie le tapioca. Remuer afin d'éviter les grumeaux de tapioca. Cuire cinq bonnes minutes. Dans la soupière, casser les œufs, ne gardant que les jaunes. Verser dessus le lait tiède et mélanger. Verser alors tapioca et eau de cuisson dans la soupière en battant bien. Servir aussitôt. Ajouter un peu de verdure fraîche hachée.

9. Soupe au pistou

Pour 4 personnes : 200 g de haricots verts (de 2 espèces différentes si possible), 2 pommes de terre, 2 tomates, 2 courgettes, 150 g de haricots blancs frais en grains, 125 g de haricots rouges frais en grains, une tasse à thé de gros vermicelle, 75 g de parmesan râpé, 1/4 de verre d'huile d'olive, 3 gousses d'ail, basilic, sel.

Couper les haricots verts en morceaux (après les avoir effilés si besoin). Couper les pommes de terre épluchées en petits morceaux. Peler les tomates, les couper en morceaux après avoir enlevé les graines. Couper la courgette en petits morceaux. Mettre dans de l'eau bouillante légèrement salée. Ajouter les haricots blancs ou rouges. Laisser cuire une heure et demie environ.
Verser le vermicelle en pluie et continuer la cuisson.

Piler à part les feuilles de basilic avec l'ail en mouillant peu à peu avec l'huile d'olive. On obtient une pâte bien lisse. Saupoudrer la soupe de fromage, mélanger la pommade au potage. Laisser faire un bouillon. Servir.

10. Soupe au pistou (autre formule)

Pour 4 personnes : 2 courgettes, 250 g de haricots verts, 250 g de haricots en grains, 3 ou 4 tomates, 3 ou 4 pommes de terre, 2 petits poivrons, 3 gousses d'ail, un oignon, 250 g de gros vermicelle. Pour le pistou : 4 gousses d'ail, une tomate, 1 dl d'huile d'olive, 5 ou 6 branches de basilic.

Eplucher, couper tous les légumes en petits morceaux, réduire avec 2 litres d'eau environ, sel, poivre, ail, oignon.
Laisser bouillir une heure et demie. Piler ail, basilic, tomate épluchée et égrenée. Incorporer l'huile peu à peu. Saler et poivrer.
Servir la soupe avec le pistou et, à volonté, du fromage râpé.

11. Soupe aux pommes de terre

Pour 4 personnes, il faut : 1 kg de pommes de terre, 100 g d'oignons, 100 g de poireaux, 50 g d'épinards, sel, muscade, marjolaine, 2 litres d'eau, 100 g de gruyère par personne.

Peler les pommes de terre, les couper en morceaux et les faire cuire avec les autres légumes finement émincés dans de l'eau salée, environ 20 minutes. Passez au moulin à légumes, ajouter muscade et marjolaine.
Couper le fromage en fines lamelles et l'emballer à part. On l'ajoutera au dernier moment à la soupe réchauffée.

12. Soupe du boulanger

Il faut, pour 4 personnes : 250 g de pain rassis, un litre et demi d'eau, un œuf, 50 g de crème fraîche, un verre de lait, sel, noix de muscade râpée.

Préparation 12 minutes, cuisson 20 minutes.
Dans une grande casserole, couper le pain rassis en morceaux, le mouiller avec l'eau, saler et couvrir. Porter à ébullition puis laisser bouillir lentement pendant 12 minutes environ. Ce laps de temps écoulé, retirer du feu, et à l'aide d'un moulin à légumes ou mieux encore d'un mixer, passer ou battre le pain de façon à obtenir une bouillie liquide.
Remettre alors la casserole sur le feu, ajouter le lait et remuer.

D'autre part, dans une jatte, mettre ensemble l'œuf et la crème fraîche et battre assez longuement ces deux éléments ensemble ; y ajouter alors le poivre ainsi que la muscade râpée, et bien mélanger.

Retirer la casserole du feu, y verser la préparation crème-œuf, et mélanger le tout vigoureusement avec un fouet de préférence. Ajouter le beurre, remuer encore puis verser dans la soupière.

Nota. Cette soupe est tout à fait économique et très nourrissante. Il est possible de la servir accompagnée de petits croûtons que l'on aura, d'une part, fait griller et, d'autre part, selon le goût des convives, frottés avec de l'ail.

13. Tourin

3 oignons moyens, 25 g de beurre, d'huile ou de graisse végétale, 20 g de farine, 1,25 l de lait, 2 jaunes d'œuf, un petit pot de crème fraîche, 80 g de pain rassis, un peu de sel.

Eplucher et émincer les oignons. Les faire blondir dans une casserole avec le corps gras. Saupoudrer de farine et remuer doucement. Ajouter d'un seul coup le lait froid sans cesser de remuer, puis un peu de sel. Laisser cuire 15 mn en remuant régulièrement. Couper dans les assiettes de petits croûtons de pain rassis. Dans la soupière, délayer les jaunes d'œufs et la crème fraîche. Ajouter quelques cuillerées de potage chaud, bien mélanger. Puis verser peu à peu tout le reste du potage, en remuant. Servir sur les croûtons.

14. Velouté de courge

Pour 6 personnes, il faut : 10 petites courgettes ou 1,5 kg de courge, 5 oignons, 80 g de riz semi-complet, une gousse d'ail, huile d'olive, sel, parmesan, une feuille de sauge, un bouquet garni.

Préparation 70 minutes.

Tailler en dés les courgettes. Emincer les oignons, hacher l'ail. Mettre dans 3 litres d'eau bouillante. Saler, poivrer, arroser d'un filet d'huile d'olive.

Après 45 minutes d'ébullition douce, passer la cuisson à la moulinette (ou à la grille fine), remettre sur le feu.

Incorporer le riz. Laisser bouillir 15 minutes et servir avec une coupe de parmesan râpé.

15. Velouté de fèves

Pour 6 personnes, il faut : 2 kg de fèves sèches écossées ou 1,5 kg de fèves séchées, un bouquet de bette (ou poirée) ou les feuilles de 2 grosses laitues, 1 oignon, bouquet garni, sel, huile d'olive, 100 g de pain rassis.

Préparation 60 minutes environ.

Faire bouillir à feu moyen pendant 45 minutes, les fèves dans 3 litres d'eau salée avec 2 cuillerées à soupe d'huile d'olive, l'oignon coupé, le bouquet et la bette en chiffonnade.

Passer à la moulinette, grille fine, et remettre à feu très doux.

Faire dorer à la poêle, à l'huile d'olive, des petits croûtons de pain.

Le velouté se sert avec les croûtons à part ; chacun se sert à sa convenance.

16. Velouté de laitue

Pour 4 personnes : une petite laitue, thym, oignons (deux moyens), sel, beurre, un litre d'eau.

Eplucher laitue et oignons, laver (des feuilles vertes et épaisses de laitue peuvent convenir). Cuire à l'eau bouillante, salée légèrement, parfumée d'un peu de thym ébranché, la salade et les oignons. Après 15 minutes, passer la soupe. Remettre sur le feu et quand l'ébullition reprend, épaissir le potage d'un peu de farine délayée dans de l'eau froide. Après quelques minutes, le velouté de laitue est prêt à être servi avec un morceau de beurre.

B. SALADES,
SAUCES, ASSAISONNEMENTS

17. Pour les salades

Les salades peuvent se préparer à l'aide de nombreux végétaux. En voici une liste bien incomplète :

Avocat, betterave rouge, cœurs de jeunes artichauts en fines lamelles, céleri en branches, céleri-rave, concombre, grains de cumin, cèpes (ou champignons à la grecque ou à la crème), chou blanc, chou rouge, chou-fleur, chou de Bruxelles, choucroute crue.

Carotte, haricot, pois chiche, witloff, tomate, fenouil, jeunes fèves, jeunes pois, olives, oignon, persil, maïs, navet, pousses de soja, blé germé, pommes de terre cuites, riz cuit, noix.

Poivron grillé au four (pelé à la sortie du four), radis noir pelé et râpé.

Salade verte : laitue, romaine, endive, scarole, mâche, pourpier (assez acidifiant), cresson, alénois, cresson de fontaine (si la provenance en est connue : source ou rivière non polluée).

Les mélanges seront variables suivant la saison, les possibilités d'approvisionnement, les goûts propres à chacun.
La salade doit figurer en tête des repas, midi et soir si possible.

18. Assaisonnement Raymond Thuiller

A préparer 4 à 5 jours à l'avance.

Dans de l'excellente huile d'olive, faire macérer une pointe d'ail pilé, une tomate émondée, fenouil, romarin, basilic, un peu de paprika, coriandre, sel et poivre moulu.

19. Assaisonnement Troisgros

2 jaunes d'œufs durs écrasés, sel, poivre, une cuillerée à café de moutarde, un jus de citron.

Monter le tout à l'huile d'olive.

20. Sauce à tout faire

Avec l'omelette nature, avec les côtes de bettes bouillies et salées, avec le chou-fleur, avec du riz, etc.

Pour 2 personnes : 4 tomates moyennes, 200 g de gruyère râpé, sel, poivre, beurre, huile d'olive.

Dans une poêle qui n'attache pas, déposer une noix de beurre et quelques gouttes d'huile d'olive. Quand le mélange est chaud, couper en rondelles les tomates et les jeter dans la poêle. Saler, remuer, laisser cuire 5 à 10 minutes. Remuer, déposer le gruyère râpé par petites pincées en remuant chaque fois à la spatule. Plus on ajoute de gruyère râpé, plus la sauce épaissit. Goûter de temps en temps et cesser d'ajouter du gruyère quand la sauce est assez épaisse.

Pour donner une idée des « épaisseurs », voici quelques indications :

— Sauce épaisse avec des côtes de bettes, avec l'omelette, avec du chou-fleur ;

— Sauce fluide avec le pâté végétal, le riz, les pâtes.

21. Sauce mayonnaise sans œuf

Délayer 2 cuillerées à soupe de purée d'amandes avec très peu d'eau, ajouter 2 cuillerées à café de moutarde et quelques gouttes de citron, du piment doux, saler. Verser l'huile comme pour une mayonnaise ordinaire. Si elle tourne, ajouter quelques gouttes de citron pour la rétablir. A volonté, ail et persil à la fin.

22. Sauce niçoise

3 cuillerées à soupe d'huile d'olive, une cuillerée à soupe de jus de citron, 1 ou 2 anchois, 1 œuf dur, une gousse d'ail, persil.

Piler ensemble les anchois, le jaune d'œuf et la gousse d'ail. Ajouter l'huile, le jus de citron, le sel, le persil haché. Bien battre la sauce pour la lier. (On peut ajouter à la sauce le blanc de l'œuf coupé en petits carrés).

23. Sauce pour poissons

Mixer un œuf entier sans la coquille. Ajouter un verre d'huile d'olive et un jus de citron, du concentré de tomate, un peu de sel. Mixer quelques secondes encore.

Variante. Mixer ensemble l'huile d'olive, le jus de citron, persil, un peu d'ail si désiré, une pointe de sel marin.

24. Sauce pour viande

Mixer ensemble un jaune d'œuf et un yaourt nature. Y ajouter une cuillerée à café de cumin, un peu d'huile d'olive et du sel.

25. Sauce Raymond Oliver

Cuire 250 g d'asperges bien vertes dans de l'eau discrètement parfumée au basilic. Bien égoutter sur un linge et passer au tamis en fine purée.
Incorporer à une mayonnaise très ferme : 3 jaunes d'œufs, sel, moutarde de Dijon, 4 cuillerées de vinaigre de vin extra, 350 g d'huile d'olive, un jus de citron.

26. Sauce sans œuf

Comment lier une sauce si les œufs sont exclus d'un régime alimentaire ? Remplacer les œufs par du tapioca. Très onctueux, il ne change pas le goût de la préparation. Une cuillerée à soupe de tapioca par œuf supprimé.

27. Sauce tomate au tapioca (Recette S.A. Tipiak)

Pour 4 à 6 personnes. Ingrédients : tapioca, 30 g ; tomates, 1 kg ; 40 g de beurre ; un oignon ; bouquet garni ; 2 morceaux de sucre ; persil ; une pincée de sel ; poivre (pour ceux qui le souhaitent).

Faire fondre 20 g de beurre et faire revenir l'oignon émincé. Ajouter les tomates coupées en morceaux, le bouquet garni, le persil, le sucre, le sel et le poivre. Couvrir la casserole et faire cuire à petit feu pendant 30 minutes. Passer au tamis ou à la passoire fine. Ajouter le tapioca en pluie. Remuer avec le fouet. Faire réduire. Vérifier l'assaisonnement. Ajouter au dernier moment le reste du beurre.

28. Corbeille printanière

Pour 6 personnes : 6 œufs, 6 petites tomates bien régulières, 1/2 dl d'huile d'olive, ciboulette, 100 g de beurre, citron, sel, poivre, quelques feuilles de laitue.

Temps de préparation : 25 minutes (+ 1 h pour faire dégorger les tomates).
Temps de cuisson : 10 minutes pour les œufs durs.
Faire durcir les œufs. Les passer aussitôt sous le robinet d'eau froide et les écaler. Les laisser refroidir. Couper les tomates en 2, les évider de leurs graines avec une petite cuillère. Les saupoudrer de sel fin et les retourner sur une assiette. Sortir le beurre du réfrigérateur. Couper les œufs en deux dans le sens de la longueur, enlever les jaunes et les écraser dans un bol en ajoutant petit à petit l'huile d'olive. Incorporer la ciboulette finement coupée, saler. Garnir les œufs avec cette pâte.
Saler légèrement, poivrer très légèrement, ajouter du jus de citron suivant le goût. Essuyer l'intérieur des tomates, les garnir avec la pâte.
Présenter les œufs et les tomates farcies sur une vannerie décorée de feuilles de salade.

29. Crudités aux asperges vertes

Pour 6 personnes : scarole, une botte de radis, un petit concombre, 1 kg d'asperges fines.

1°) Préparer et cuire les asperges.
2°) Confectionner une sauce vinaigrette.
3°) Préparer salade, radis, concombre.
Au milieu d'un vaste plat, disposer les asperges, puis la salade en couronne autour des asperges ; sur la salade, les concombres en fines rondelles et enfin les radis qui apporteront une note de couleur. Servir la vinaigrette en saucière.

30. Endives à la pomme

Pour 4 personnes, il faut : 3 endives, une belle pomme, une quinzaine de cerneaux de noix, sauce vinaigrette.

Préparation 10 minutes.
Eplucher la pomme et la couper en lamelles.
Eplucher les endives et couper les feuilles en morceaux.
Mélanger le tout à une vinaigrette composée d'huile, de jus de citron et

éventuellement d'un peu de sel ou de tamaris ou d'autolysat de levure. Décorer avec les cerneaux.

31. Avocats farcis

Pour 6 personnes, il faut : 6 avocats moyens ou 3 gros, 100 g de champignons, un citron, un œuf, sel, huile, 6 olives noires.

Préparation 20 minutes, pas de cuisson.
Eplucher et couper en fines lamelles les champignons. Les faire macérer dans le jus de citron, une cuillerée d'huile, sel.
Faire une mayonnaise avec le jaune d'œuf, l'huile, le sel, un peu de jus de citron.
Ouvrir les avocats, les dénoyauter, en prélever délicatement la chair, l'écraser à la fourchette.
Egoutter les champignons, les enrober dans la mayonnaise, en remplir les écorces d'avocats. Ajouter à la purée d'avocats le jus de macération des champignons pour obtenir une crème lisse.

Saler cette crème. L'étaler sur les avocats garnis. Décorer avec des olives dénoyautées. Servir bien frais.

32. Horloge à la mayonnaise

Faire une macédoine de légumes râpés : carottes, céleris-raves, navets, radis, betteraves, choux, poivrons, etc. ; bien mélanger et assaisonner avec l'huile d'olive, citron, sel, ail, persil, ciboulette ; disposer en dôme léger au centre d'un vaste plat rond, puis enrober le tout d'une mayonnaise sans œuf, additionnée de levure alimentaire : elle doit être très épaisse.

Poser dans une grande corbeille de 65 cm de diamètre avec plateau tournant. Les heures, en chiffres romains, seront faites de morceaux étroits de peau de tomates et les aiguilles de morceaux d'olives noires.
Autour, mettre des bols de toutes les couleurs, remplis de : olives, œufs durs à la tomate, pommes de terre, poivrons grillés, croûtons à la tapenade, radis, salade verte, petits carrés de gruyère, noix en cerneaux, champignons crus en salade, concombres, riz coloré en jaune (safran), en ocre (curry) et en vert (épinards).

Pour terminer, placer tout autour de la pendule les œufs durs en forme de petits vases de fleurs.

33. Salade alsacienne

3 pommes de terre cuites en robe des champs, 3 petites pommes, 1 petit oignon, 1 œuf, 125 g de betterave rouge, 10 g de noix, persil, huile, citron et sel.

Faire durcir l'œuf. Eplucher et couper en lamelles les pommes (fruits) et les pommes de terre. Hacher l'oignon et l'œuf dur. Effeuiller le persil. Couper la betterave en petits cubes et les noix en quartiers. Mélanger le tout avec le jus de citron.

34. Salade à mon idée

Pour 4 personnes : 2 endives, une banane, une pomme, un yaourt, du cerfeuil (ou persil).

Préparer la sauce en mélangeant une bonne cuillerée à dessert de cerfeuil avec le yaourt. Dans le saladier, émincer les 2 endives, couper la banane en fines rondelles, la pomme en petits morceaux. Verser la sauce. Déguster bien frais.

35. Salade arlésienne

Pour 6 personnes : 3 œufs, 2 avocats, 1 poivron rouge, 1 poivron vert, 100 g d'olives, 200 g de riz, fines herbes, sel, ail, thym, laurier, huile, jus de citron.

Préparation 20 minutes, cuisson 20 minutes.
Cuire les œufs durs, les écaler, les couper en rondelles.
Passer le riz à l'eau froide dans une passoire, le mettre dans une grande quantité d'eau bouillante salée, avec thym et laurier. Cuire à découvert 12 minutes puis goûter afin d'arrêter la cuisson dès qu'il ne croque plus ; l'égoutter et le rafraîchir à l'eau froide.
Essuyer tomates et poivrons, les ouvrir, les épépiner et les couper en morceaux.
Dénoyauter les olives. Peler les avocats et couper la chair en dés. Faire une vinaigrette avec l'huile, citron, sel, fines herbes, une gousse d'ail écrasée. Réunir tous les éléments en réservant un peu d'olives, de rondelles d'œufs et de morceaux de tomates.
Bien mélanger. Enrober le tout dans la vinaigrette. Dresser dans un saladier et décorer avec les éléments réservés.
Servir bien frais.
Nota. On peut supprimer l'ail si l'on n'en aime pas le goût.

36. Salade Beaucaire

2 branches fines de céleri, 200 g de céleri-rave, 2 moyennes endives, 2 petites pommes reinettes, 2 moyennes pommes de terre cuites en robe des champs, 100 g de betteraves rouges, une petite tasse de mayonnaise, huile, jus de citron, sel, fines herbes.

Râper le céleri, couper les branches en petits morceaux, les pommes en petits dés, les endives en rondelles. Laisser macérer dans un peu de jus de citron. Avant de servir, ajouter la mayonnaise, la betterave et les pommes de terre coupées en rondelles. Saupoudrer de fines herbes hachées. (On peut y ajouter également un peu de fromage : gruyère, parmesan, etc.).

37. Salade de chou-fleur au poulet

Pour 6 personnes : 250 g de blanc de poulet en lamelles, un petit chou-fleur bien blanc en bouquets détachés, 1 cœur de céleri en branches et 2 poivrons rouges dans la sauce suivante :

Sauce : mayonnaise d'un œuf et d'un dl d'huile d'olive, avec une cuillerée à soupe de moutarde, un jus de citron, sel.

38. Salade de l'automne

Pour 6 personnes : riz complet, 14 cuillerées à soupe ; safran, une pincée ; courgettes, 3 petites ; tomates, 4 ; œufs durs, 3 ; oignon en rondelles ; quelques feuilles de salade verte ; sauce, faite de 4 à 6 cuillerées d'huile d'olive ; 1 citron pressé ; une cuillerée à café de bonne moutarde ; sel ; ciboulette ; un œuf cuit dur écrasé.

1°) Rincer le riz complet et le faire cuire une heure à feu doux dans l'eau bouillante salée additionnée d'une pincée de safran. Eliminer l'eau s'il en reste. Refroidir.

2°) Faire durcir 4 œufs (10 minutes à l'eau bouillante). Refroidir, écaler.

3°) Préparer les légumes ; courgettes : couper les extrémités, les laver sans les éplucher, couper de fines rondelles ; tomates : laver, essuyer, couper en quartiers ; salade : laver les feuilles ; fines herbes : rincer sous le robinet et couper très finement aux ciseaux ; oignon : peler, émincer.

4°) Préparer la sauce avec de l'huile d'olive, le 1/2 jus de citron, le sel, la ciboulette finement coupée, un œuf dur écrasé, la moutarde.

5°) Dresser la salade. Dans un large saladier, mêler le riz complet refroidi à la moitié de la sauce préparée. Y ajouter les courgettes. Mêler.

Décorer le dessus avec les feuilles de salade sur le pourtour (couronne entre riz et saladier), les quartiers de tomates, 6 moitiés d'œufs durs, les rondelles d'oignons. Verser, en le répartissant, le reste de la sauce.

39. Salade au cresson

Pour 4 personnes, il faut : une botte de cresson, 15 radis environ, une pomme, 25 g d'amandes effilées, 3 cuillerées à soupe de crème fraîche, un citron, sel.

Préparation 15 minutes.
Eplucher et laver le cresson. Enlever les feuilles et les racines des radis. Couper les radis en rondelles. Eplucher la pomme, la couper en lamelles.

Mélanger les amandes, la crème, le jus de citron et le sel.
Mettre le cresson, les radis et la pomme dans cette sauce.
Parsemer d'amandes effilées.

40. Salade de riz aux fonds d'artichauts

Prendre un grand bol de riz cuit à la créole. Egoutter, laver à l'eau froide. Faire sécher dans une serviette à l'entrée du four.
Mélanger avec l'assaisonnement : 3 cuillerées d'huile d'olive, jus de citron, sel de céleri. Former un dôme et décorer de fonds d'artichauts (cuits à la vapeur), d'olives noires et, au moment de servir, de ronds de tomates.

41. Salade des tropiques

Pour 6 personnes : 400 g de thon naturel, 3 bananes, 2 pamplemousses, 2 avocats, une petite tasse de riz cuit froid, câpres, coupés en morceaux et rondelles dans :

Sauce vinaigrette : une cuillerée à soupe de vinaigre de vin, une cuillerée à café de moutarde, 4 cuillerées à soupe d'huile d'olive, sel, poivre.

42. Salade fraîche aux champignons

Pour 4 personnes, il faut : 200 g de champignons, un fenouil, une branche de céleri, un citron, une petite laitue, 50 g d'olives noires, une dizaine de radis, 30 g de cerneaux de noix, ciboulette.

Préparation 15 minutes. Pas de cuisson.
Laver et essuyer les légumes.

Couper le fenouil en lamelles fines, le céleri en tronçons de 1 cm, les radis en rondelles fines, les grosses feuilles de laitue en lanières. Garder 4 belles feuilles pour la présentation. Couper les champignons en lamelles fines.

Dans un saladier, verser l'huile, le jus de citron, sel, ciboulette coupée (1/2 cm). Ajouter les légumes coupés, les noix, les olives. Remuer le tout. Préparer le tout une demi-heure à l'avance. Servir en coupes individuelles sur des feuilles de laitue ou dans un grand saladier.

43. Salade libanaise

Concombre, 1 grosse botte de persil non frisé, tomates, mâche (ou romaine), poivron, beaucoup de petits oignons (suivant les goûts) dans de l'huile d'olive et du citron.

44. Salade Miami

Pour 6 personnes : une salade romaine, 100 g de jambon, une botte de radis, une boîte de pointes d'asperges, 2 bananes pas trop mûres, 6 feuilles de menthe, le tout coupé en rondelles et morceaux servi (à part) avec la sauce suivante :

Sauce mayonnaise, ferme avec 2 œufs, une cuillerée à soupe de vinaigre de vin, du jus de citron, 1 dl d'huile d'olive, le jus d'une orange et son zeste râpé.

45. Salade Rachel

Une grosse pomme ou 2 petites, 80 g de céleri-rave, 10 g de noix, 100 g de betteraves rouges, 2 moyennes endives, huile, un peu de jus de citron et de sel.

Préparer la vinaigrette, y faire macérer pendant 2 heures environ le céleri coupé en lamelles. Ajouter les noix épluchées et divisées en quartiers, les pommes pelées et coupées en lamelles, puis les betteraves en rondelles et les feuilles d'endives en petits morceaux. Peut aussi se préparer à la mayonnaise.

46. Salade Raismoise

Il faut, pour 4 personnes, environ : 150 g de haricots blancs cuits au préalable, un petit chou rouge, 10 noix, un céleri en branches.

Couper le chou en lanières fines. Ecaler les noix, diviser les ailes en 6 morceaux. Longer les branches de céleri en morceaux de 3 à 4 millimètres.

Préparer une sauce à salade avec : huile d'olive (ou autre huile de qualité), une pincée de sel marin, quelques gouttes de jus de citron, un peu de persil haché.

Mélanger le tout une heure avant de servir. Conserver au frais. Il s'agit d'un plat très riche et presque complet.

47. Salade Tutti Quanti

Il faut, pour 5 ou 6 personnes : 1 petit cœur de chou vert, 1/2 cœur de chou rouge, une pomme, une orange, 50 g de gruyère, 15 noix, huile, citron, sel.

Préparation 15 minutes. Pas de cuisson.

Laver les 2 cœurs de chou, les émincer en très fines lanières ou les râper.

Couper le gruyère en lamelles très fines. Peler l'orange à vif, c'est-à-dire en ôtant la membrane qui couvre chaque quartier. Couper les quartiers en quatre. Peler la pomme, la couper en quartiers pour l'épépiner ; couper chaque quartier en petits morceaux assez fins. Décortiquer les noix, les séparer en ailes (soit 4 par noix) puis couper la moitié de ces ailes en deux.

Faire une sauce avec huile, sel, citron — éventuellement un peu d'herbes ou d'estragon.

Mélanger le chou, le gruyère, la pomme, l'orange, les ailes de noix coupées.

Arroser le tout avec la « vinaigrette », bien mélanger. Décorer avec les morceaux d'orange réservés et des ailes de noix gardées entières.

Nota. Les choux doivent être bien tendres. Si l'on n'a pas de chou rouge, on s'en passera. On pourra alors relever la couleur du plat par quelques dés de betterave rouge.

C. ENTREES, BROCHETTES, ŒUFS

48. Tomates capricettes

Pour 6 tomates à fourrer : un fromage frais pur chèvre, une belle carotte, trois ou quatre petits navets, huile : 2 cuillerées à soupe, cerfeuil, oignon, sel, 1/2 jus de citron.

Evider les tomates. Râper carottes, navets. Eplucher l'oignon. Hacher le cerfeuil. Presser le citron. Dans un plat creux, verser l'huile et le fromage de chèvre à l'aide d'une fourchette. Ajouter et mélanger : légumes râpés, cerfeuil, oignon haché, jus de citron, sel selon goût. Avec cette pâte, fourrer les tomates disposées sur le plat de service. Garnir d'un brin de persil ou du couvercle de la tomate. Servir frais.

49. Bouchées à la Reine

Pour 4 personnes : 40 g de beurre végétal, 40 g de farine, 1/2 litre de lait d'amandes, 2 petites cuillerées de purée d'amandes, sel, noix de muscade, un peu de piment.

Pour la garniture : petits champignons de Paris cuits dans un peu d'eau avec la moitié d'un citron ; des œufs durs coupés en morceaux, des olives vertes dénoyautées, des quenelles coupées en morceaux et, pour les plus gourmands, ajouter des petits carrés de jambon de mouton.

Mettre le beurre végétal dans une casserole, le faire fondre complètement (il ne doit pas chauffer). Verser alors d'un seul coup la farine en tournant rapidement avec la cuillère de bois ; laisser la casserole sur un feu très doux, continuer à tourner sans laisser prendre couleur jusqu'à ce que le mélange devienne mousseux. Verser alors le liquide froid tout d'un coup, tourner jusqu'à ce que l'ébullition reprenne ; sel, piment, noix de muscade. Verser toute la garniture dans la sauce ci-dessus, tenir au chaud au bain-marie. Au moment de servir, remplir les bouchées ; mais auparavant, délayer une bonne cuillerée à soupe de purée d'amandes dans la préparation.

50. Canapés minette

Plat familial. Peut se servir à l'occasion d'un buffet. Peut se préparer en partie la veille, mais la cuisson se fait au dernier moment.

Préparation : 20 minutes, temps total de la cuisson : 20 minutes.

Pour 12 canapés il faut : 12 tranches de pain de mie ; une demi-botte de cresson, deux œufs durs. Pour la béchamel : 50 g de beurre, 30 g de farine, 1/4 de litre de lait, sel, muscade, 50 g de beurre, 50 g de gruyère râpé.

Laver et trier le cresson.

Faire durcir les œufs. Beurrer sur les deux faces les tranches de pain.

Une heure avant de consommer, placer les tranches de pain sur la lèchefrite du four. Faire chauffer le four au thermostat 10.

Hacher finement le cresson puis hacher grossièrement les œufs.

Mélanger les 2 hachis. En garnir les tartines.

Faire la béchamel très épaisse, saler, ajouter un peu de noix de muscade.

Napper de sauce les canapés. Saupoudrer de gruyère.

10 minutes avant de déguster, placer la lèchefrite le plus haut possible dans le four. Servir dès que les canapés sont dorés.

51. Cornet Lucullus

Faire une pâte à crêpes avec 250 g de farine semi-complète, une pincée de sel et de l'eau. D'autre part, préparer une terrine végétale, parfumée de quelques morceaux de truffes. Cuire chaque crêpe à la poêle à la graisse végétale ; garnissez-la (roulée en forme de cornet) de la préparation et poser à l'ouverture un morceau de truffe. Disposez les crêpes en éventail sur des feuilles de laitue assaisonnées et saupoudrez chaque crêpe de truffes hachées. Servez frais.

52. Croquettes de fromage

La veille du repas, mélanger dans une casserole 100 g de farine avec 100 g de beurre fondu et laisser cuire doucement quelques minutes sans laisser colorer. Mouiller avec un litre de lait et délayer avec un fouet pour avoir une pâte bien lisse sans grumeaux. Ajouter sel et noix de muscade. Après quelques minutes de cuisson, retirer du feu. Ajouter 250 g de fromage râpé et travailler avec la spatule de bois. Ajouter encore 2 œufs battus entiers, bien mélanger et étendre sur une plaque ou un plat huilé (non beurré) en une couche de 2 cm d'épaisseur environ. Le lendemain, retourner la plaque ou le plat sur une table farinée. Au moyen d'un couteau fariné, découper en losanges de 4 cm de côté. Les fariner avec précaution et les paner en les passant dans de l'œuf battu et de la chapelure. Faire frire à friture très chaude. Placer un bouquet de persil frit au milieu du plat.

53. « Escargots » de Bourgogne

Faire cuire à l'étouffée des champignons de Paris émincés avec persil et ail pendant 1/4 d'heure. Prendre les coquilles en porcelaine. Pour 10 coquilles, il faut 80 g de beurre végétal, un peu d'échalote finement hachée, quelques gousses d'ail râpé, du persil haché, sel, piment ; mélanger intimement tous ces ingrédients. Mettre au fond de chaque coquille gros comme un haricot de beurre d'escargot. Y introduire les champignons et finir par du beurre d'escargot en le foulant fortement. Ranger sur escargotière ou plat à gratin, saupoudrer de chapelure fine et passer 8 minutes au four de chaleur vive.

54. Pain de seigle, roquefort et noix

Pour 6 personnes : 6 tranches de pain de seigle ; quelques cerneaux de noix ; roquefort, 80 g ; beurre, 80 g ; raisins secs, une bonne cuillerée à soupe ; persil.

Le beurre doit être sorti depuis longtemps du réfrigérateur pour être maniable à la fourchette. L'écraser avec le roquefort pour en faire une pâte à laquelle vous ajouterez les raisins secs lavés, le persil haché. Mêler le tout. Garnir les tranches de pain et les décorer de quelques noix.

55. Pan-Bagnat

Comme un grand nombre de plats méditerranéens, le pan-bagnat est à l'origine un mets extrêmement simple : du pain arrosé d'huile d'olive, que l'on savoure avec des olives, des anchois, des oignons crus. Il doit être préparé un peu à l'avance pour bien s'imprégner des parfums divers de sa garniture. On peut le faire avec un pain long ou un pain rond dont on enlève une partie de la mie. Arroser copieusement le pain d'huile d'olive, puis le garnir à volonté de tomate en rondelles, de concombre, céleri, œuf dur, olives et anchois. Refermer le pain bien serré. Couper en tranches pour servir. (Les anchois sont facultatifs, bien entendu.)

56. Petits choux au fromage

Farine : 225 g ; beurre, 110 g ; gruyère, comté... (fromage à pâte ferme), 150 g ; 4 œufs ; eau, 300 g ; sel (très peu).

Mettre l'eau et le beurre dans une casserole. Mener à ébullition et retirer du feu. Y jeter la farine d'un coup. Mélanger rapidement à la cuiller de bois. Lorsque la pâte est en boule, remettre sur la plaque de chauffage pour la dessécher un peu. Remuer avec la cuiller de bois ; elle ne colle plus à la casserole. Retirer la casserole et incorporer un œuf entier, puis un autre, etc... La pâte est souple mais ne devra pas s'étaler sur la plaque de cuisson. Ajouter 100 g de gruyère. Bien mélanger. Sur une tôle beurrée, déposer, à l'aide de deux cuillers à café, des tas de pâte de la grosseur d'une noix. Dorer au jeune d'œuf avec un pinceau. Saupoudrer de fromage râpé (les 50 g restants). Cuisson à four moyen : 15 minutes.

57. Pizza-minute

Couper en longueur des tranches de pain. Y mettre du beurre ou de l'huile d'olive figée ou liquide ; poser des rondelles de tomates fraîches, saler suivant le goût, ajouter des fines herbes. Arroser encore d'un peu d'huile d'olive. Couvrir de lamelles de comté ou de gruyère râpé et mettre au four 10 minutes.

58. Quiche estivale

Pour 5 personnes, il faut : 200 g de farine, 100 g de beurre, 125 g de jambon fumé ou non, 4 œufs, 50 g de tomate, une tasse à thé de crème fraîche, olives vertes, sel, 60 g de gruyère.

Préparation : 30 minutes, cuisson : 30 à 35 minutes.

Couper le beurre en fins copeaux, le mettre dans un creux formé au milieu de la farine, y ajouter une demi-cuillerée à café de sel et un demi-verre d'eau. Tourner rapidement à la spatule ou avec deux doigts pour mélanger tous les éléments. La pâte doit être ferme mais assez souple. La fraiser deux fois. La laisser reposer un moment si possible. L'abaisser et en garnir une tourtière beurrée de 22 à 24 cm.

Plonger les tomates dans l'eau chaude pour les peler facilement. Oter les graines et une partie du jus. Couper la chair en gros morceaux et les passer au mixer ou couper plus finement.

Battre les œufs entiers avec la crème, une demi-cuillerée à café de sel. Ajouter la pulpe de tomate et, à volonté, du gruyère râpé ; rectifier l'assaisonnement.

Disposer sur la pâte le jambon en petits morceaux. Verser dessus la garniture préparée et cuire à feu assez chaud (240° environ) une bonne demi-heure.

Dénoyauter les olives et les placer en couronne ou tout autre dessin géométrique sur la quiche cuite.

Nota. Rappelons que *fraiser une pâte,* c'est l'écraser avec la paume de la main, par petits morceaux, sur une planche farinée. Cette quiche peut devenir le plat de résistance d'un repas d'été. Il suffira de l'accompagner d'une salade (et d'un dessert, éventuellement).

59. Ramequins

Préparer une pâte à choux en incorporant, avec la farine, du gruyère ou du parmesan râpé. Finissez la pâte, laissez-la refroidir. A la cuillère à café, déposez des petits tas sur une tôle. Portez au four très chaud. Laissez les choux se gonfler, puis se teinter en acajou clair. Insistons sur cette couleur. Si elle n'est pas atteinte, les choux s'effondreront à la sortie du four. Laissez tiédir. Servez au goûter ou avant le repas.

60. Tapenade

Prendre une douzaine d'olives noires, 2 cornichons, 2 anchois et 75 g de beurre végétal fondu ; ajouter du piment et passer le tout au mixer ; mettre en pots. Se conserve 8 jours au réfrigérateur. Excellent pour tartiner et vous mettre en appétit.

61. Tarte niçoise

250 g de farine, 125 g de beurre, 150 g d'oignons, 3 tomates, 50 g d'olives noires, 50 g de thon à l'huile, thym, laurier, ail, 1 cuillerée à café de marjolaine, huile d'olive, sel et poivre.

Préparer la pâte en travaillant la farine et le beurre ; incorporer un petit verre d'eau salée. Laisser reposer. Pendant ce temps, faire revenir les oignons en rondelles dans l'huile d'olive avec sel, poivre, thym, laurier et ail haché. Puis aplatir la pâte au rouleau, en garnir un moule à tarte beurré. Y verser les oignons et décorer avec les rondelles de tomates, le thon et les olives. 45 minutes de cuisson à four chaud. Parsemer de marjolaine avant de servir.

62. Tartines vertes

Pour 6 personnes : 6 belles tranches de pain complet (blé ou seigle) ; une salade : laitue ou scarole ; 1 oignon moyen, ail, quelques branches de persil ; un filet de citron ; huile d'olive et un peu de fromage blanc. Pour garniture : olives noires ou rondelles de tomate.

Hacher sur planche salade + oignon + ail + persil ;

Dans une terrine, mélanger ces légumes hachés avec huile, fromage blanc, une cuillerée à café de condiment, filet de citron, pour obtenir une pâte assez consistante mais facile à étaler en couche assez épaisse sur le pain ;

Garnir chaque tranche de pain et la décorer d'une olive noire ;

Servir avant que le pain ne soit trop détrempé.

Cette recette permet l'utilisation des feuilles extérieures bien vertes mais un peu coriaces des salades.

Variante. De très bonnes tartines vertes se font avec les feuilles de cresson. Même recette moins ail, oignon, persil. Le goût caractéristique du cresson suffit.

63. Œufs Chimay

4 œufs ; pour la farce : une cuillerée à soupe d'huile, 20 g de beurre, 100 g de champignons, 1 échalote, 1 petit oignon. Pour la sauce mornay : 25 g de corps gras ; 30 g de farine ; 0,400 l de lait ; 30 g de gruyère râpé ; persil et sel.

Faire durcir les œufs. Les couper en deux dans le sens de la longueur et retirer soigneusement les jaunes. Faire d'autre part une sauce mornay. Pour la farce, hacher l'oignon, l'échalote et les champignons. Faire revenir dans le corps gras, saler et cuire doucement jusqu'à ce que l'ensemble soit lié. Y mélanger les jaunes durs, du persil haché et une cuillerée de sauce mornay. Farcir les blancs. Disposer dans un plat graissé. Napper de sauce et gratiner à feu assez vif.

64. Œufs cocotte aux fines herbes

Pour 4 personnes : 4 ramequins, 4 œufs, 4 cuillerées à soupe de crème fraîche, sel, persil.

Dans chaque ramequin mettre une cuillerée à soupe de crème fraîche. Puis casser un œuf entier. Saler le blanc. Surmonter chaque jaune d'une noisette de beurre. Placer les ramequins sur la lèchefrite du four dans laquelle vous aurez mis de l'eau pour cuisson au bain-marie. Cuire à four chaud 200°. L'eau doit être frémissante sans bouillir.

Cuisson pendant 8 à 10 minutes. Ils sont cuits quand le blanc est pris. Parsemer d'un peu de persil haché.

Variante : au fond de chaque ramequin mettre quelques champignons préalablement cuits.

65. Œufs moulés au fromage

Il faut : 4 œufs, 70 g de fromage râpé, 1/4 litre de coulis de tomates, 60 g de crème, 50 g de beurre, 4 toasts de pain de mie rond, de l'huile, sel.

Les quantités indiquées sont pour 4 personnes.
Temps de préparation et de cuisson : 30 minutes.
Battre les œufs avec la crème et le fromage dont on a réservé une cuillerée à soupe. Puis saler.
Beurrer les moules individuels et saupoudrer avec le fromage réservé.
Remplir les moules aux trois-quarts et les mettre dans un plat allant au feu, baignant à moitié dans l'eau et couverts. Faire bouillir environ 20 minutes.
Retirer du feu lorsque le mélange atteint le bord du moule et ne cède plus sous le doigt.
Faire dorer les toasts à l'huile.
Démouler les œufs moulés sur les toasts, et les servir accompagnés de coulis de tomates (ou de tomates provençales).

66. Omelette-flan à l'oseille

1 œuf par personne ; 1 verre (moyen) de lait pour 2 œufs ; oseille, une bonne poignée ; fines herbes ; oignon ; sel.

Faire chauffer fortement le four. Faire revenir l'oignon émincé, dans une poêle, avec un peu de gras végétal. Y ajouter l'oseille (lavée), coupée grossièrement aux ciseaux. Séparer les blancs des jaunes d'œufs. Battre les jaunes à la fourchette avec le lait, un peu de sel, la ciboulette finement coupée. Y ajouter oignon et oseille. Battre les blancs en neige ferme. Pour ce faire, ajouter une pincée de sel. Mélanger délicatement les deux préparations en incorporant les blancs battus aux jaunes d'œufs. Verser dans un plat allant au four. Mettre dans le four préalablement chauffé mais baisser la température à 150° (four doux) et laisser cuire doucement jusqu'à consistance voulue.

D. VIANDES ET POISSONS

67. Jambon de mouton à l'australienne

Dans une marmite, faire bouillir dans de l'eau le gigot pendant 10 minutes. Ensuite préparer une saumure avec 4 litres d'eau et 1 kg de sel gros, 50 g de sucre, 10 g de poivre en grains, 10 g de genièvre, du thym, 2 feuilles de laurier, un oignon piqué aux clous de girofle. Y laisser macérer le gigot de mouton au moins deux jours dans le frigidaire. Ajouter à la saumure une grande casserole d'eau et cuire le gigot. Surveiller de temps en temps avec la pointe du couteau : il faut qu'il soit cuit à point. Laisser refroidir dans la cuisson et servir froid avec une salade verte.

68. Moussaka

Pour 6 personnes, il faut : 600 g de mouton, 200 g de tomates, 150 g de champignons, 1 kg d'aubergines, 200 g de courgettes, 50 g de beurre, 2 gousses d'ail, 2 échalotes, 2 oignons moyens, 6 cuillerées d'huile d'olive, sel, poivre, persil et farine.

La préparation est de 30 minutes, le temps de cuisson est de 1 heure.
Hacher le mouton avec l'échalote et l'ail, faire dorer au beurre les oignons finement émincés puis la viande dans le même récipient. Nettoyer les champignons, les couper ainsi que les tomates pelées et épépinées. Les mettre avec la viande, assaisonner et cuire 20 minutes à feu doux en remuant fréquemment afin que la préparation n'attache pas. Couper les aubergines et les courgettes en rondelles, les passer dans la farine et les faire sauter quelques minutes dans une poêle, à l'huile chaude.
Dans un plat creux, disposer des couches de courgettes, d'aubergines et de viande en les alternant.
Couvrir le plat avec un papier d'aluminium et cuire 30 à 40 minutes à four doux.
Saupoudrer de persil haché et servir dans le plat de cuisson.

Variantes : On peut supprimer les courgettes et ne mettre que des aubergines ou, au contraire, ajouter d'autres légumes : carotte, céleri-rave, etc.
Si la viande de mouton est cuite préalablement, la préparation ci-dessus reste valable.

La moussaka peut être préparée sans viande, pour constituer une recette végétarienne. Dans tous les cas, les aubergines sont l'élément essentiel.

69. Poulet à l'estragon

Un poulet, 50 g de beurre, 3 ou 4 cuillerées à soupe d'estragon, 1 verre de vin blanc sec, 2 cuillerées à soupe de ciboulette et de cerfeuil, sel, poivre.

Le four doit être préchauffé. Saler et poivrer l'intérieur du poulet et y ajouter 3 bonnes cuillerées d'estragon avec 1 cuillerée de graisse végétale ou d'huile. Déposer le poulet dans un plat allant au four préalablement huilé. Cuire le poulet comme à l'habitude. Pendant ce temps, préparer un beurre aux fines herbes en malaxant le beurre avec le reste d'estragon, la ciboulette et le cerfeuil. Faire fondre à feu doux et ajouter le vin blanc. Quand le poulet est cuit, retirer le jus de cuisson, le verser dans une saucière et incorporer le beurre aux fines herbes. Chaque convive arrose à volonté sa part avec la sauce.

70. Poulet cuit au sel

Préparer le poulet comme d'habitude. Mettre à l'intérieur des aromates, thym, romarin, laurier et bien recoudre. Verser dans une grosse marmite en fonte 1 kg de sel gros, poser le poulet dessus et le recouvrir de 2 kg de sel gros afin qu'il soit tout entouré de sel (marin). Fermer hermétiquement et cuire à petit feu pendant trois heures. Le dépouiller de sa carapace de sel, bien le brosser et servir. Le poulet a l'apparence et le goût du confit.

71. Cuisson du poisson à la vapeur

Cette cuisson est excellente parce qu'elle ne graisse pas le poisson.
Faire bouillir une casserole d'eau. La fermer avec une assiette creuse sur laquelle on pose le poisson. Mettre le couvercle (ou une seconde assiette renversée en guise de couvercle).
Après cuisson (10 minutes environ), ajouter une noisette de beurre ou un filet d'huile d'olive.
Nota. Les œufs sont excellents cuits de cette manière.

72. Hachis niçois

Pour 6 personnes, il faut : 400 g de poisson maigre, 2 aubergines, 3 tomates, un oignon, parmesan, sel, 2 gousses d'ail, 40 g de beurre.

Préparation : 20 minutes, cuisson : 30 minutes.

Graisser un plat allant au four.

Laver les tomates, les couper en rondelles de 1 cm d'épaisseur. Les étaler dans le fond du plat. Eplucher l'oignon, le couper en tranches fines. Le disposer par-dessus les tranches de tomates. Saupoudrer avec la moitié du parmesan. Saler, poivrer. Ajouter une gousse d'ail émincée.

Emietter le poisson. Le disposer sur le mélange précédent.

Laver les aubergines et les essuyer soigneusement ; ne pas les éplucher ; les couper en tranches de 1 cm d'épaisseur. Etaler sur le poisson. Saupoudrer avec le restant de parmesan. Saler.

Faire cuire à four moyen pendant 30 minutes environ.

Ajouter quelques noisettes de beurre sur le dessus du plat au moment de servir.

E. LEGUMES CUITS

73. Aubergines parisiennes

Pour 6 personnes, il faut : 3 belles aubergines, 500 g de champignons de Paris frais, ail, chapelure, persil, 2 pincées de paprika, 4 cuillerées d'huile d'olive, 25 g de beurre, un oignon.

Préparation : 30 minutes. Cuisson : 5 + 30 minutes.

Laver et couper en deux les aubergines dans le sens de la longueur. En enlever la chair avec précaution en faisant d'abord une entaille à 3 millimètres du bord avant de les creuser à la cuiller.

Réserver les peaux.

Hacher menu la pulpe des aubergines, l'oignon et les tomates.

Faire revenir le tout dans une poêle avec 2 cuillerées d'huile d'olive et le beurre. Ajouter ail écrasé, paprika, sel, champignon haché. Cuire 5 minutes.

Farcir les aubergines, les poser dans un plat à gratin, et saupoudrer de chapelure.

Verser au fond du plat le reste d'huile et quelques cuillerées de jus de champignons.

Mettre à gratiner 30 minutes à four chaud (thermostat 7).

74. Epinards aux raisins et aux pignons

Pour 6 personnes, il faut : 2 kg d'épinards en branches, 200 g de pignons, 150 g de raisins de Corinthe, huile d'olive, sel, poivre.

Trier les épinards et les laver à grande eau à plusieurs reprises. Les plonger dans une marmite d'eau salée bouillante. Cuire 10 minutes. On peut contrôler le degré de cuisson lorsque la feuille s'écrase sous une forte pression des doigts. Eviter tout excès d'ébullition qui retirerait au légume sa saveur.

Egoutter les épinards, les presser et les mettre à égoutter à nouveau longuement.

Faire tremper les raisins de Corinthe à l'eau tiède pendant une demi-heure environ.

Dans une cocotte à fond épais, faire chauffer 4 cuillerées à soupe d'huile d'olive, y jeter les pignons. Lorsque ceux-ci commencent à blondir, ajouter les raisins de Corinthe, remuer vivement avec une cuiller de bois puis, dès que l'huile recommence à chauffer, ajouter les épinards.

Assaisonner de sel, si on le veut. Servir tel quel.

Nota. Les pignons (graines de pin parasol) peuvent être demandés dans un magasin diététique.

75. Farce au tapioca

Pour 6 personnes : lait, 1/2 litre ; 2 œufs ; 4 cuillerées à soupe de tapioca ; 1 cuillerée à soupe de crème fraîche (facultative) ; 100 grammes de gruyère râpé.

Porter à ébullition le lait. Verser le tapioca en pluie en remuant pour éviter les grumeaux. Cuire en remuant une dizaine de minutes. Retirez la casserole. Ajouter alors le gruyère râpé et deux jaunes d'œufs.

Garnir le légume à farcir (courgettes par exemple) : chapelure, une noisette de beurre. Mettre au four.

76. Gratin de potiron au fromage

Couper en gros dés du potiron bien mûr et non filandreux. Le mettre dans une bassine d'eau et le sortir pour le mettre mouillé dans une casserole avec une poignée de gros sel. Couvrir et sur feux doux lui laisser rendre son eau. Quand il est cuit, mou sous le doigt, le retirer. Bien l'égoutter, le presser dans les mains pour qu'il ne reste plus d'eau. Dans une poêle, mettre un gros morceau de beurre. Y faire étuver la purée de potiron et diluer avec du lait bouillant de façon à former une purée consistante. Mettre cette purée dans un plat allant au four après l'avoir salée et mis une pointe de muscade. Y mélanger une bonne quantité de fromage râpé (gruyère ou parmesan). Parsemer de noisettes de beurre ; y ajouter encore un peu de fromage et passer au four assez vif mais ne pas laisser le dessus devenir d'une couleur excessivement marron.

77. Gratin de fenouils

Fenouil : 1 par personne, ou davantage ; gruyère râpé ; une sauce blanche ; chapelure.

Enlever les parties dures des fenouils et partager les fenouils en deux parties. Laver et cuire dans un peu d'eau salée. Garder le jus de cuisson des légumes. Refroidi, il sert à confectionner la sauce blanche. Mettre les légumes dans le plat à gratin. Recouvrir de gruyère râpé, puis de sauce blanche, et enfin de chapelure. Gratiner à four chaud et servir.

78. Haricots verts à l'orientale

Il faut, pour 6 personnes : 800 g de haricots verts, 200 g de riz, 600 g de tomates, 100 g de beurre, quelques cuillerées d'huile, 1/3 de litre de bouillon, 2 oignons moyens, 2 gousses d'ail, persil.

La préparation dure 20 minutes ; la cuisson 50 minutes.

Eplucher les haricots, les laver et les cuire à l'eau bouillante salée de 30 à 40 minutes suivant leur espèce. Les égoutter. Les tenir au chaud avec la moitié du beurre. Faire fondre le reste du beurre. Y faire revenir quelques instants l'oignon haché ; y verser le riz après l'avoir mesuré avec une tasse ou un verre. Remuer sur le feu à la cuiller afin que tous les grains de riz soient enrobés de beurre mais sans laisser prendre couleur. Faire chauffer du bouillon à raison d'une fois et demie le volume du riz (3 tasses de bouillon pour deux tasses de riz, par exemple).

Cuire une quinzaine de minutes, couvert. Le riz devra absorber tout le liquide.

Réunir les haricots et le riz. Faire chauffer un peu d'huile ; couper les tomates en deux et les faire cuire, saupoudrer d'ail finement pilé.

Dresser les haricots et le riz en dôme ; les entourer d'un turban de demi-tomates ; saupoudrer de persil haché.

Nota. Le bouillon peut être remplacé par de l'eau additionnée d'un extrait de levure autolysée. Les différentes cuissons doivent être bien synchronisées. Les tomates, en particulier, ne doivent pas attendre.

79. Légumes en brochettes

Il faut, pour 5 ou 6 personnes : 6 à 8 tomates, un poivron vert, un poivron rouge, 400 g de champignons, 300 g de petits oignons, sel, huile, citron, ciboulette.

La préparation dure 20 minutes ; la cuisson 10 minutes.

Choisir des tomates pas trop grosses, bien mûres et bien fermes ; les essuyer et les couper en quartiers. Essuyer les poivrons, les ouvrir, en ôter les graines et les couper en morceaux. Nettoyer et brosser les champignons, les essuyer avec un linge fin et les couper en deux : la tête et le pied. Peler les oignons et les couper en deux ou en quatre suivant la grosseur.

Enfiler les divers éléments sur les brochettes en les alternant. Commencer et finir par un quartier de tomate.

Ensuite, deux formules possibles :

1) Faire griller ces brochettes quelques minutes en les retournant et en les badigeonnant d'huile. Ou :

2) Les laisser telles quelles et les présenter en crudités. Dans ce cas, on peut ajouter des petits carrés de gruyère.

Faire une sauce avec le sel, l'huile, le jus de citron, la ciboulette hachée, éventuellement un peu de moutarde douce et y tremper les brochettes crues ou grillées.

Nota. Il est possible de choisir, pour les brochettes, des légumes de saison. Par exemple, pour l'hiver : quartiers d'oignons, champignons, pruneaux, poivrons, etc.

Ces brochettes peuvent aussi être servies seules avec hors-d'œuvre de crudités.

Les tomates et oignons doivent être coupés en quartiers mais jamais en rondelles, car celles-ci ne tiendraient pas sur les brochettes.

80. Lentilles en purée

Il faut, pour 6 personnes : 500 g de lentilles, 100 g de carottes, 60 g d'oignons piqués de 2 clous de girofle, une gousse d'ail, un bouquet garni, 60 g de beurre, 60 g de crème fraîche.

La préparation dure 25 minutes, la cuisson de 1 h à 1 h 30.

Mettre les lentilles dans une casserole, les recouvrir d'eau froide et leur ajouter les légumes d'accompagnement et le bouquet garni. Amener doucement à ébullition puis les faire cuire lentement à petit frémissement. En cours de cuisson, surveiller la hauteur de l'eau de cuisson ; en ajouter un peu chaque fois que nécessaire. Saler en fin de cuisson.

Lorsque les lentilles sont cuites, retirer l'accompagnement (les carottes peuvent être laissées) puis égoutter ; conserver le jus dont quelques cuillerées serviront si nécessaire à mouiller la purée tandis que le reste sera la base d'un excellent potage (auquel sera ajouté le reste de purée).

Passer les lentilles encore chaudes au tamis. Travailler ensuite la purée avec le beurre et la crème fraîche. Assaisonner et, toujours en remuant remettre la purée à chauffer si nécessaire.

La servir très chaude après l'avoir striée à la fourchette et décorée de quelques croûtons.

Nota. Ne pas faire tremper les lentilles avant de les faire cuire, au risque de provoquer un début de fermentation de la fécule.

81. Petits pois en jardinière

Il faut, pour 6 personnes : 1 kg de petits pois en gousses, 400 g de pommes de terre, 400 g de carottes, 3 gros oignons, 80 g de beurre, une laitue, un morceau de sucre, un bouquet garni, sel, poivre.

La préparation dure 30 minutes. La cuisson 1 heure.

Ecosser les petits pois, les mettre dans une casserole avec la moitié du beurre, la laitue épluchée, lavée et séparée en 3 : le cœur et les feuilles liées en 2 botillons, le morceau de sucre, sel, poivre. Porter à ébullition et cuire doucement 20 minutes.

Dans une autre cocotte, faire revenir dans le reste du beurre les oignons coupés mais non hachés, ajouter les carottes coupées en dés, sel, poivre, bouquet garni.

Mouiller d'eau ou de bouillon ; couvrir ; porter à ébullition et laisser mijoter 15 minutes. Réunir le contenu des 2 casseroles et ajouter les pommes de terre coupées en dés. Cuire encore 20 minutes en veillant à ce qu'il y ait toujours assez de liquide, mais pas trop ; celui-ci doit être à peu près absorbé en fin de cuisson.

Enlever le bouquet garni ; goûter et rectifier l'assaisonnement. Ajouter, au dernier moment, un morceau de beurre frais si on le souhaite.

Nota. Les pommes de terre ne seront pas d'une espèce farineuse ni coupées trop finement ; elles ne doivent pas s'écraser. D'autre part, on peut remplacer les petits pois frais par une boîte (de qualité biologique) et ajouter alors les petits pois égouttés aux autres légumes quelques minutes seulement avant la fin de la cuisson de ces derniers.

82. Quelques recettes de marrons

Pour éplucher facilement les marrons, faire une incision d'un demi-centimètre de profondeur tout autour des fruits. Les plonger dans l'eau bouillante quelques minutes. Dès que les peaux commencent à se soulever, les sortir de l'eau, les presser par le fond, avec un linge. Les peaux s'enlèvent en même temps, très facilement.

83. Œufs brouillés aux marrons

Faire griller des châtaignes, les éplucher, les concasser.

Mélanger les morceaux à des œufs brouillés. Assaisonner ceux-ci avec du paprika (très légèrement).

84. Châtaignes à la périgourdine

Faire blanchir de grandes feuilles de choux. Eplucher les châtaignes blanchies. Mettre les châtaignes dans chaque feuille et ficeler. Placer les paquets dans une daubière avec un verre d'eau salée. Cuire 3/4 d'heure. Les châtaignes ont absorbé l'eau et sont rissolées. Retirer les feuilles de choux et manger les fruits arrosés de beurre fondu.

85. Tourte de courgettes

Pour 6 personnes, il faut : 500 g de courgettes, un oignon, un œuf, 15 g de riz cru, 70 g de parmesan râpé, huile d'olive, sel.

Laver et essuyer les courgettes puis les couper en petits dés d'un cm de côté. Saler, mettre les morceaux de courgettes dans une terrine et les faire dégorger pendant une heure. Les égoutter ensuite dans une passoire et les rincer vivement à l'eau fraîche.

Dans une terrine, mélanger aux morceaux de courgettes : 2 cuillerées à soupe de riz cru, un oignon haché, un œuf entier, le parmesan râpé, goûter afin d'ajouter éventuellement du sel. Laisser reposer.

Faire une pâte avec 150 g de farine, une pincée de sel, une cuillerée à soupe d'huile d'olive, un demi verre d'eau. Pétrir vivement. Former une boule et la partager en deux. Laisser reposer une heure.

Abaisser la boule de pâte à 2 millimètres d'épaisseur, huiler la tourtière, foncer et garnir avec la farce préparée dans la terrine sur environ 1,5 cm d'épaisseur, pas davantage.

Abaisser l'autre boule de pâte et en couvrir la tourte. Coller les deux épaisseurs de pâte sur les bords. Piquer celle de dessus avec une fourchette.

Avec le doigt, passer une légère couche d'huile d'olive sur la pâte du dessus et mettre ensuite à four chaud. Il faut 40 minutes de cuisson. Puis tourner le thermostat sur la position gril pendant 5 minutes.

Après avoir sorti la tourtière du four, la couvrir avec un chiffon et la laisser à température ambiante pendant 15 minutes afin que la pâte s'assouplisse et ne se brise pas au découpage.

86. Steak aux champignons

Couper en tranches épaisses de·beaux champignons de Paris ou autres, les tremper dans du lait additionné de fromage râpé. Enduire de panure et faire griller à la poêle des 2 côtés dans du beurre végétal.

87. Purée aux légumes d'hiver : céleri-rave et pomme de terre

Pour 6 personnes : 3 gros pieds de céleri-rave, 1 kg de pommes de terre ; 1/2 jus de citron, beurre, lait, sel, muscade.

Peler les pommes de terre, les laver, les couper en morceaux. Peler les pieds de céleri-rave, laver, couper en quatre puis en lamelles. Mettre cuire à l'eau bouillante salée et additionnée de jus de citron. Cuire jusqu'à ce que le céleri, plus dur que la pomme de terre, puisse être écrasé en purée. Vider l'eau restante. Ecraser les légumes au presse-purée ou passer à la moulinette. Ajouter un peu de lait jusqu'à bonne consistance, muscade, beurre. Si au contraire, la purée est trop liquide encore, la faire sécher sur chaque plaque chauffante en tournant à la cuillère de bois, sans couvercle.

> *Nota.* D'autres végétaux peuvent être utilisés (carotte, haricot, etc.).

88. Tomates provençales

Pour réussir les tomates provençales, les cuire suffisamment sans qu'elles se défassent. Les choisir fermes et les mettre, coupées en deux, tranche en haut, dans un plat largement huilé à l'huile d'olive. Saler, arroser d'huile d'olive, saupoudrer d'un mélange de persil, ail, basilic, etc., hachés ensemble et faire cuire une bonne demi-heure.

> *Nota.* Un mélange courant d'herbes de Provence est composé de thym, romarin, sarriette, marjolaine, basilic, laurier, estragon, serpolet, origan et fenouil.

89. Choucroute garnie d'œufs cuits au plat

a) **Cuisson de la choucroute.** Pour 2 kg de choucroute crue (6 personnes). 2 à 3 beaux oignons, 50 g de matières grasses, 3 belles pommes reinettes, baies de genièvre (une vingtaine), eau ou vin blanc sec. Aérer la choucroute vendue tassée, la laver, l'égoutter. Dans une cocotte, faire revenir les oignons émincés. Ajouter les pommes épluchées et coupées en gros cubes (elles se démêleront à la cuisson) puis la choucroute. Ajouter eau ou vin sans recouvrir complètement le légume, qui ne doit ni attacher ni être servi avec jus. Ajouter les baies de genièvre. Cuire doucement environ 2 heures et demie à trois heures.

b) **Garniture.** Cuire à part 2 à 3 pommes de terre moyennes par personnes (cuisson à la vapeur). Cuire enfin les œufs au plat. Dans un plat préalablement chauffé, disposer la choucroute. Les pommes vapeur l'entourent et les œufs sont posés délicatement en dôme. Servir de suite.
La choucroute ainsi cuite peut être servie seule, comme légume.

90. Salade de chou rouge aux pommes (fruits)

Choisissez votre chou rouge en fonction du nombre de convives. Le chou est un légume économique. D'un petit chou résulte une belle entrée. Ne l'effeuillez pas, mais coupez le chou par moitié ou quart. Lavez la partie à utiliser. Posée sur la planche, vous la couperez en fines lanières.

La sauce. Pour 6 personnes : 4 cuillerées à soupe d'huile d'olive, citron : 1/4 jus, 1 oignon haché, sel et condiment léger.

Pommes. Les peler. Couper en quartiers puis en morceaux. Mettre chou et pommes dans la sauce. Mêler sans plus attendre. Surmonter d'un peu de persil haché et de quelques olives noires.

Aux marrons. Cuire les marrons à l'eau bouillante ; les éplucher. Disposer la salade de chou rouge sur un plat et non plus dans un saladier, et garnir le pourtour de marrons entiers. On peut en faire le plat principal du soir.

91. Salade de choucroute crue

(6 personnes). Comptons une à deux cuillerées à soupe de choucroute crue par personne. Aérons la choucroute avec les mains, lavons-la, égouttons-la.

La sauce. Huile : 2 cuillerées à soupe ; yaourt : 2 cuillerées à soupe ; citron : 1/2 jus ; un oignon finement haché ; cumin : 1 cuillerée à café.
Variante pour un plat plus complet. Garniture éventuelle d'œufs durs coupés en deux et betterave rouge cuite, ou garniture de la salade de choucroute par quelques pommes de reinette (5 à 6).

92. Le jus de chou

Sitôt extrait à l'aide du centrifugeur, il est absorbé pur ou dilué dans un peu d'eau légèrement citronnée. On le consomme pour les raisons données par le Professeur Lautié dans son étude sur le chou. Pour les mêmes raisons.

93. Le jus de choucroute

On se le procure dans les magasins diététiques. (Il se présente généralement sous forme « lactacidifiée »).

94. Le chou vert aux marrons

Cuisson à l'étouffée. Pour 6 personnes : un beau chou vert bien serré, 1 kg de marrons, gras végétal 60 g, bouillon végétal : une tasse, 2 gros oignons.

Le chou. Il est lavé, égoutté, coupé en morceaux et débité (sur planche) en fines lanières. Dans une cocotte, fondre la matière grasse. Faire revenir les oignons et les saler légèrement. Mettre le chou et le cuire doucement dans son jus. A l'aide d'une cuiller de bois, le retourner souvent et, si besoin est, en cours de cuisson, ajouter un peu de bouillon chaud pour que le chou n'attache pas. Cuire doucement quarante-cinq minutes.

Les marrons. Ils sont cuits séparément dans de l'eau bouillante puis, épluchés, ils sont ajoutés en garniture du chou vert sur le plat de service.

95. Cuisson « à l'eau » du chou

Faisons mention encore de la possibilité de cuire rapidement le chou coupé en lanières en le jetant à l'eau bouillante légèrement salée, pour une durée de 10 minutes à partir de la reprise de l'ébullition. Cuisson sans couvercle. Le chou, qu'il soit vert, rouge, ou de Bruxelles, reste beau, coloré, un peu croquant et il est généralement bien toléré.

96. Chou aux pommes

Blanchir le chou en le mettant à l'eau froide, égoutter au premier bouillon. Le hacher. Eplucher un kg de pommes mi-acides. Les couper en rondelles. Faire fondre une cuillerée à soupe rase de graisse végétale dans une cocotte de fonte. Y superposer pommes et chou. Une pincée de sel, de genièvre en poudre. Cuire à feu doux une heure et demie environ.

97. Chou aux cèpes séchés

Il faut : un chou, 200 g de riz, 30 g de cèpes secs, 200 g de tomates (ou purée de tomate), oignon, marjolaine.

Blanchir le chou en partant de l'eau froide ; égoutter au premier bouillon. Laisser refroidir et ajouter un peu de jus de citron. Hacher les cèpes préalablement trempés. Les mélanger à 250 g de riz cuit et refroidi, y ajouter un peu d'oignon haché, de marjolaine fraîche ou en poudre. Séparer délicatement les feuilles de chou. Au centre de chacune d'elles, déposer une cuillerée à soupe du mélange. Les rouler.

Graisser un plat allant au four. Y déposer les feuilles roulées, recouvrir de la chair des tomates. Couvrir et cuire longuement à four doux.

F. CEREALES,
PAIN, POMMES DE TERRE

98. Boulgour

Semoule d'orge ou grains d'orge concassés.
Il faut : 200 g de semoule, 200 g de courgettes, 1 poivron rouge en saison, ail.

Mettre la semoule à tremper une heure. Peler le poivron après l'avoir passé à la flamme. Peler la courgette. Couper le tout en menus morceaux. Y ajouter l'ail pilé. Mélanger le tout avec un peu d'huile, de sel et une pincée d'épices (cumin, coriandre, cardamone).
Faire cuire ce mélange soit sur une passoire comme le couscous, soit dans un papier marmite.

99. Couscous

Pour 4 personnes, mettre dans une casserole une cuillerée à soupe d'huile d'olive et de couscous gros grains. Cuire à feu très doux en tournant avec une cuiller de bois. Mettre à chauffer d'autre part de l'eau aromatisée avec thym, laurier, romarin, ail et échalote finement hachés. Lorsque l'eau bout, la verser sur le couscous en le recouvrant d'1/4 cm, ensuite couvrir hermétiquement sans oublier d'éteindre. Un quart d'heure après, soulever les grains avec une fourchette, à petits coups légers, saler, arroser avec un peu d'huile d'olive, ajouter des olives coupées, etc. Si vous n'êtes pas pressée, verser ce couscous sur une plaque que vous passez au four, porte ouverte, pendant 5 minutes. De temps en temps, soulever les grains avec une fourchette et éteindre dès que le couscous est à peine grillé. On le mange avec des brochettes de légumes, des tomates provençales, haricots persillés ou beefsteak de champignons.

100. Kacha

Il s'agit simplement de sarrasin.
1°) Faire absorber à petit feu une fois et demie son volume d'eau ou de bouillon de légumes. Ajouter un peu d'huile. Terminer la cuisson en portant 40 minutes à four doux, couvert. Au sortir du four : égrener avec une fourchette.

2º) Battre un œuf, y mélanger 200 g de kacha cru. Faire fondre une noix de graisse végétale dans un plat allant au four. Y ajouter le mélange que l'on bat énergiquement. Couvrir de 1/3 de litre d'eau bouillante salée. Cuire à feu doux de 30 à 40 minutes. Egrener avant de servir.

101. Lasagnes à la crème

Prendre 300 g de lasagnes ou nouilles très larges. Les cuire selon les indications du paquet ou au plus 15 minutes afin qu'elles restent un peu fermes, à l'eau bouillante salée. Les égoutter, les arroser de 125 g de crème fraîche, épaisse et peu salée. Les saupoudrer de 3 cuillerées de gruyère râpé ou de parmesan et mettre à four très vif. Faire dorer le plus rapidement possible afin que la crème ne se dilue pas trop et servir avec des œufs durs ou pochés à la sauce tomate.

102. Pâtes (ou riz) à la sicilienne

Ils sont servis dans une assiette individuelle, avec, au milieu, un jaune d'œuf. A côté, un peu de parmesan et d'épices (chacun assaisonne à son goût).

103. Pommes dauphine (recette express)

250 g de pommes de terre cuites, séchées et finement passées. Y ajouter un peu de sel et une pointe de muscade, un jaune d'œuf, une cuillerée de crème épaisse ou de lait condensé non sucré ou demi-suisse frais, puis le blanc d'œuf battu en neige ferme. Faire ce dernier mélange légèrement pour enrober la purée plutôt que la mélanger. On doit encore apercevoir du blanc d'œuf. Prendre la pâte par toutes petites cuillerées et la laisser tomber dans la friture chaude. Egoutter ces beignets sur une serviette et saupoudrer légèrement de sel fin.

104. Quenelles truffées vert-pré (à base de riz complet)

Mouler 6 cuillerées de riz mouillé d'un peu d'eau et laisser gonfler. Ajouter 6 échalotes très finement hachées, faites cuire sur feu doux en remuant et en ajoutant de l'eau bouillante ; le mélange doit être consistant. Lorsque le riz est cuit, ajouter (hors du feu) sel, noix de muscade, deux cuillerées de poudre d'amandes ; malaxer en ajoutant 3 cuillerées de levure alimentaire, et laisser refroidir.

Sur une planche, déposer de petits tas de riz, ajouter à chacun des petits morceaux de truffes fraîches ; rouler en forme de quenelles, saupoudrer de levure et passer vivement à la poêle à la graisse végétale.

Garnir un plat de mâche, assaisonner d'huile d'olive, citron, échalotes râpées. Poser les quenelles dessus.

105. Votre premier pain

Voir recette dans le chapitre : « Faites votre pain » (page 130).

106. Décoctions de coupage ou de dilution

La crème de tapioca a été utilisée pour la préparation des décoctions farineuses, actuellement couramment prescrites dans l'alimentation au lait de vache, soit comme coupage des biberons de lait ordinaire, soit pour la reconstitution des laits en poudre.

a) **Coupage des biberons de lait de vache :** nous avons ajouté, de manière uniforme, 30 grammes d'une décoction à 5 % des quantités de lait de vache variant de 60 à 110 grammes. Dans ces conditions, la prise quotidienne de tapioca, répartie en cinq ou six biberons, variait de 7,5 à 9 grammes.

Préparation de cette décoction : délayer la crème de tapioca dans l'eau et faire cuire le tout pendant cinq minutes. Le mélange obtenu est de consistance très liquide et bien homogène, sans grumeaux.

b) **Reconstitution des laits en poudre :** dans ce cas plus fréquent que le précédent, la poudre de lait est additionnée à une quantité de décoction préparée de manière à obtenir 2 grammes de tapioca pour 100 grammes de lait reconstitué. La préparation de cette décoction à 2 % est identique à celle de la décoction à 5 %.

Ainsi, quel que soit le type de lait utilisé, les nourrissons reçoivent de 9 à 15 grammes de tapioca par jour. Le lait préparé avec des décoctions conserve une consistance liquide ; sa coloration, son odeur et sa saveur ne sont absolument pas modifiées.

107. Bouillies

Les bouillies sont préparées avec du lait de vache, dans la proportion de 3 grammes de crème de tapioca pour 100 grammes de lait.

Peu avant le début de l'ébullition, on ajoute la quantité de lait sucré ; en ajoutant le tapioca progressivement, on remue constamment pour obtenir un mélange homogène à la fin de la cuisson qui dure environ 10 minutes. Une telle bouillie à 3 %, de consistance un peu épaisse, peut être donnée au biberon avec une tétine à assez gros trou.

Si l'enfant mange à la cuiller, on peut augmenter à 5 % ou 8 % la proportion de tapioca et l'on obtient alors une bouillie assez épaisse.

Cette bouillie est blanche et le goût du lait n'est pratiquement pas modifié. Sa consistance peut être épaissie à volonté ; il faut noter également que la consistance obtenue peut varier avec la durée de cuisson.

Des bouillies à 3 % ont été également préparées dans certains cas avec du lait de femme. La quantité nécessaire pour 250 grammes, soit deux cuillerées à café et demie (une cuillerée à café de crème de tapioca pèse environ 3 grammes), est diluée dans 50 grammes de lait de femme après ébullition ; le mélange est versé dans les 200 grammes restants et le tout est cuit pendant 10 minutes ; une telle bouillie peut être administrée au biberon.

G. TARTES, PATISSERIES

Les pâtisseries, comportant une forte proportion d'amylacés et de sucre, sont à prendre avec grande modération. Cependant, il faut éviter la frustration, notamment chez les enfants, et il est préférable de donner de temps à autre un peu de pâtisserie que de s'en priver d'une manière absolue.

En Lorraine... des tartes aux fruits

Un de nos amis, Lorrain d'origine, a gardé le goût de l'authentique tarte aux fruits, celle très savoureuse, faite d'une bonne pâte et de beaucoup de bons fruits. Tout simplement.

Il rappelle le mot de Curnonsky : « *La gastronomie, c'est lorsque les choses ont le goût de ce qu'elles sont* ». Il ne comprend pas qu'une recette de tarte aux fruits pour estomacs délicats puisse comporter ce qu'il convient d'appeler « un fond de tarte » (crème, confiture) alors qu'un petit morceau de son authentique tarte aux fruits... serait aussi bienfaisant.

Depuis toujours et pendant une courte saison, la Lorraine a fait une cueillette abondante de fruits, surtout de mirabelles et de quetsches. Laissons notre ami lorrain les décrire : « Les bonnes mirabelles de Lorraine sont assez grosses, rondes et mouchetées de petites taches allant du rouge au violet.

« La quetsche est un fruit qui tient à la branche, mûrit longtemps sur l'arbre et devient très doux et parfumé.

« Pourtant, les arbres fruitiers sont moins nombreux, souvent à l'abandon (fruits voués au tonneau pour la fabrication de l'alcool de mirabelles), sauf pour la grande vente... C'est alors la cueillette des mirabelles, **avant maturité** et leur envoi aux conserveries françaises et étrangères. (Bien mûrs, ces fruits devraient être consommés rapidement et sur place).

« Le particulier trouve ces fruits chez son détaillant, sur le marché ou dans les campagnes, par connaissance de qui vous en cèdera 10 ou 20 kg...

« Il faut alors consommer ou conserver les fruits. Les maîtresses de maison s'activent pour mettre une partie des fruits en bocaux, une autre part au congélateur et, pour le reste, c'est la cure familiale de fruits frais, mirabelles puis quetsches, et de tartes aux fruits.

« Selon l'année, les fruits abondent ou sont rares. Le climat est variable. Certaines années, les quetsches très rares n'ont pas atteint leur maturité et sont restées acides. »

Il nous faut donc admettre que, de plus en plus souvent, les tartes aux fruits comportent moins de fruits... et parfois surtout en ville, quelques fruits répartis joliment sur une crème « fond de tarte ».

Cela ne doit pas nous empêcher de rechercher l'authentique tarte aux fruits faite avec simplicité, d'une bonne pâte et de fruits et dont tous les constituants sont de **qualité biologique.**

108. La véritable tarte aux fruits

— Pâte brisée (voir ci-après recette).
— Etalée au rouleau avec assez d'épaisseur pour que les fruits ne la détrempent pas.
— Garniture : fruits.
— Saupoudrage de sucre selon les fruits utilisés.
— Cuisson : pâte et fruits, à four chaud : 20 à 25 minutes.

La pâte brisée

Croustillante et légère elle se fait en quelques minutes puis repose 1/2 heure au moins. Elle peut se faire la veille et être tenue au frais.

Proportions : 300 g de farine, 150 g de beurre, 50 g d'eau, une bonne pincée de sel.

Dans une terrine, mettre la farine. Couper le beurre en petits morceaux et le poser sur la farine.

Du bout des doigts, faire pénétrer la farine dans le beurre jusqu'à absorption de celui-ci. Faire une fontaine. Y mettre le sel puis, à la cuiller de bois, remuer dès que vous avez ajouté l'eau d'un coup. On forme alors une boule rugueuse que l'on roule dans la farine. Couvrir d'un plat creux et laisser reposer.

109. Mirabelles et quetsches

Laver les fruits. Dénoyauter. Les déposer sur la pâte dont la tourtière est garnie **(le côté peau du fruit contre la pâte).**

Mettre une ou deux couches de fruits bien serrés et joliment disposés. Saupoudrer de sucre roux cristallisé et enfourner.

110. Pommes

Peler. Couper en quatre. Enlever les pépins et leurs enveloppes. Couper des quartiers épais et réguliers. Les répartir joliment sur la pâte en les plaçant, serrés et chevauchant sur le pourtour d'abord puis vers le centre. Une couche suffit alors. Saupoudrer de sucre de canne roux. Ajouter quelques noisettes de beurre. Enfourner.

111. Un truc appris d'une Lorraine

Le jus en excès risque de détremper la pâte. Avant de poser vos fruits sur la pâte, saupoudrer de tapioca. Le tapioca va cuire avec le jus des fruits, mais ce dernier est épaissi.

112. Tarte aux pommes

Foncez une tourtière avec une abaisse de pâte brisée ou de pâte à galettes. Remplissez avec de la marmelade de pommes. Décorez avec des demi-rondelles de pommes très minces. Saupoudrez avec un peu de sucre roux. Portez au four chaud 35 minutes environ. Défournez. Laissez refroidir.

Certains arrosent avec du cognac ou du rhum enflammé ; ils laissent brûler et s'éteindre. Dans ce cas, l'alcool a complètement disparu et il reste le parfum.

113. Tarte alsacienne

Foncez une tourtière avec une abaisse de pâte brisée. Garnissez avec des pommes coupées en gros morceaux. Préparez une « crème prise » en ajoutant au lait une cuillerée à soupe de farine en même temps que 2 œufs seulement. Verser cette crème sur les pommes. Ne laissez pas déborder. Sucrez. Portez au four pour 35 minutes environ. Démoulez. Laissez refroidir. (Comme précédemment, on peut arroser avec un peu de kirsch enflammé ; dans ce cas, répétons-le, l'alcool disparaît).

114. Tarte aux myrtilles

Pour 6 personnes, il faut : 200 g de farine, 100 g de beurre, 1 œuf, 500 g de myrtilles fraîches ou surgelées, 1 demi-cuillerée à café de sel, 100 g de sucre.

Préparation 20 minutes, cuisson 30 minutes.
Faire une pâte brisée avec la farine, l'œuf, le beurre, le sel et assez d'eau pour tenir une pâte souple, la fraiser, la rouler en boule et la laisser reposer au frais sous un torchon fariné 30 minutes si possible.
On aura fait dégeler les myrtilles plusieurs heures à l'avance en les sortant de leurs emballages et en les étalant sur un plat.

Beurrer une tourtière, étaler la pâte au rouleau et garnir la tourtière. Etaler sur la pâte les deux tiers des myrtilles avec leur jus et les trois quarts du sucre. Mettre à four assez chaud (220° environ). Cuire à peu près trente minutes.

Quand la tarte est cuite, la sortir du four et la poser sur un torchon mouillé plié en plusieurs épaisseurs. Au bout de trois minutes, faire glisser la tarte hors de la tourtière. La laisser refroidir et la garnir avec les myrtilles réservées. Saupoudrer avec le reste du sucre.

115. Tarte aux prunes genevoise

Pour 6 à 8 personnes, il faut : pour la pâte : 220 g de farine, 110 g de beurre, sel. Pour la garniture : 750 g de prunes, 200 g de sucre, 1/3 de litre de lait, 3 œufs, 30 g de farine, 50 g de beurre, un paquet de sucre vanillé.

Préparation 30 minutes, cuisson 35 minutes.

Préparer une pâte brisée avec la farine, le beurre, une demi-cuillerée à café de sel et assez d'eau (1/2 verre environ) pour obtenir une pâte souple. La laisser reposer 30 minutes.

Essuyer les prunes, les couper en deux et les dénoyauter.

Abaisser la pâte au rouleau et en foncer un moule à tarte beurré. Saupoudrer très légèrement (une cuillerée à café) de sucre en poudre et disposer les demi-prunes les unes contre les autres, bien serrées, la partie coupée au-dessus. Saupoudrer les prunes de 60 g de sucre.

Mettre à four chaud (240° environ) et cuire de 30 à 35 minutes.

Pendant ce temps, préparer une crème pâtissière en travaillant les œufs, la farine, 120 g de sucre et le sucre vanillé ; délayer avec le lait chaud, remettre au feu puis faire épaissir en remuant jusqu'au premier bouillon. Hors du feu, ajouter le beurre par petits morceaux. Verser cette crème encore chaude sur la tarte presque cuite, saupoudrer avec une cuillerée de sucre et remettre quelques minutes au four chaud pour caraméliser le sucre.

116. Tarte malgache

Pour 6 à 8 personnes, il faut : 200 g de farine, 100 g de sucre roux, 100 g de beurre, un œuf ; par ailleurs, 100 g de noix de coco râpée, 1/2 litre de lait, 3 œufs, 10 g de farine, 125 g de sucre roux.

Préparation 60 minutes.

Préparer une pâte à tarte sucrée : travailler l'œuf entier avec le sucre.

Incorporer la farine en sablant du bout des doigts, puis pétrir avec le beurre pour obtenir une pâte homogène.

Etaler au rouleau (4 millimètres) et garnir un moule légèrement beurré. Piquer finement le fond pour éviter des boursouflures. Faire cuire partiellement à blanc.

Pour la garniture de la tarte, travailler les œufs entiers avec le sucre. Ajouter la farine délayée dans un peu de lait froid. Ajouter enfin le reste du lait, puis la noix de coco râpée.

Verser cette crème sur le fond de pâte. Terminer la cuisson à four moyen.

Laisser refroidir avant de démouler.

117. La charlotte de bonne-maman

La veille : préparer une compote de pommes. Prendre des reinettes. Les éplucher, enlever le cœur et les pépins, cuire avec le minimum d'eau ; en une dizaine de minutes elles sont prêtes.

Pour 6 personnes : il faut 25 à 30 biscuits-cuiller. Dans un moule à charlotte ou un plat bien creux, tapisser de biscuits-cuiller fond et bords (dos des biscuits contre les parois du moule), mettre une couche de compote de pommes puis à nouveau une couche de biscuits et ainsi de suite. Terminer par une couche de biscuits. Recouvrir le moule d'une assiette ou davantage pour tasser l'ensemble. Mettre au frais jusqu'au lendemain.

Le lendemain, préparer la crème anglaise : 3 jaunes d'œufs, 75 g de sucre, 4 dl de lait, vanille.

Au moment de servir : choisir comme plat de service un plat un peu creux. Retourner le moule à charlotte pour démoulage. Napper entièrement de la crème anglaise.

Cette recette délicieuse se transmet de mère en fille !

118. Clafoutis aux pommes

Recette pour 6 personnes.

Délayer peu à peu 150 g de farine avec 3 œufs, une pincée de sel et 4 cuillerées à soupe de sucre en poudre.

Ajouter en filet, tout en travaillant, 14 cuillerées de lait et 4 cuillerées de crème fraîche, puis 7 pommes reinettes coupées en dés. Verser la préparation dans un plat beurré.

Mettre à four moyen 30 à 40 minutes environ.

Contrôler la cuisson en piquant avec une pointe de couteau ; elle doit ressortir sèche.

Servir froid dans le plat de cuisson.

Nota. Les pommes peuvent être remplacées par d'autres fruits selon les saisons. Cerises, poires, groseilles, etc.

119. Gâteau levé aux pommes (recette suisse)

Ce gâteau se compose :

1) D'une pâte levée. Faire le levain avec 15 g de levure de boulanger, souvent remplacée maintenant par de la levure boulangère sèche (1/2 sachet), levure, eau tiède, sucre ; laisser reposer 20 minutes.

Puis mettre 250 g de farine dans une terrine. Former une fontaine et y verser le levain, une cuillerée à soupe de sucre, un jus de citron, un œuf entier. Bien travailler la pâte qui doit se détacher du moule. Couvrir d'un torchon et placer la terrine dans un endroit chaud, au repos. La pâte double de volume.

Prendre une tourtière carrée ou rectangulaire dont les bords sont bas. Bien étirer la pâte pour qu'elle couvre le moule.

2) D'une compote de pommes. Compote faite avec 1,500 kg de fruits. On met donc sur la pâte une couche de compote de pommes.

3) La garniture qui recouvre le tout est faite de : 3 cuillerées à soupe de noix hachées grossièrement, autant de farine, 2 cuillerées de sucre. Pour terminer : parsemer de petits morceaux de beurre.

4) Cuisson : four modéré pendant 40 minutes.

Une fois refroidi, le gâteau sera coupé en parts carrées ou rectangulaires disposées sur le plat de service.

120. Pommes à l'ancienne

Prendre des petits plats allant au four. Eplucher une pomme par personne. La couper en 4, enlever le cœur et les pépins et couper en tranches de 1/2 cm d'épaisseur. Beurrer largement les petits plats. Dans chacun, disposer les tranches de pomme comme pour une tarte. Mettre à four moyen 5 minutes. A ce moment, les pommes sont presque cuites, napper chacune d'une cuillerée à soupe de lait condensé sucré. Laisser cuire encore 5 minutes. Servir tiède.

121. Simple tarte aux pommes

Sur pâte brisée. Pour tourtière de 30 cm de diamètre. 300 g de farine, 150 g de beurre, sel, 50 g d'eau. Préparée en quelques minutes : farine, sel, beurre en petits morceaux, eau ; laisser reposer au moins

30 minutes. Il faut encore : quelques pommes de reinette, du sucre cristallisé roux (3 cuillerées à soupe). Etendre la pâte en rond sur planche
farinée. Garnir la tourtière préalablement graissée. Former le bord entre le
pouce et l'index pour qu'il soit joli et solide. Eplucher les pommes, les
couper en quatre ; enlever pépins et cœurs. Couper des tranches de même
épaisseur. Disposer les quartiers du pourtour vers le centre et se
chevauchant. Saupoudrer de quelques cuillerées de sucre cristallisé. Parsemer de quelques morceaux de beurre.

Cuisson : four préalablement chauffé. T. 260° pendant 30 minutes ;
four chaud - 7 du thermostat.

La pâte brisée peut se préparer à l'avance, la veille même. La tarte
elle-même sera bien meilleure confectionnée peu de temps avant goûter ou
repas.

H. DESSERTS DIVERS AUX FRUITS

122. Confiture d'oranges

Oranges 1 kg, sucre cristallisé 1 kg, jus d'un citron, 1/2 litre d'eau.

Peler les oranges. Retirer au maximum les peaux blanches. Sur une grande assiette, couper les oranges en fines tranches puis en quarts de tranches. Enlever les pépins. Dans votre bassine à confiture, mettre oranges, sucre, jus de citron, eau. Cuire doucement une heure environ en remuant pour éviter que la confiture n'attache. Verser la confiture dans les pots préalablement lavés à l'eau bouillante et égouttés. Laisser refroidir complètement la confiture avant de la couvrir de cellophane.

Si les oranges ne sont pas traitées au diphényle, couper les pelures en très fines lanières. Les faire bouillir 15 minutes pour leur faire perdre de leur amertume. Les mettre à cuire avec la confiture.

123. Ecorces confites (oranges, citrons)

Fruits non traités. Ecorces coupées en quatre morceaux si possible. Blanchir les écorces de fruits à l'eau bouillante jusqu'à ce qu'elles soient bien ramollies. Les passer à l'eau froide et les égoutter. Dans une casserole : mettre les pelures, un peu d'eau, du sucre à poids égal (fruits et sucre). Cuire deux heures en tournant souvent à la cuiller de bois. Reposer. Recuire 4 fois. Laisser sécher les écorces sur grille avant de les mettre dans une boîte en fer où elles se conserveront bien jusqu'à utilisation.

Agrumes traités au diphényl. Méfiance !

Des magasins diététiques sont approvisionnés en oranges, citrons, pamplemousses, ananas exempts de diphényl (substance toxique pour le rein, notamment).

Même problème pour les pommes, le raisin, les fruits en général. Ayez recours aux productions biologiques, qui sont de plus en plus nombreuses.

124. Confiture de reines-claudes

Pour 6 pots de 500 g, il faut : 2 kg de reines-claudes, 1,500 kg de sucre cristallisé, le jus de 1 citron.

Préparation 10 minutes, macération 6 heures, cuisson de 35 à 40 minutes.

Laver et dénoyauter les reines-claudes. Les mettre dans une grande terrine. Les mélanger avec le sucre et laisser macérer 6 heures.

Ensuite, verser les fruits et leur jus dans une bassine à confiture. Faire cuire à feu moyen en tournant souvent pour que la confiture n'attache pas. Ecumer.

Lorsque les fruits sont devenus transparents, ajouter hors du feu le jus de citron. Laisser refroidir complètement dans la bassine avant de remplir les pots.

125. Gelée de coings

Pour les gelées de fruits, les pesées se font après extraction du jus. Prendre les coings à maturité et les essuyer fortement. Les couper en quartiers. Mettre les fruits dans la bassine à confiture. Recouvrir d'eau. Chauffer jusqu'à ébullition et laisser cuire jusqu'à ce que les fruits soient cuits. On extrait le jus en passant la marmelade obtenue dans un torchon solide à confiture (étamine de lin), par pression à la main. Peser le jus obtenu. Peser le même poids de sucre. Remettre jus et sucre dans la bassine à confiture. Cuire 15 à 20 minutes à partir de l'ébullition. Mettre en pots.

Quant au reste de pulpe, il est possible d'en faire quelques pâtes de fruits qui seront friandises pour vos enfants. Passer au moulin à légumes afin de débarrasser la compote des pépins et peaux. Peser et ajouter 800 g de sucre par kg. Mettre cuire doucement, sans couvercle, jusqu'à ce que l'évaporation de l'eau soit suffisante pour que, refroidie, la consistance soit celle de la pâte de fruits. Verser la préparation dans un moule à cake, mettre au frais jusqu'au lendemain. Couper alors des tranches de pâte de fruits et donner la forme choisie par vous aux bonbons que vous roulerez dans un peu de sucre cristallisé.

Nota. Dans l'Orléanais, la spécialité nommée « *cotignac* » est une confiture aux coings, *cotoneum* en latin signifiant coing.

126. Gelée de pommes

Il faut, pour 10 pots environ : 2 kg de pommes, 800 g de sucre par litre de jus, un citron par litre de jus.

Préparation 35 minutes, cuisson 1 heure.

Choisir des pommes bien mûres ; les éplucher puis en retirer les cœurs et les pépins qui seront réservés dans un « nouet » de mousseline.

Couper les pommes en tranches et les jeter au fur et à mesure dans une terrine d'eau fraîche.

Ce travail de préparation terminé, mettre les tranches, ainsi que le nouet de mousseline contenant les cœurs et pépins, dans une bassine et les couvrir d'eau.

Porter à ébullition à feu vif sans remuer, puis laisser mijoter jusqu'à ce que les fruits deviennent tendres mais ne s'écrasent pas.

Renverser alors doucement les pommes et le nouet sur un tamis, le laisser égoutter longtemps pour recueillir tout le jus de cuisson. Presser le nouet pour en extraire le maximum de jus. Verser tout le jus dans la bassine. Ajouter le sucre et le citron selon les proportions indiquées ci-dessus. Cuire en remuant assez souvent. Ecumer en cours de cuisson.

Dès que la gelée fait la nappe, c'est-à-dire dès qu'une goutte « prend » lorsqu'on la pose sur une assiette, retirer du feu. Mettre rapidement en pots et couvrir.

Nota. Avec la chair des pommes, on peut faire des pâtes de fruits en la réduisant à la consistance désirée.

127. Prunes au sirop

Mirabelles - août - début septembre. Fruits entiers, sains, pas trop mûrs. Laver, équeuter, sécher. Mettre les fruits dans les bocaux. Les recouvrir d'un sirop chaud (500 g de sucre par litre d'eau). Bouillir une minute. Placer les bocaux hermétiquement fermés dans le stérilisateur. Bien les caler pour éviter les chocs. Chauffer progressivement. Stérilisation : à partir de l'ébullition, 20 minutes à 100°C. Proportions pour 5 kg de prunes : sirop, un litre et demi d'eau et 1,500 kg de sucre cristallisé.

128. Poires au sirop

Mêmes règles générales. Poires mûres et saines. Préparer du jus de citron dans lequel on met les poires au fur et à mesure de leur épluchage. On évite ainsi le brunissement des fruits par oxydation. Les poires sont pelées, coupées en quartiers et débarrassées de leurs pépins. Emplir les bocaux. Préparer le sirop : 600 g de sucre cristallisé pour un litre d'eau plus un jus de citron. Chauffer et cuire une minute. Verser le sirop sur les fruits jusqu'au col du bocal (3 cm du couvercle). Fermer hermétiquement les bocaux. Chauffer progressivement le stérilisateur et son contenu. Stériliser 20 minutes à 100°.

129. Dessert aux fruits au sirop (pêches, poires, abricots, etc.)

Pour 6 personnes. Ingrédients : 50 g de tapioca, 1/2 litre de lait, 2 œufs, 100 g de sucre, 1 citron, 3 cuillerées à soupe de gelée de groseilles, 3 pêches (6 moitiés garniture) ou 6 poires ou abricots.

Faire cuire le tapioca en le jetant en pluie dans le lait bouillant en remuant sans cesse. Le tapioca cuit est transparent. La casserole retirée du feu, ajouter la moitié du sucre, les jaunes d'œufs, un jus de citron. Mêler. Battre les blancs en neige ferme en y ajoutant une pincée de sel, puis le reste du sucre. Ajouter les blancs battus avec légèreté à la première préparation. Garnir de cette crème 6 coupes. Décorer de fruits (fruits frais, au sirop ou fruits trempés selon la saison). La gelée de groseille ajoute une note colorée agréable.

Tenir au frais. A servir frais.

130. Clafoutis

Dans un plat de terre, beurré, posez deux ou trois assiettes de cerises noires, non dénoyautées. Versez une crème analogue à celle de la tarte alsacienne, de façon à noyer les fruits. Portez au four 35 à 40 minutes environ, jusqu'à coagulation de la crème. Laissez refroidir. Démoulez, si vous y parvenez. Sinon, découpez dans le plat, sur la table de la salle à manger.

131. Clafoutis de fruits

Mélanger 3 cuillerées de farine, 3 œufs, 3 verres de lait, 3 cuillerées de sucre pour en faire une sorte de pâte à crêpes. Verser la crème ainsi obtenue sur des fruits (bananes, poires, etc.) coupés en morceaux. Mettre au four une demi-heure, servir froid ou tiède. (on peut faire ce gâteau avec n'importe quel fruit).

132. Dessert des quatre mendiants

Ce dessert est, en fait un plat complet composé de 4 fruits tels que : noix, noisettes ou amandes, raisins secs, pruneaux secs, figues sèches.

Selon le Pr Lautié : « Ce dessert est plus justement un véritable plat de résistance parmi les plus sains et même nécessaire à l'heure des efforts physiques et intellectuels, en période d'épidémies hivernales et pendant les grands froids.

« D'où tire-t-il son nom ? De moines mendiants qui, au Moyen Age et au cours des siècles ultérieurs, en particulier au XIIIe siècle, quêtaient leur maigre subsistance de village en village, de porte en porte. Ces religieux de la pauvreté ne pouvaient emporter, dans leurs longues pérégrinations, que des aliments d'un transport facile, très nutritifs sous un volume réduit et de bonne conservation : galettes de blé complet ou de seigle, abricots secs, amandes, figues sèches, noisettes, noix, olives séchées au soleil, pruneaux séchés, raisins secs, etc. ».

133. Figues Carlton

Pour 4 personnes, il faut : 500 g de figues fraîches, 200 g de framboises, 100 g de crème fraîche, 100 g de sucre roux.

Préparation 15 minutes. Pas de cuisson.
Peler les figues, les couper délicatement en deux et les disposer dans un joli compotier. Tenir au frais.
Extraire le jus des framboises (en en gardant quelques-unes pour décorer). Ajouter le sucre et la crème battue.
Recouvrir les figues entièrement avec cette mousse et servir très frais.

134. Fraises à la Camargaise

Pour 6 personnes, il faut : 200 g de riz de Camargue, 1 litre de lait, 1 gousse de vanille, 125 g de sucre, 1 pincée de sel, 750 g de fraises, 150 g de sucre en poudre, 1 pot de crème fraîche.

Faire chauffer le lait, y ajouter le sucre, la vanille et le sel, porter à ébullition puis laisser infuser quelques instants. Retirer la vanille, verser le riz en pluie puis remettre sur le feu et faire cuire doucement 40 minutes.
Pendant ce temps, laver et équeuter les fraises. Les saupoudrer de sucre, laisser macérer au frais pendant une heure environ.
Lorsque le riz est cuit, l'égoutter et conserver le lait pour faire une crème ou une glace, par exemple. Prendre un moule en forme de couronne et y tasser le riz.
Au moment de servir, démouler la couronne de riz avec précaution. Décorer son pourtour avec des fraises et mettre le reste de ces dernières au centre. Verser le jus de macération sur le riz et servir très frais, la crème fraîche étant présentée à part.

Variante : lorsque la préparation a été saupoudrée de sucre, on peut l'arroser avec un peu de jus d'orange.

135. Gâteau de noix du Périgord

Pour 4 à 6 personnes : un moule à manqué de 22 cm de diamètre, 2 fois 75 g de sucre, 100 g de beurre, 150 g de noix décortiquées, 40 g de farine, 3 œufs, une pincée de sel.

Se prépare la veille, se conserve plusieurs jours dans un endroit frais.
Préparation 15 minutes environ, cuisson 40 minutes (thermostat 5).
Faire chauffer le four au thermostat 5. Garnir le moule de papier beurré.

Hacher finement les noix. Leur ajouter 75 g de sucre semoule.

Incorporer 75 g de sucre au beurre ramolli mais non fondu. Ajouter les noix hachées et non sucrées.

Lorsque le mélange est homogène, ajouter, toujours en battant, les œufs un à un puis le sel, puis la farine. Verser la préparation dans le moule puis enfourner.

Se sert froid, sans glaçage.

Nota. On peut habiller ce gâteau en le servant avec une crème Chantilly.

136. Lait d'amandes

Au mixer, 7 amandes pelées, une cuillerée à café de miel, un verre d'eau.

137. Marrons Chantilly

Faire cuire les marrons à l'eau. Les pocher dans un sirop de sucre (mais seulement une fois cuits, sinon ils durciraient) après les avoir égouttés. Napper de crème de Chantilly.

138. Mendiants déguisés

Pour 100 petits fours environ, il faut : 1 kg de pâte d'amande, 100 g de noisettes décortiquées, 100 g d'amandes mondées, 100 g de cerneaux de noix, 1 blanc d'œuf, si possible aussi un peu de colorant naturel (de plusieurs couleurs : par exemple pour le colorant jaune, il est possible de prendre tout simplement un peu d'extrait de café ; un peu de jus de carottes donne également un colorant jaune paille ; un peu de jus de betteraves rouges donne du colorant rouge ; un peu de jus d'épinards donne du colorant vert, etc.).

Préparation : 1 heure, pas de cuisson.

Diviser la pâte d'amande en 3 parts égales et battre le blanc d'œuf.

Noisette : teinter la première part de pâte d'amande avec le colorant rouge. Cela fait, partager cette pâte en petites boules grosses comme une noix environ, les pétrir puis les aplatir en galettes sur chacune desquelles seront posées 3 noisettes préalablement trempées dans le blanc d'œuf, puis appuyer légèrement dessus afin de les maintenir.

Amande : procéder comme précédemment indiqué avec la deuxième partie de pâte d'amande, mais en la teintant avec le colorant vert et en la partageant en petits bâtonnets de 3 cm à peine dont les extrémités seront un peu allongées. Piquer, en leur centre, une amande également passée dans le blanc d'œuf.

Noix : teinter la troisième partie de pâte d'amande en jaune et la diviser en petits morceaux de la grosseur d'une noix dont ils devront épouser la forme. Coller sur les deux côtés un cerneau de noix également passé dans le blanc d'œuf puis appuyer légèrement.

Présenter chacun de ces petits fours dans une cassette de papier ondulé.

139. Omelette aux raisins

Pour 3 personnes, il faut : 6 œufs, 2 grappes de raisins blancs, 1/2 verre de lait, 50 g de beurre, un peu de sel.

Préparation 20 minutes.
Egrener le raisin, rincer les grains et les sécher dans un linge.
Casser les œufs, séparer blancs et jaunes.
Battre légèrement à la fourchette les jaunes avec le lait, une pincée de sel.
Monter les blancs en neige ferme.
Dans une poêle, faire fondre une cuillerée à soupe de beurre et passer les grains de raisin. Dès qu'ils commencent à se rider, les retirer.
Mélanger délicatement blancs et jaunes. Remettre une cuillerée de beurre dans la poêle et faire cuire les œufs à feu modéré ; dès qu'ils commencent à monter et à souffler, les parsemer de grains de raisin et baisser le feu. Laisser cuire encore doucement en surveillant : l'omelette doit rester bien baveuse.

140. Panade aux pruneaux

Par personne, il faut : 50 g de pain complet, 8 pruneaux, 1/2 litre d'eau, un peu de matière grasse végétale, une cuillerée à soupe de crème fraîche, un peu de sucre. Utilisation de restes de pain complet bien séché.

La panade aux pruneaux est très doucement laxative. Avec une salade, elle compose un repas léger le soir.
Dans une casserole, fondre la matière grasse. Ajouter le pain complet en morceaux, les pruneaux, l'eau. Porter à ébullition puis régler la température pour une cuisson très douce. (Au besoin, mettre une plaque d'amiante entre casserole et source de chaleur). Cuire très doucement pendant deux heures. Servir la panade dans des coupes individuelles, surmontée de crème fraîche et sucrée légèrement si nécessaire.

141. Pêches Maritza

Pour 6 personnes, il faut : 6 pêches, 6 tranches de pain brioché, 2 œufs, 1/4 de litre de lait, 100 g de beurre, 200 g de sucre, une gousse de vanille, quelques cuillerées de gelée de groseille, 200 g de groseilles ou framboises (facultatif).

Préparation 20 minutes, cuisson 20 minutes.

Faire un sirop avec le sucre, 1/2 litre d'eau et la vanille. Couper les pêches en deux, les peler et les dénoyauter. Les pocher une dizaine de minutes dans le sirop, les égoutter. Battre les œufs, passer rapidement les tranches de pain brioché dans le lait puis dans les œufs battus, des deux côtés. Les faire dorer des deux côtés dans le beurre chaud, les déposer sur le plat de service.

Faire fondre la gelée de groseilles à chaud avec une ou deux cuillerées de jus de pochage des pêches.

Placer sur chaque tranche de pain doré 2 demi-pêches. Napper avec la gelée tiède et, à volonté, garnir avec quelques groseilles égrenées ou quelques framboises fraîches ou surgelées.

Nota. Ne pas préparer trop longtemps à l'avance mais si possible, presque au moment de servir (sauf le pochage des fruits).

A défaut de pain brioché, on peut prendre du pain ordinaire. Ne pas trop tremper, surtout s'il s'agit de pain brioché. Si c'est un pain rassis, aucun inconvénient.

142. Pêches à la Cardinal aux framboises

Pour 4 personnes, il faut : 6 belles pêches, 1/4 litre d'eau, 250 g de sucre roux, 250 g de framboises, des amandes effilées, et en plus 300 g de sucre pour le sirop.

Préparation 40 minutes, cuisson 30 minutes.

Ecraser 500 g de framboises dans un linge afin d'en obtenir le jus.

Verser ce jus dans une casserole, ajouter les 250 g de sucre et faire cuire pendant 30 minutes.

Ecumer la gelée obtenue.

Préparer un sirop avec l'eau et le sucre. Y mettre les pêches et les faire cuire (en deux fois, à couvert) pendant 10 minutes.

Retirer les fruits. Les disposer sur un plat. Arroser avec la gelée de framboise et parsemer des amandes effilées.

143. Rochers à la noix de coco

Préparer 3 blancs d'œufs, 250 g de sucre roux en poudre, 250 g de noix de coco.

Préparation 15 minutes, cuisson 30 minutes, thermostat 4-5.

Mélanger le sucre et la noix de coco dans un grand récipient. Amalgamer la poudre obtenue avec les blancs d'œufs battus en neige. Former à la main des petits rochers. Les poser sur une tôle recouverte d'un papier sulfurisé beurré.

Faire cuire à four moyen.

Pour décoller plus facilement les rochers, poser, dès la sortie du four, le papier recouvrant la tôle sur une surface très mouillée (paillasse d'évier par exemple). Conserver en boîte bien fermée.

On obtient ainsi 30 rochers environ.

144. Sorbet au citron

Prendre 4 citrons bien juteux, un zeste de citron et de l'eau pour faire 1/2 litre de sirop.

Presser les citrons pour en exprimer le jus que vous passez au chinois ; râper très fin le zeste d'un citron. Préparer un sirop avec l'eau et le sucre : il est prêt quand le sucre est complètement fondu. Mélanger le jus des citrons, le zeste râpé et le sirop de sucre, verser le tout dans le bac à glaçons du réfrigérateur. Pour bien réussir, quand le mélange est à moitié pris, fouettez-le, puis remettez-le à glacer. Servir au milieu du repas la moitié d'un verre par personne.

I. DESSERTS DIVERS

145. Crème à la vanille

Battre 6 jaunes d'œufs avec 250 g de sucre et 1 cuillerée à soupe de fécule de maïs. Ajouter peu à peu 1 l de lait vanillé bouillant. Mélanger et donner un bouillon pour que la crème devienne épaisse.

146. Crème de fromage et fruits

Pour 6 personnes : fromage blanc, 500 g ; 2 œufs ; sucre vanille ou vanille naturelle en poudre ; sucre cristallisé roux, 100 g ; crème fraîche, 100 g (un petit pot) ; 3 oranges, dont une pour la décoration ; 2 bananes ; 2 pommes.

Eplucher les fruits. Les couper en tranches et morceaux, rondelles et fins quartiers. Les déposer dans un plat creux. Saupoudrer de sucre. Laisser reposer. Pendant ce temps, battre le fromage blanc avec le sucre vanillé, les jaunes d'œufs. Fouetter la crème fraîche. Mêler fromage blanc, sucre et œufs, aux fruits. Ajouter avec délicatesse la crème fouettée. Disposer le tout dans une coupe ou des coupes individuelles et garnir de quartiers d'oranges.

147. Crémets d'Anjou

Bien fouetter de la crème fraîche et battre en neige avec un yoghourt et quelques fruits frais. Mettre ce mélange dans de petits moules en osier ou en métal recouverts d'une mousseline blanche très fine pour égoutter. Mettre au frais. Au moment de servir, verser les crémets dans un compotier et recouvrir de crème fraîche non fouettée. Saupoudrer d'un peu de sucre en poudre.

148. Œufs à la neige

Battre 4 blancs d'œufs en neige très ferme. Y ajouter du sucre en poudre légèrement vanillé. Prendre par petites cuillerées et faire cuire dans 1/4 de litre de lait bouillant quelques minutes. Dans un plat allant au four, placer une couche de crème à la vanille refroidie, une couche d'œufs en neige, en appliquant bien couche contre couche. Terminer par une couche de crème garnie de marmelade de framboise.

149. La bûche de Noël de Valérie

Pour 6 personnes : 275 g de biscuits à la cuiller ou 600 g de galettes aux amandes ; 100 g de sucre en poudre ; 150 g de graisse végétale ; 3 barres de chocolat sain ; un verre de café fort.

Ecraser entre vos doigts ou passer à la moulinette les biscuits à la cuiller très secs ou les galettes aux amandes pour les réduire en poudre fine , mélanger le sucre en poudre.

D'un autre côté, travailler à la cuiller de bois le gras végétal ramolli pour en faire une pommade. Ce résultat obtenu, l'ajouter à la poudre en travaillant pour bien amalgamer. Puis, ajouter peu à peu, en travaillant dans le même sens, le café très fort et bouillant jusqu'à ce que vous obteniez un mélange parfait.

Dans un moule à cake, poser une feuille de papier blanc sulfurisé, verser le mélange et mettre au frais 24 heures. Le lendemain, retirer la pâte, la façonner en bûche, glacer avec le chocolat fondu dans 2 cuillerées à soupe de lait d'amandes et une noix de gras végétal.

Comme garniture, faire des massepains qui s'obtiennent en pilant très fin : 100 g de sucre et 100 g d'amandes grillées. Bien les écraser et verser dessus 100 g de sucre bouilli avec 2 cuillerées à soupe d'eau. Remuer vivement et former des champignons de grosseurs différentes.

150. Le cake

Préparation 30 minutes, cuisson 1 h 30.

Il faut : 225 g de farine, 50 g de fruits confits, 50 g de raisins de Smyrne, 50 g de raisins de Corinthe, 30 g d'amandes effilées grossièrement, 125 g de beurre, 150 g de sucre, une cuillerée à café de sel, 3 œufs, une cuillerée à soupe de miel, du lait (quantité nécessaire pour une pâte coulante - ferme).

La cuisson s'effectue au four à 200° pendant 20 minutes puis à 160° pendant 1 h 30.

Détail des opérations : couper menus les fruits confits. Laver et tremper les raisins dans un peu d'eau (si possible pendant plusieurs heures avant la confection du cake). Réduire le beurre en crème puis ajouter successivement : sucre, sel, les œufs entiers un par un, miel, farine, fruits, lait. Beurrer et chemiser le ou les moules à cake rectangulaires (et mettre un papier graissé). Cuire à chaleur douce et régulière. Lorsqu'il est cuit, la lame du couteau, plantée à cœur, ressort sèche. Refroidir sur une grille.

Le cake peut être consommé le lendemain ou être conservé en boîte de métal au réfrigérateur.

151. Coupes aux perles de manioc

Proportions pour 4 personnes : 4 cuillerées à soupe de tapioca, 1/4 de lait, 3 cuillerées à soupe de sucre cristallisé roux, 2 œufs, 1 sachet de sucre vanillé.

Dans la casserole, mettre le lait et le tapioca. Faire chauffer doucement en remuant jusqu'à ébullition. Hors du feu, ajouter un à un les jaunes d'œufs et le parfum, bien mélanger. Remettre à cuire deux minutes très doucement en remuant à la cuiller de bois. Ajouter une pincée de sel aux blancs qui viennent d'être battus en neige ferme. Ajouter alors le sucre en poudre cuiller par cuiller. Mélanger à la crème de base les blancs battus. Répartir la crème légère dans des coupes selon le nombre de convives.

Mettre au frais. Ne pas préparer cet entremets trop longtemps à l'avance du fait de la présence du blanc d'œuf.

152. Cramique flamand

Farine pâtisserie au germe de blé : 500 g ou 750 g.
Beurre : 100 g ou 150 g.
Sucre cristallisé roux : 80 g ou 125 g.
Sel : 1 pincée.
Levure boulangère : 20 g ou 30 g.
Raisins secs (Smyrne ou Corinthe) : 125 g ou 200 g.
Lait : 1/4 litre ou 1/4 à 1/2 litre.

Emietter la levure boulangère dans le fond d'une tasse. Ajouter un peu d'eau tiède, une cuillerée à soupe de sucre, une pincée de sel. Réserver.

Fondre doucement le beurre. Dans une terrine, mettre la farine, creuser une fontaine. Y verser en tournant à la cuiller de bois : le beurre fondu, le sucre, les raisins secs, le levain et ce qu'il faut de lait pour une pâte lisse mais bien ferme.

Couvrir d'un torchon. Laisser lever dans un endroit tiède, une heure environ.

Mettre la pâte en moules sans les remplir car elle va encore lever une heure dans un endroit tiède.

On peut aussi, comme le ferait le boulanger, mettre la pâte sur plaque si elle est assez ferme pour que le pain aux raisins ne s'étale pas en largeur au lieu de monter. Laisser encore lever une heure.

Cuisson au four. Température assez élevée : 240° ou 5 1/2, selon les indicateurs de fonctionnement de votre four pour ce genre de cuisson. 30 minutes environ et 10 minutes à four éteint.

Au sortir du four, badigeonner au pinceau le dessus du cramique avec un mélange d'eau et de sucre. Cela donne du brillant et une jolie présentation.

153. Far breton

250 g de farine, 40 g de corps gras, 125 g de sucre en poudre, 3 œufs, un demi-litre de lait, 100 g de raisins secs, 1 pincée de sel.

Faire tremper les raisins secs dans de l'eau. Mélanger la farine, le sucre, le sel, les œufs battus en omelette. Ajouter peu à peu le lait froid, les raisins secs et le corps gras fondu. Verser dans un plat allant au four. Cuire une heure et demie à four chaud, puis pendant 15 minutes à four moyen.

154. Gâteau d'Angèle (Recette de S.A. Tipiak)

Pour 6 personnes. Préparation 15 minutes. Cuisson 15 minutes. Ingrédients : tapioca, 100 g ; 1 litre de lait ; 2 œufs entiers + 1 jaune ; 30 g de beurre ; 70 grammes de sucre ; une gousse de vanille.

Faire cuire le tapioca dans le lait sucré et la vanille un bon quart d'heure. Retirer du feu. Ajouter les trois jaunes d'œufs, le beurre et deux blancs montés en neige. Mettre le tout dans un moule caramélisé. Faire prendre au bain-marie au four, 1/4 d'heure environ. Démouler. Laisser refroidir. Servir très frais.

N.B. : ce gâteau peut aussi être servi avec de la compote de pommes.

155. Le massepain

Il faut 6 œufs, 6 cuillerées à soupe de cassonade, 6 cuillerées de farine, 1 paquet de sucre vanillé ou une cuillerée à café de fleur d'oranger.

Séparer 6 jaunes d'œufs de leurs blancs et les délayer avec 6 cuillerées à soupe de cassonade puis battre le tout pour qu'il devienne bien lisse et mousseux.

Ajouter alors, petit à petit, 6 cuillerées de farine et un paquet de sucre vanillé ou une cuillerée à café de fleur d'oranger.

Battre les 6 blancs en neige bien ferme et y incorporer doucement le mélange.

Verser le tout dans un moule beurré trop grand. Après vingt minutes de cuisson à feu doux il aura merveilleusement monté. Il faudra alors le démouler et saupoudrer la *surface dorée* de sucre vanillé.

156. Pain perdu aux pommes

Lait, une brioche ou pain de mie, 2 œufs, du beurre, quelques pommes, du sucre cristallisé.

Peler et couper les pommes en partie en quartiers, en partie en petits morceaux. Faire une marmelade avec les morceaux et passer les quartiers au sirop bouillant juste le temps qu'il faut pour les cuire sans les réduire en purée.

Couper la brioche en tranches épaisses de 1 cm environ. Les tremper dans du lait vanillé ; battre les œufs à la fourchette et les sucrer légèrement.

Tremper les tranches de brioche juste humectées de lait vanillé dans les œufs battus et les faire raidir et légèrement prendre couleur des deux côtés dans une poêle bien garnie de beurre chaud.

Les dresser en couronne sur un plat. Masquer de marmelade, disposer le reste au centre du plat. Poser les quartiers de pommes au sirop sur la couronne et napper avec le sirop réduit.

157. Pommes de terre au chocolat

Ecraser finement 200 g de biscuits de froment ; piler 150 g d'amandes ; mélanger 150 g de sucre avec une grosse cuillerée de purée d'amandes. Bien mélanger le tout en ajoutant un peu d'eau et former des petites pommes de terre à rouler dans de la poudre de chocolat. Simuler les germes avec des pignons de pin. Mettre au frais avant de servir. A préparer la veille.

158. Pudding président

150 g de mie de pain, 100 g de beurre, 50 g de raisins secs, 80 g de pruneaux, 80 g de dattes, 50 g d'écorce d'orange confite, 2 œufs, 80 g de sucre, un peu de sel et de lait.

Passer la mie de pain à la moulinette. Mouiller avec très peu de lait. Ajouter le beurre fondu puis les dattes et les pruneaux dénoyautés puis les écorces d'orange coupées en fines lamelles et les raisins trempés. Bien mélanger. Ajouter les œufs, le sucre, une pincée de sel. Verser dans un moule graissé et faire cuire une heure et demie au bain-marie. Démouler sur un plat allant au feu. Saupoudrer de sucre en poudre. Saupoudrer aussi le pudding.

159. Riz à l'impératrice

125 g de riz, 1/2 l de lait, 125 g de sucre, une gousse de vanille, 1/4 de l de crème fraîche et 60 g de sucre, 150 g de fruits confits non colorés.

Faire cuire le riz au lait. Laisser refroidir presque complètement (si l'on veut lier le riz, il serait bon d'y ajouter pendant la cuisson un peu de tapioca). Préparer la crème fouettée. La mélanger au riz ainsi que les fruits confits coupés en petits dés. Verser dans un moule en couronne et faire prendre au réfrigérateur. Démouler sur un plat rond. On peut garnir le centre avec des fruits au sirop, ou une compote de fruits, ou quelques fruits frais (fraises, framboises ou macédoine de fruits frais).

160. Riz aux abricots

Faire crever 250 g de riz dans de l'eau bouillante légèrement salée. Lorsque le riz est bien gonflé, l'égoutter et le verser dans un litre de lait sucré, vanillé, bouillant. Laisser cuire doucement pour que le riz gonfle mais que chaque grain se détache bien. Une fois ce riz cuit, y amalgamer 2 blancs d'œufs battus en neige. Le faire en soulevant le riz à l'aide d'une spatule de bois. Laisser refroidir, mettre au frais et servir entouré d'abricots bien mûrs ou de confiture d'abricots.

161. Tapioca pudding (Recette de S.A. Tipiak)

Pour 4 personnes. Préparation 10 minutes. Cuisson 35 minutes. Ingrédients : 100 g de tapioca, 1/2 l de lait, 100 g de sucre, 2 œufs, 100 g de raisins de Corinthe.

Verser en pluie-le tapioca dans le lait bouillant préalablement sucré. Faire cuire 5 à 6 minutes en remuant avec un fouet. Retirer du feu. Incorporer les œufs entiers puis les raisins de Corinthe. Verser cette préparation dans un moule. Faire cuire 35 minutes.

Peut être servi chaud... ou très frais.

162. Vacherin glacé

Faire tremper 2 poires séchées par personne pendant 48 heures, ajouter 2 petites cuillerées de purée d'amandes, un peu de sucre et des amandes grillées ; laisser reposer.

D'autre part, mettre 2 biscuits sucrés dans l'eau de trempage ; lorsqu'ils sont en bouillie, les ajouter à la crème précédente et bien mélanger le tout. Mettre le zeste d'un quart de citron, un peu d'écorce d'orange, mélanger intimement. Remplir de cette préparation un petit moule de 5 à 6 cm de profondeur jusqu'aux 3/4 de sa hauteur. Placer au réfrigérateur pour obtenir une crème glacée solide. Dans un autre moule identique, mettre un biscuit tartiné de confit d'amandes, le recouvrir d'un autre biscuit sec. Enlever la crème glacée de son moule pour la placer dans le second moule avec les biscuits secs. Décorer la surface de purée d'amandes délayée dans un peu d'eau et mettre au réfrigérateur 10 minutes avant de servir.

J. QUELQUES RECETTES ETRANGERES

163. Une boisson guyanaise

Se munir de cosses de pois et de peaux de goyaves ou de bananes. Pour la boisson aux pois verts, prendre : 4 poignées de cosses de pois ; 2 litres d'eau ; du sucre suivant le goût et quelques clous de girofle ; une cuillerée à café de canelle ; un morceau de pelure d'orange séchée ; quelques gouttes d'essence d'amande ou d'ananas. Ensuite, procéder comme suit : laver les cosses de pois, les placer dans un pot et ajouter l'eau, le sucre, les épices, les clous de girofle et la pelure d'orange séchée. Laisser reposer pendant 3 jours, filtrer, ajouter l'essence ainsi que de la glace et servir.

164. Champignons à la grecque

Pour 4 à 6 personnes, il faut : 2 carottes, un oignon, 2 cuillerées à soupe d'huile d'olive et d'huile de maïs, 2 verres de vin blanc sec, 12 grains de coriandre, 500 g de petits champignons, 250 g de tomates pelées et épépinées, une grosse gousse d'ail, 2 cuillerées à soupe de persil hachés, un bouquet garni.

Couper carottes et oignons en morceaux et faire bien revenir dans les huiles mélangées. Mouiller avec le vin blanc. Ajouter grains de coriandre, sel, parfumer avec bouquet garni (persil, thym, laurier, céleri) et une gousse d'ail.

Laver les champignons, parer les queues et les ajouter aux légumes déjà revenus ainsi que les tomates pelées et un peu plus de vin si nécessaire. Il ne faut pas qu'il y ait trop de liquide car les champignons en rendent au cours de la cuisson.

Mettre sur le feu non couvert pendant 15 à 20 minutes. Puis retirer du feu et laisser refroidir. Oter le bouquet garni et incorporer un peu d'huile d'olive. Saupoudrer de persil et servir froid en guise de hors-d'œuvre.

165. Poireaux à la grecque

Pour 6 personnes, il faut : 1 belle botte de poireaux, un demi-verre d'huile, 1/4 de litre de vin blanc sec (de provenance biologique bien sûr), 1 citron, 1 cuillerée à café de grains de coriandre, 1 bouquet garni, 1 branche d'estragon ou de fenouil, sel, poivre en grains.

La préparation dure 15 minutes et la cuisson 30 minutes.

Eplucher les poireaux et ne garder que les blancs. Découper en tronçons de 4 ou 5 centimètres. Les faire blanchir 5 minutes à l'eau bouillante salée. Les égoutter et les sécher le mieux possible en les étalant sur un torchon. Zester le citron et en presser le jus. Au bouquet garni composé de persil, thym, laurier et céleri, ajouter le fenouil ou l'estragon. Mettre dans un nouet de mousseline les grains de coriandre, la moitié du zeste de citron, une dizaine de grains de poivre.

Faire chauffer 1/2 litre d'eau avec le vin blanc et une forte pincée de sel ; ajouter l'huile, le bouquet garni, le sachet d'épices, le jus de citron. Faire bouillir 5 ou 6 minutes. Mettre dans ce court-bouillon les blancs de poireaux et cuire une vingtaine de minutes. Laisser refroidir dans la cuisson qui doit avoir bien réduit. Oter le bouquet garni et le sachet d'épices.

Servir très frais, en ravier, comme hors-d'œuvre en couvrant les blancs de quelques cuillerées de leur eau de cuisson.

166. La salade grecque

La préparer avec des crudités : légumes verts, branches de céleri finement coupées, tranches de concombre, d'oignon, de tomate, de poivron vert, des radis, du persil. Disposer la salade en monticule dans un grand plat de bois. Y déposer d'abord des feuilles de laitue ; le reste de celle-ci est coupé en morceaux et placé en tas au centre, puis ajouter les autres légumes. Assaisonner avec de l'huile d'olive et du jus de citron ainsi que de la marjolaine et un peu de sel éventuellement. Pour un grand plat, il faut un tiers de tasse d'huile d'olive et le jus d'un citron. La salade est garnie d'olives noires et de petits morceaux d'un fromage de chèvre appelé Feta, qui s'émiette facilement et donne un goût délicieux à cette salade. (De petits morceaux de roquefort ou de fromage à pâte ferme peuvent éventuellement convenir).

167. Potage grec

Le potage sert souvent de plat principal et se mange avec de gros morceaux de pain. Il s'accompagne de la salade grecque. Les soupes aux haricots, aux pois et aux lentilles sont très prisées. Un des potages préférés est la « soupa avgolemono » faite avec du poulet et aromatisée au citron. En voici une recette facile.

Laver une demi-tasse de riz à l'eau chaude et le laisser tremper 15 minutes, puis l'égoutter. Amener à ébullition 6 tasses de bouillon de poulet, ajouter le riz et faire cuire à feu doux pendant un quart d'heure. Saler et éventuellement poivrer légèrement.

D'autre part, préparer la sauce au citron et aux œufs. Prendre 2 œufs et battre les blancs en neige très ferme. Verser doucement les jaunes dans les blancs et continuer de battre. Puis ajouter petit à petit et toujours en battant 2 cuillerées à soupe de jus de citron. Verser progressivement sur le mélange environ une tasse de bouillon chaud en tournant continuellement pour éviter les grumeaux. Ajouter alors le reste du bouillon en remuant et sans laisser bouillir. Cet excellent potage peut se confectionner de diverses manières. Certaines cuisinières font leur bouillon elles-mêmes avec des carcasses et des ailes de poulet. D'autres le préparent avec un oignon haché, une branche de céleri et 2 carottes, le tout coupé en morceaux.

CUISINE AMERICAINE

Les recettes qui suivent ont été présentées en France, et réalisées, à l'occasion d'une foire internationale de cuisine américaine à Rennes.

Il s'agit de plats simples dont la composition a été adaptée aux produits que l'on peut trouver en France.

168. Guacamole

Pour 4 personnes : 2 avocats bien mûrs ; 2 tomates de taille moyenne ; 1 petit oignon ; 2 cuillerées à soupe de vinaigre (ou jus de citron) ; 4 cuillerées à soupe d'huile.

Couper les avocats et les tomates en cubes. Leur ajouter l'oignon et le persil finement hachés. Mélanger l'huile et le vinaigre et les incorporer soigneusement au mélange. Assaisonner et servir comme hors-d'œuvre.

169. Potato salad

Pour 6 personnes : 1,500 kg de pommes de terre nouvelles, non épluchées ; 1 cuillerée à café de sel ; 2 cuillerées à soupe de vinaigre de vin blanc. Finement hachés :
— 1/2 bol de céleri en branches ; 1/2 bol d'oignons ; 1 bol de poivrons ; 2 cuillerées à soupe de persil.
— 1 grand bol de mayonnaise au citron.

Mettre les pommes de terre à l'eau bouillante, de façon qu'elles soient juste recouvertes et faire cuire jusqu'à ce qu'elles n'offrent plus aucune résistance au couteau. Toutefois, elles ne doivent pas se désagréger. Les égoutter dans une passoire. Lorsqu'elles sont tièdes, les peler et les couper en dés de 1 à 2 cm d'épaisseur. Les disposer dans un grand récipient et incorporer sel,

vinaigre, céleri, oignons, poivrons, persil, et mayonnaise en tournant
doucement.

170. Boston baked beans

Pour 6 personnes : 250 g de haricots blancs secs ; 100 g de lard
fumé maigre ; 100 g de sucre roux ; une cuillerée à café de moutarde.

Mettre les haricots dans l'eau bouillante, cuire pendant deux minutes
et laisser reposer 1 heure. Passer et mettre dans une deuxième eau
bouillante. Ajouter le lard coupé en tranches. Faire cuire à petits bouillons
jusqu'à ce que les haricots soient presque tendres. Mettre dans une terrine à
couvercle. Ajouter le sucre roux préalablement dissous dans un quart de
litre d'eau chaude et mélangé à la moutarde. Couvrir et mettre à four doux.
Après une heure de cuisson (1 h 30 selon la variété des haricots), retirer
le couvercle et poursuivre la cuisson pendant une demi-heure.

171. Apple pie

Pour 6 à 8 personnes : 300 g de pâte brisée ; 225 g de sucre ;
2 cuillerées à soupe de farine ; 30 g de beurre ; 1 cuillerée à café de cannelle ; une pincée de sel.
Eplucher les pommes et les couper en tranches minces. Mélanger le
sucre, la farine, la cannelle et le sel aux pommes coupées. Mettre la pâte
dans la tourtière. Y verser le mélange et le parsemer de morceaux de beurre.
Recouvrir d'une couche de pâte en ménageant au centre une cheminée.
Faire cuire à four très chaud pendant 15 minutes. Poursuivre la cuisson à
four modéré pendant 45 minutes.

172. Fudge brownies

Pour 6 personnes : 80 g de chocolat à cuire ; 100 g de beurre ;
250 g de sucre ; 100 g de farine ; 3 œufs ; une cuillerée à café de vanille
en poudre ; 100 g de noix décortiquées.

Faire fondre le chocolat dans le beurre. Battre les œufs en omelette. Y
ajouter le sucre et continuer de battre jusqu'à ce que le mélange prenne une
consistance mousseuse. Incorporer le chocolat et le beurre fondus puis la
farine, la vanille et les noix.
Cuire à four chaud (thermostat 6) pendant 35 minutes dans un moule
carré ou rectangulaire. Découper le gâteau en carrés, conformément à la
tradition.

173. Popover

Pour 6 personnes : 2 œufs ; 150 g de farine ; 50 g de beurre fondu ; 1/4 de litre de lait.

Bien mélanger tous les ingrédients selon le procédé de la pâte à crêpes. Laisser reposer une heure. Remplir à mi-hauteur de petits moules à baba bien beurrés. Cuire à four chaud (thermostat 7) pendant 10 minutes, puis à four moyen pendant 20 minutes.

174. Cheesecake

Pour 8 personnes : — Pour le moule : 1 paquet de 200 g de biscuits « petits-beurre » ; 100 g de sucre glace ; 150 g de beurre fondu ; une cuillerée à café de cannelle.

— Pour la pâte : 3 œufs ; 500 g de fromage blanc égoutté ; 200 g de sucre, puis 50 g ; une cuillerée à café de jus de citron ; 1/2 cuillerée à café de sel ; 1 cuillerée à café de cannelle ; 1/2 cuillerée à café de vanille en poudre ; 25 cl de crème fraîche ; une cuillerée à café de vinaigre.

— Pour préparer le moule : mélanger les biscuits préalablement réduits en poudre avec le sucre glace, la cannelle et le beurre fondu. Tasser ce mélange sur le fond et les bords d'un moule à tarte et mettre au réfrigérateur (point le plus froid) pendant une demi-heure.

— Pour la pâte : Bien battre les œufs. Y ajouter le fromage blanc, 200 g de sucre, le citron et le sel. Verser le mélange dans le moule. Cuire à four chaud (thermostat 7) pendant 30 minutes. Retirer du four et saupoudrer de cannelle. Laisser refroidir le gâteau pendant une heure. Verser dessus la crème fraîche à laquelle on aura ajouté 50 g de sucre, la vanille et le vinaigre. Remettre à four chaud pendant 1/4 d'heure. Laisser refroidir et placer au réfrigérateur pendant au moins douze heures avant de démouler.

K. RECETTES
POUR LES ESTOMACS DELICATS

LES ŒUFS

175. Œufs mollets à la grecque

Préparez tout d'abord des fonds d'artichauts, en les extrayant d'artichauts cuits à l'eau. Réchauffez-les s'il y a lieu dans l'eau bouillante. Dans le fond, déposez un petit peu de riz à la créole tiède. Dans chaque fond, déposez un œuf mollet. Salez. Arrosez avec un peu de purée de tomate ou du beurre fondu (ou graisse végétale naturelle).

176. Œufs brouillés

Battez deux œufs en omelette. Versez dans une petite casserole. Salez. Ajoutez du beurre frais (ou graisse végétale naturelle). Sur le feu, vous tenez de l'eau en ébullition dans une grande casserole. De la main gauche, tenez la petite casserole dans l'eau de la grande. De la main droite, mélangez sans cesse les œufs, à l'aide d'une spatule de bois. Dès que les œufs deviennent crémeux, à peine coagulés, videz la petite casserole sur une assiette tiède, et non chaude. Servez immédiatement.

Vous pouvez ajouter aux œufs, dès le début de l'opération, quelques éléments agréables : cerfeuil haché, quelques pointes d'asperges cuites, etc.

LES PATES

Cuisson des pâtes

Pour que les pâtes se présentent avec esthétique, il faut qu'elles ne constituent pas une masse compacte et gluante. Pour éviter cette consistance, il faut plonger les pâtes (macaronis, nouilles, spaghetti ou lasagnes) dans un grand volume d'eau salée en ébullition vive. Rapidement, il se constitue de l'empois d'amidon ; mais celui-ci devient très fluide en se répandant dans le grand volume d'eau. Il suffit, alors, d'attendre la cuisson des pâtes. Combien de temps faut-il les laisser à ébullition ? En général de 10 à 13 minutes. Ce temps est tout à fait suffisant pour cuire l'amidon et le

rendre digestible. Goûtez une parcelle de pâte. Elle s'écrase sous la dent ;
les pâtes sont cuites. Videz la casserole sur une passoire à grands trous.
L'eau s'écoule. Eliminez-la. Rincez les pâtes à l'eau froide puis à l'eau
bouillante. Laissez-les égoutter. Remettez-les dans la casserole chaude. Il
ne reste plus qu'à les apprêter.

177. Pâtes à l'anglaise

Servez les pâtes, cuites à l'eau, dans un légumier très chaud. Servez
dans des assiettes chaudes. Ajouter des coquilles de beurre (ou graisse
végétale naturelle). Mélanger à la cuiller et à la fourchette. Dépêchez-vous.
Ne laissez pas refroidir. Surtout, mastiquez longuement.

178. Pâtes aux champignons

Faites cuire des pâtes à l'eau. Egouttez, rincez. Remettez en
casserole.

Pendant la cuisson des pâtes, vous avez fait cuire dans très peu d'eau
des champignons de couche, débités en lames très fines. Salez, laissez
évaporer, presque complètement l'eau de cuisson. Versez dans les pâtes ces
champignons et le peu de bouillon. Ajoutez des coquilles de beurre (ou
graisse végétale naturelle), loin du feu. Transvasez dans un plat creux,
chaud. Servez de suite.

179. Pâtes à la crème

Faites cuire des pâtes à l'eau salée. Egouttez. Rincez. Posez dans la
casserole chaude. Laissez surtout à petit feu. Ajoutez du beurre (ou de la
graisse végétale naturelle). Mélangez. Laissez fondre. Ajoutez de la crème
épaisse. Mélangez. Laissez réchauffer une minute. Servez dans un plat
chaud.

LE RIZ

180. Riz à la créole

Lavez une louche de riz à l'eau froide. Egouttez. Déposez-le dans
une grande casserole contenant un litre et demi d'eau salée bouillante.
Disséminez les grains à la fourchette ou à la mouvette de bois. Ne couvrez
pas. Laissez bouillir à petit feu pendant 13 minutes. Goûtez un grain. S'il

s'écrase sous la dent, le riz est cuit. Sinon, continuez l'ébullition en goûtant toutes les minutes. Videz la casserole sur une passoire. Rincez à l'eau froide, puis à l'eau bouillante. Remettez le riz dans la casserole. Assaisonnez-le.

Le principe de cette cuisson est le suivant : Si on fait cuire un volume de riz dans exactement une fois et demie son volume d'eau, le riz absorbe toute l'eau. Alors, il est cuit. Il ne peut être question de colle, d'empois d'amidon, puisqu'il n'y a plus d'eau pour constituer l'empois. Pratiquement, voici comment vous procèderez :

1) Ne lavez pas le riz. Frottez-le dans un torchon sec. Le linge retient presque la totalité de la poussière.

2) Mesurez une louche de riz. Posez dans une petite cocotte. Arrosez avec 20 grammes de beurre à peine fondu, non rissolé (ou graisse végétale naturelle). Mélangez à la spatule de bois. Arrosez avec une louche et demie de bouillon de viande très chaud ou d'eau salée bouillante. Posez sur le feu. Le liquide bout. Baissez le feu. Ajoutez 2 brindilles de thym. Couvrez. Laissez cuire 18 minutes. Découvrez. Il n'y a plus trace d'eau. A l'aide d'une fourchette, éparpillez les grains sans les écraser en râclant le fond de la cocotte. Goûtez. Si le riz est cuit, découvrez et laissez sur tout petit feu, jusqu'à ce que les grains se détachent les uns des autres. Si la cuisson n'est pas complète, continuez-la quelques minutes en récipient clos, sans ajouter d'eau. C'est le riz à la persane. C'est-à-dire le *pilaf.*

181. Riz aux petits pois

Préparez du riz à la créole. Beurrez. Ajouter des petits pois cuits à la française.

LES SAUCES

Vous savez que le beurre, ou une graisse quelconque, qui ont été surchauffés, se décomposent chimiquement et donnent un produit irritant pour la muqueuse gastrique, l'acroléine. Il faut donc éviter l'emploi de ces graisses pour la confection des sauces. Condamnez donc :

1) Le beurre noir et le beurre noisette ;

2) Les sauces à base de roux. Toutes sauces brunes à base de farine sont donc prohibées.

182. Roux blanc, béchamel et autres sauces

Le roux blanc est la base de la sauce blanche que nous aimons trouver souvent sur notre table. Pour être réussie, la sauce blanche doit avoir une bonne consistance, être exempte de grumeaux et suffisamment cuite.

La confusion est fréquente entre roux blanc, sauce blanche et sauce béchamel. Ces deux sauces ont une même base, le roux blanc. C'est le liquide ajouté ensuite pour la confection de la sauce qui caractérise les variétés de sauces dérivées du roux blanc.

183. Technique du roux blanc ou sauce blanche

Pour 6 personnes : matière grasse, 40 g ; farine, 2 cuillerées à soupe ; liquide froid, 2 à 4 verres selon la consistance désirée et l'usage (eau ou jus de cuisson d'un légume) ; sel.

Dans une casserole, chauffer doucement la matière grasse (beurre ou graisse végétale) sans la cuire. Ajouter la farine d'un coup et tourner vivement et complètement pour l'obtention d'une crème lisse. Sur feu doux, continuer à tourner. Le mélange reste clair — l'amidon se transforme en dextrine — le mélange devient mousseux. Verser une bonne louche de liquide froid préparé, en tournant toujours. La cuisson s'arrête. On délaie ainsi le mélange avant que l'amidon forme à la chaleur un empois, donc des grumeaux. Quand tout le liquide froid est absorbé, continuer à chauffer doucement sans arrêter de tourner. Ajouter progressivement le reste du liquide froid. On atteint l'ébullition. La sauce est épaisse, lisse, onctueuse. Ajouter le sel. Cuire une demi-minute au moins.

Si la sauce doit attendre au chaud, au bain-marie, déposer sur sa surface un morceau de beurre qui, fondant au contact de la sauce chaude, formera une fine pellicule grasse empêchant la formation d'une peau.

184. La sauce béchamel (au lait)

(roux blanc + lait).

La sauce est moins fluide. De par la présence du lait comme liquide, cette sauce ne supporte aucun acide. On ne peut ajouter ni jus de citron, ni câpres, ni vinaigre, ni tomate, sinon le lait caille lorsque la température s'élève.

QUELQUES VARIANTES

185. La sauce mornay

(roux blanc + lait + gruyère râpé).

Gruyère râpé, 50 à 100 g. Saler peu cette sauce (le fromage contient du sel). Pour incorporer le fromage râpé, le verser cuillerée par cuillerée en continuant à tourner de l'autre main. Si cette sauce est destinée à la confection d'un gratin, réserver une partie du gruyère. Dans le plat à gratiner, la sauce recouvre la préparation et l'on parsème le dessus du plat avec le râpé restant avant d'enfourner à four chaud.

186. La sauce au raifort

(roux blanc + lait + crème fraîche + raifort râpé, 1 à 2 cuillerées à soupe + sel).

La racine est pelée, lavée puis râpée finement. Le raifort ne doit pas bouillir. Il s'ajoute comme la crème fraîche au moment de servir la sauce.

187. La sauce poulette

(roux blanc + eau + jaunes d'œufs + citron, 1 à 2 cuillerées à café + persil haché, 1 cuil. à soupe + sel, 1/2 cuil. à café).

Préparer le persil. Presser le citron. Mettre les jaunes d'œufs au fond d'un grand bol et les crever à la cuiller. Faire le roux blanc. Ajouter l'eau. Bouillir une à deux minutes. Ajouter le jus de citron. Verser doucement un peu de la sauce sur les jaunes préparés dans le bol. Tourner bien et continuer à verser le reste de la sauce. Remettre sur feu doux pour cuisson des jaunes sans ébullition comme il se fait pour une crème anglaise. Une minute suffit généralement. C'est une liaison à l'œuf.

188. La sauce aux champignons

(roux blanc + eau + champignons, 125 g ou davantage selon utilisation + sel).

Brosser les champignons sous l'eau courante (après en avoir coupé les pieds) ; les laver soigneusement. Couper les champignons en 4. Les cuire à l'eau salée pendant 8 à 10 minutes. Réserver l'eau de cuisson des champignons. Refroidie, elle sert à la confection de cette sauce. Les champignons s'ajoutent en fin de cuisson à la sauce.

189. La sauce aurore (tomate)

(roux blanc + jus de tomate ou purée de tomates + eau + sel).

UTILISATION DE CES SAUCES

190. Sauce blanche et sauce champignons accompagnent :

Œufs durs, œufs mollets, pâtes, riz, légumes cuits à l'étouffée ou à l'eau : bettes, céleris, choux-fleurs, endives, poireaux, pommes de terre, topinambours, carottes, salades cuites, salsifis.

191. Sauce béchamel (lait) :

Champignons, carottes, artichauts, céleris-raves, choux, choux de Bruxelles, choux-fleurs, crosnes, endives, navets, salades cuites, topinambours, aubergines, concombres cuits, épinards.

192. Sauce tomate Aurore :

Œufs durs, pommes de terre, pâtes.

193. Sauce au raifort :

Pommes de terre, betteraves.

194. Sauce poulette :

Bettes, haricots verts, poireaux, salsifis, pommes de terre, riz, pâtes, carottes, fèves.

Ces sauces peuvent attendre un moment au bain-marie, recouvertes d'une fine pellicule de matière grasse fondue.

Les sauces liées au jaune d'œuf ou enrichies de crème fraîche ne peuvent bouillir. Ces sauces sont nourrissantes, recommandables pour leur valeur nutritive dans la mesure de la qualité des ingrédients.

Elles permettent, quand elles contiennent fromage, lait ou œuf, d'enrichir un plat léger pour en faire un plat principal.

Ces sauces saines agrémentent les plats de légumes et les rendent attrayants, notamment pour les enfants un peu difficiles et réfractaires aux légumes.

Index récapitulatif des 194 recettes

A. Potages

B. Salades, sauces, assaisonnements

C. Brochettes, entrées, œufs

D. Viandes et poissons

E. Légumes cuits

F. Céréales, pain, pommes de terre

G. Tartes

H. Desserts divers aux fruits

I. Desserts divers

J. Quelques recettes étrangères

K. Recettes pour les estomacs délicats

Menus-types pour les quatre saisons

HIVER

	LUNDI	MARDI	MERCREDI	JEUDI	VENDREDI	SAMEDI	DIMANCHE
LEVER	Jus d'orange	Jus de carotte	Jus de pamplemousse	Jus de pomme	Jus de betterave rouge	Jus de poire	Jus de mandarine
PETIT DEJEUNER	Pain + œuf cuit mollet / Infusion	Biscotte + fromage + 3 dattes	Bananes cuites au four + fromage blanc	Pain + confiture + 6 amandes / Infusion	« Quatre mendiants » / Infusion	Pain beurré + figues sèches / Fromage / Infusion	Pommes râpées / 3 dattes / yoghourt
DEJEUNER	Salade de : choucroute crue + endive / 87 Purée de légumes d'hiver / 174 Cheese-cake	47 Salade tutti-quanti / 98 Boulgour / Fromage	46 Salade raismoise / 119 Gâteau levé aux pommes	30 Endives à la pomme / 84 Châtaignes à la Périgourdine / Fromage	Salade de scarole / 100 Kacha + chou aux pommes / Fromage	166 Poireaux à la Grecque / 57 Pizza minute / Crème fromage et fruits	salade verte (mâche - endive) / 70 Poulet au sel / 103 Pommes dauphine / 135 Gâteau de noix du Périgord
DINER	1 Bouillon de légumes + persil haché cru / 76 Gratin de potiron au fromage / 159 Riz à l'impératrice	4 Potage au riz / Salade de radis noir, poivron, persil / 83 Œufs brouillés aux marrons, / 132 Fruits secs trempés, mélangés, ou quatre mendiants	11 Soupe aux pommes de terre / Salade de céleri, betterave, mâche / 86 Steak aux champignons / 153 Far breton	14 Velouté de courges / salade de choucroute crue + œuf au plat / 156 Pain perdu aux pommes	Gratinée / 101 Lasagnes à la crème / 113 Tarte alsacienne	6 Potage aux poireaux et marrons / 34 Salade à mon idée / 161 Tapioca pudding	Salade / 99 Couscous végétarien / 79 Brochettes de légumes / 110 Tarte aux pommes

Nota : Les numéros précédant les plats, sont ceux des préparations et des recettes figurant dans la partie pratique (pages 259 à 330).

Les nerveux, frileux, sous-minéralisés ont intérêt à remplacer, le plus souvent possible, le jus de fruit du matin par un jus de légume cru dilué (carotte et betterave rouge, notamment).

Menus-types pour les quatre saisons

PRINTEMPS

	LUNDI	MARDI	MERCREDI	JEUDI	VENDREDI	SAMEDI	DIMANCHE
LEVER	Jus de carotte	Jus de pomme	Jus d'orange	Jus de betterave	Jus de pamplemousse	Jus de cassis	Jus d'orange
PETIT DEJEUNER	Flocons de céréales rôtis, sucrés au miel + un peu de lait froid + 4 noix, noisettes ou amandes.	Pain bis et miel / 6 noisettes / Boisson chaude	1 ou 2 pommes douces râpées crues / 3 dattes ou figues / Lait caillé	Pain bis beurré 40 g de gruyère ou Comté ou Cantal / Infusion	Mélange de fruits séchés trempés dans du lait (raisins, abricots, pruneaux, bananes)	Flocons de céréales cuits dans du lait peu sucré / 6 noisettes ou amandes	Bananes cuites au four, avec la peau / Yaourt ou fromage blanc
DEJEUNER	30 Endives à la pomme / 102 Pâtes à la Sicilienne / Fromage / 125 Gelée de coings	39 Salade au cresson / 97 Chou aux cèpes séchés / 145 Crème vanille	36 Salade Beaucaire / 80 Lentilles en purée / 1 tranche de pain bis + confiture	33 Salade alsacienne / 89 Choucroute garnie d'œufs au plat / 120 Pommes à l'ancienne	28 Corbeille printanière / 87 Purée aux légumes d'hiver / 128 Poires au sirop	35 Salade arlésienne / 165 Poireaux à la grecque / 172 Fudge Brownies	37 Salade de chou-fleur au poulet / 81 Petits pois en jardinière / 154 Gâteau d'Angèle
DINER	5 Potage aux lentilles au tapioca / 3 Avocat farci / 131 Clafoutis de fruits (pommes)	12 Soupe du boulanger / 44 Salade Miami / Pain + fromage	1 Bouillon de légumes / Salade de mâche / 152 Cramique flamand	11 Soupe aux pommes de terre Carotte + betterave râpées / 138 Mendiants déguisés	15 Velouté de fèves / 52 Croquettes au fromage / 147 Crémets d'Anjou	13 Tourin / 42 Salade fraîche aux champignons / 174 Cheese-cake	2 Gratinée / 65 Œufs moulés au fromage / 171 Apple-pie

Nota : Les numéros précédant les plats, sont ceux des préparations et des recettes figurant dans la partie pratique (pages 259 à 330).

Les nerveux, frileux, sous-minéralisés ont intérêt à remplacer, le plus souvent possible, le jus de fruit du matin par un jus de légume cru dilué (carotte et betterave rouge, notamment).

Menus-types pour les quatre saisons

ETE

	LUNDI	MARDI	MERCREDI	JEUDI	VENDREDI	SAMEDI	DIMANCHE
LEVER	Eau ou jus de fruits de saison	Eau ou jus de fruits de saison	Eau ou jus de fruits de saison	Eau ou jus de fruits de saison	Eau ou jus de fruits de saison	Eau ou jus de fruits de saison	Eau ou jus de fruits de saison
PETIT DEJEUNER	Fraises Framboises Yoghourt	Pêches Fromage blanc	Melon ou groseilles	Abricots Lait caillé	Cerises Fromage blanc	Reine-Claude Yoghourt	Pêches ou cassis
DEJEUNER	Radis Concombre en salade 58 Quiche estivale Laitue 134 Fraises à la camargaise	Salade céléri Artichaut Laitue 81 Petits pois en jardinière Fromage	40 Salade riz aux fonds d'artichaut Laitue + cubes de fromage 142 Pêches à la cardinal	166 Salade grecque Fromage	48 Tomates capricette 78 Haricots verts à l'orientale + pomme de terre vapeur 114 Tarte aux myrtilles	168 Guacamole Légumes en brochettes Fromage 151 Coupe aux perles de manioc	32 Horloge à la mayonnaise 68 Moussaka 144 Sorbet au citron
DINER	Bouillon de légumes Salade laitue tomate 130 Clafoutis aux cerises	35 Salade artésienne 64 Œufs en cocotte Compote d'abricots	7 Potage de petits pois 73 Aubergines à la parisienne 154 Gâteau d'Angèle	16 Velouté de laitue 61 Tarte niçoise 148 Œufs à la reine	15 Velouté de fèves Laitue 160 Riz aux abricots	66 Omelette-flan à l'oseille Salade de pommes de terre 141 Pêches Maritza	9 Soupe au pistou 88 Tomates provençales 115 Tarte genevoise aux prunes

Nota : Les numéros précédant les plats, sont ceux des préparations et des recettes figurant dans la partie pratique (pages 259 à 330).

Les nerveux, frileux, sous-minéralisés ont intérêt à remplacer, le plus souvent possible, le jus de fruit du matin par un jus de légume cru dilué (carotte et betterave rouge, notamment).

Menus-types pour les quatre saisons

AUTOMNE

	LUNDI	MARDI	MERCREDI	JEUDI	VENDREDI	SAMEDI	DIMANCHE
LEVER	Jus de pamplemousse	Jus de carotte	Jus de pomme	Eau + jus de citron	Un verre d'eau	Jus de raisin blanc	Jus de pomme
PETIT DEJEUNER	Figues + crème fraîche	Raisin blanc + yoghourt	Pain beurré + fromage Infusion	Pomme crue râpée + 3 figues + 1 cuillerée à café purée d'amandes	1 ou 2 biscottes complètes + 1 œuf cuit mollet Infusion	Pommes + fromage blanc et raisins secs	Poires + lait caillé
DEJEUNER	Salade de : navet, carotte, betterave, râpés + mâche 83 Œufs brouillés aux marrons Raisin blanc	14 Velouté de courges 94 Chou vert aux marrons 133 Figues Carlton	Salade fenouil + endive 80 Lentilles en purée 117 Charlotte bonne-maman	salade d'endives + chou cru à la 84 Châtaignes à la Périgourdine 139 Omelette aux raisins	Salade de mâche 73 Aubergines à la parisienne 135 Gâteau aux noix du Périgord	38 Salade de l'automne 96 Chou aux pommes 146 Crème de fromage et fruits	Salade verte 85 Tourte de courgette 69 Poulet à l'estragon 118 Clafoutis aux pommes
DINER	10 Soupe au pistou Salade de scarole 120 Pomme à l'ancienne	Salade d'endives 178 Pâtes aux champignons Fromage	167 Potage grec salade de champignons frais, betterave, mâche 174 Cheese-cake	3 Minestrone 166 Poireaux à la grecque 116 Tarte malgache	5 Potage aux lentilles au tapioca Salade de saison 150 Cake	76 Gratin de potiron 62 Tartines vertes 145 Crème vanille	8 Potage express au tapioca Salade endive-scarole 137 Marrons Chantilly

Nota : Les numéros précédant les plats, sont ceux des préparations et des recettes figurant dans la partie pratique (pages 259 à 330).

Les nerveux, frileux, sous-minéralisés ont intérêt à remplacer, le plus souvent possible, le jus de fruit du matin par un jus de légume cru dilué (carotte et betterave rouge, notamment).

Conseils aux consommateurs
d'huiles alimentaires

N'achetez jamais une huile qui a séjourné dans une vitrine ensoleillée — ou qui a pu l'être. Gardez-la à l'abri de l'air, de l'humidité. Evitez de la laisser figer, ce qui altère les vitamines et accélère le vieillissement. Bonne température : entre 15 et 22°.

Sachez lire les étiquettes, surtout quand elles comportent « à utiliser à froid » (soja - tournesol).

N'achetez que des produits clairement et correctement étiquetés. Lisez les petits caractères : souvent, ils contredisent les gros !

Ne vous laissez pas séduire par l'adjonction d'un condiment, d'un petit bout de thym, par exemple.

Le mot « pur », prodigué en publicité, est jugé superflu par le décret du 12 février 1973 puisqu'une huile doit réglementairement provenir exclusivement des fruits ou grains nommés sous sa désignation.

Par exemple, pour l'huile d'olive :

Dénomination	Définition	Complément d'information
Huile d'olive vierge Extra : *acidité ≤ 1 % Fine : acidité ≤ 1,5 % Courante ou semi-fine : acidité 3,3 %	— extraite de l'olive soit par pression, soit par centrifugation ou autres procédés mécaniques — non raffinée — peut être qualifiée « produit naturel »	— huile « noble » — excellente conservation
Huile d'olive raffinée ou **Huile pure d'olive raffinée**	— huile obtenue par raffinage d'huile d'olive vierge	
Huile pure d'olive	— coupage d'huile d'olive vierge et d'huile d'olive raffinée	
Huile de grignons d'olive raffinée	— huile obtenue par traitement au solvant des grignons d'olive et raffinage	
Huile de grignons et d'olive raffinée	— mélange d'huile de grignons d'olive raffinée et d'huile d'olive vierge	

* Acidité exprimée en acide oléique. (D'après C.H.O.I.)

Quelques conseils et trucs culinaires

Une cuillerée d'huile d'olive et une feuille de laurier dans l'eau de cuisson, et vos spaghettis (ou d'autres pâtes ainsi que le riz) ne colleront pas.

Si, par économie, vous faites votre ratatouille sans huile d'olive, vous l'améliorerez grandement en en ajoutant quelques cuillerées au dernier moment. Cela est également vrai pour tout autre plat.

Vous pouvez remplacer le beurre par de l'huile d'olive figée au congélateur : en tartiner des tranches de pain de campagne grillées, aillées ou non, et manger par exemple avec des olives, du fromage de campagne, etc.

Rendez plus savoureux vos poissons en les faisant mariner dans un mélange d'huile d'olive et d'aromates à votre goût. Pour qu'ils ne craquèlent ni ne se dessèchent, ciselez leur peau s'ils sont trop gros et cuits au four. Oignez largement d'huile d'olive et arrosez souvent.

Vous adoucirez les oignons trop piquants destinés aux salades en les faisant macérer quelques heures dans de l'huile d'olive.

Les betteraves rouges restent bien rouges en milieu acide ; elles bleuissent si l'eau de cuisson est trop calcaire. Elle deviennent grises si tout leur suc, riche en pigment, s'est mélangé à l'eau. Il faut donc, à l'eau de cuisson, ajouter un peu de vinaigre de cidre ou de vin, ou encore du citron.

Des plantes sauvages,
en vacances ou pour survivre

1) **Masse d'eau** ou **massette d'eau**. Les jeunes pousses en salades. Les racines : jeunes à l'état cru, vieilles à l'état cuit (bouillies, frites, sous la cendre), sous forme de farine (bouillies, galettes).

2) **Sagittaire.** Les tubercules peuvent être préparés comme les pommes de terre.

3) **Nénuphars.** Graines cuites ou crues. Racines : cuites ou crues, leur amertume nécessite quelquefois une longue cuisson pour les rendre mangeables.

4) **Macre** ou **châtaigne d'eau**. Les fruits peuvent être consommés crus ou cuits.

5) **Cirse maraîcher.** Faire cuire les fleurs comme les artichauts et consommer la partie charnue correspondant à un élargissement de la tige florale (réceptacle).

6) **Peuplier.** Les bourgeons sont comestibles crus ou cuits.

7) **Saule.** Les jeunes pousses peuvent être consommées bouillies, ainsi que l'écorce débarrassée de ses couches superficielles.

8) **Aulne.** Même préparation que l'écorce de saule.

9) **Bardane.** Au printemps : jeunes pousses cuites comme des asperges.

10) **Scorsonère sauvage.** Au printemps, consommer- les racines et feuilles comme des salsifis.

11) **Chardon-Marie.** Jeunes feuilles en salade, racines utilisées pour les ragoûts, capitules ou « fleurs » cuits comme des artichauts ; après cuisson, la partie charnue intérieure ou réceptacle est excellente.

12) **Chardon aux ânes.** Plante jeune débarrassée de ses épines comme un légume. « Fleurs » comme celles du chardon-marie préparées et consommées de la même manière.

13) **Carlines** (comme les chardons).

14) **Poireau des vignes.** Bulbe, tige, base des feuilles après avoir été bouillis.

15) **Terre-noix** ou **châtaigne de terre**. Consommer la partie souterraine après cuisson (cuite ou bouillie).

16) **Gland de terre.** Consommer les tubercules de la racine crus ou cuits comme des pommes de terre.

17) **Coqueret.** Baies fraîches à consommer crues à maturité.

18) **Genévrier commun.** En automne (octobre et novembre) les seules baies mûres (3 ans pour mûrir) ; ne pas consommer en grande quantité.

19) **Eglantier.** Récolter les fruits au début de l'hiver, les faire cuire pour obtenir une gelée comestible, au préalable, les débarrasser des poils intérieurs qui rendraient cette gelée immangeable.

20) **Pourpier.** Feuilles et tiges tendres en salades, ou cuites comme des épinards.

21) **Plantain.** Feuilles en salade cuite ou crue.

22) **Trèfle.** Feuilles en salade cuite ou crue.

23) **Aubépine.** Les fruits sans saveur sont comestibles en automne, séchés et réduits en farine, on les utilise encore dans certaines régions d'Europe, ces fruits peuvent être mangés crus ou cuits.

24) **Azérolier.** Fruits consommables à maturité : frais, en compote ou en gelée.

25) **Chénopodes** ou **ansérines.** Consommer les feuilles et les extrémités des tiges comme des épinards (de préférence ces parties seront cuites) lorsque la plante porte des graines, surtout si elles ne sont pas mûres, les enlever avant la consommation.

Les jeunes tiges sont à consommer comme des asperges.

26) **Robinier** ou **faux acacia.** Consommer sans excès les fleurs crues ou cuites mêlées à d'autres aliments.

27) **Chêne.** Glands doux sont comestibles. Dans le Midi essayer la torréfaction.

28) **Sorbier des oiseleurs.** Fruits comestibles après cuisson.

29) **Sorbier domestique.** Fruits comestibles après cuisson ou les premières gelées.

30) **Alisier torminal.** Fruits comestibles après blettissement.

31) **Asphodèle.** Racines à consommer comme des salsifis ou des pommes de terre, au préalable faire bouillir dans l'eau salée pour faire disparaître leur fort goût amer.

32) **Arbousier.** Fruits comestibles crus ou cuits.

33) **Hêtre.** Utiliser les faînes cuites mais ne pas en consommer de grandes quantités.

34) **Cotonnière commune.** Fruits après cuisson.

35) **Amelanchier.** Fruits utilisés mais sans excès.

36) **Camarine noire.** Consommer les fruits en petites quantités.

37) **Raiponce.** Racines préparées comme des navets ou des pommes de terre.

38) **Sapin.** Les bourgeons des jeunes rameaux sont comestibles. Consommer sans excès.

39) **Bistorte.** Racine comestible à préparer comme des navets ou pommes de terre.

40) **Raisin d'ours.** Consommer les fruits crus.

41) **Pimprenelle.** Feuilles et extrémités des tiges à consommer avant la floraison pour donner du goût aux autres aliments.

Pour aller plus loin

Maintenant que vous êtes familiarisé avec l'alimentation de santé, en théorie comme en pratique, vous comprenez mieux, nous en sommes persuadés, certaines des causes essentielles importantes des troubles de santé et des souffrances dont sont affligés bon nombre de nos contemporains.

Toute réforme du mode de vie est inopérante si elle ne s'accompagne pas d'une remise en question des problèmes relatifs à la nutrition dans ses aspects psychologiques et physiques.

Sans doute l'alimentation n'est pas le seul facteur à prendre en considération, nous vous l'avons expliqué. Mais elle constitue une pierre angulaire de l'édifice de la santé et de l'harmonie individuelle et même sociale.

L'homme qui a reçu une éducation normale et vit dans un milieu affectif équilibré, qui travaille physiquement, sans excès mais en suffisance, dans un milieu bien oxygéné et se nourrit d'aliments vitalisants n'éprouve guère le besoin de se surexciter ou de se déprimer par des drogues (médicamenteuses et autres).

Au contraire, l'individu dont l'éducation a été « manquée », dont la vie affective est troublée, qui doit travailler trop ou trop peu dans un milieu malsain et qui ne reçoit guère que des aliments carencés, celui-là voit rapidement son équilibre psychosomatique se perturber et se trouve prédisposé aux stimulants et aux sédatifs (tabac, alcool, boissons « toniques », drogues et « pilules de bonheur »...).

L'alimentation joue donc un rôle essentiel. Une nourriture obtenue sur des sols déséquilibrés et carencés est elle-même facteur de déséquilibres et de carences. S'y ajoutent les substances toxiques et les interventions appauvrissantes dont se montre si généreuse l'industrie dite alimentaire.

Indépendamment de l'affaiblissement physique et mental qu'elle occasionne sur l'individu, et qui justifie l'appel à un excitant compensateur, cette alimentation amoindrie et empoisonnée ne risque-t-elle pas de susciter l'appel à la drogue chimique, un toxique en appelant un autre ?

Voilà une des voies les plus sûres conduisant à la dépression nerveuse mais aussi aux accès de violence individuelle ou collective.

Une médecine humaniste est donc à mettre en œuvre. Cette médecine n'est pas fondée sur l'agression systématique contre la maladie et les microbes. Elle a pour base une compréhension en synthèse des lois de la vie.

L'étude de la finalité vitale permet de mieux saisir le sens de la maladie, qui est en fait une action organique correcte tendant à sauvegarder la vie de l'être.

A partir de cette conception, se développe une attitude prophylactique et thérapeutique basée sur la sauvegarde et le rétablissement d'un équilibre intérieur (psychosomatique) et extérieur (psycho-social).

Cette psychosomatique naturelle répond à l'attente de ceux (de plus en plus nombreux) qui ont été déçus par les procédés habituels. Son rayonnement ne cesse de croître ; des praticiens se forment, qui sont avant tout des guides, des conseillers de santé. Nous sommes fondés à penser que le moment est proche où cette hygiène du corps et de l'esprit prendra le pas sur des conceptions violentes trop souvent préjudiciables à l'individu et aux groupes sociaux.

Une formation des « responsables », médecins, enseignants, psychologues, parents, etc., est devenue indispensable. Chaque individu doit pouvoir bénéficier d'une orientation orthobiologique dès ses premières années. L'expérience montre que l'enfant comprend et admet instinctivement les lois de la vie saine, et qu'il les adopte spontanément.

Le Dr Alexis Carrel a écrit avec raison, dans « *L'homme, cet inconnu* » :
« *La vertu a un caractère obligatoire car elle n'est autre que la soumission aux lois de la vie.* »

Les autres ouvrages de cette collection vous apporteront les informations que vous pouvez attendre sur les différents plans de votre évolution. Tel est le but que nous nous sommes assigné.

Table des matières

Troisième partie : **ETUDE DES ALIMENTS**

Quatrième partie : **CE QU'IL FAUT ENCORE SAVOIR**

Cinquième partie : EQUILIBRE ET REGIMES

Sixième partie : CAS PARTICULIERS : INDIVIDUALISATION

Septième partie : MALADIES ET CARENCES

Huitième partie : **194 RECETTES**
MENUS POUR LES QUATRE SAISONS

La composition et l'impression de cet ouvrage
ont été réalisées par CLERC S.A.
18200 SAINT-AMAND - Tél. : 48-96-41-50
pour le compte des ÉDITIONS DANGLES
18, rue Lavoisier - 45800 ST-JEAN-DE-BRAYE

Dépôt légal Éditeur n° 1748 - Imprimeur n° 4767

Achevé d'imprimer en Février 1992

Docteur André PASSEBECQ
**PSYCHOTHÉRAPIE PAR LES MÉTHO-
DES NATURELLES.**
Comment vous libérer de : fatigue, stress,
dépression, insomnie, angoisse, troubles
psychologiques et sexuels, anxiété, chocs émotionnels, neurasthénie, surmenage, complexes,
agressivité, tensions, etc.

Format 15 × 21 ; 376 pages ; couverture quadrichromie ;

Notre société fabrique ou sécrète la folie :
— 100 millions de personnes dans le monde sont atteintes de « dépression »
(Dr Norman Sartorius, O.M.S.) ;
— 30 % des étudiants français souffrent de troubles psychologiques ;
— 700 000 familles françaises sont confrontées au problème des handicapés
physiques et mentaux, nombre ne cessant d'ailleurs de s'accroître ;
— sur 2 000 cadres dépassant la quarantaine (et après élimination des
malades déjà reconnus), 9 sur 10 présentent une légère anomalie ou une
affection débutante ;
— plus d'un demi-million d'enfants sont des débiles mentaux.

Comment sortir de cette situation dramatique ?

Les thérapeutiques actuelles — méthodes médicales palliatives et suppressi-
ves — s'avèrent incapables d'enrayer l'escalade de ces souffrances... et de
ces dépenses.
Il est grand temps que les méthodes naturelles de santé décrites dans ce livre
entrent en jeu, soient reconnues et largement répandues. La santé mentale est
indissociable de la santé organique, et les méthodes orthobiologiques ici
présentées — exemptes de drogues (sauf exceptions rarissimes) —, par des
techniques NON TRAUMATISANTES NI MUTILANTES, adaptées à chaque
individu, apportent bien souvent un recours PREVENTIF et CURATIF très sûr...
et durable !

Depuis 30 ans, une équipe de scientifiques, d'enseignants et de psychologues
expérimente et applique ces méthodes respectant l'intégrité — et la dignité —
de l'être humain, en les affinant constamment. André Passebecq vous en
donne ici la synthèse et les clés fondamentales vous permettant d'aborder une
nouvelle vie psychologique plus équilibrée, plus saine et plus harmonieuse.

Du même auteur, dans la même collection :

Docteur André PASSEBECQ

QUI ? DÉCOUVREZ QUI VOUS ÊTES ET QUI SONT RÉELLEMENT LES AUTRES. Cours pratique de graphologie et de morphopsychologie pour tous, avec exercices d'application et autocorrection.

Format 15 × 21 ; 216 pages ; abondamment illustré

QUI ?...

Qui êtes-vous au fond de vous-même ? Etes-vous certain de bien vous connaître et d'utiliser au mieux toutes vos capacités ?

Qui sont ceux qui vous entourent ? Que pensent-ils réellement ? Pouvez-vous compter sur vos collaborateurs ou associés ? Quelles sont les réelles aptitudes des postulants aux emplois que vous offrez ? Pouvez-vous faire confiance à telle ou telle personne ? Sous quelle forme présenter votre requête pour ne pas froisser ou gêner votre interlocuteur ? Quelles sont les principales tendances caractérologiques de vos enfants, de vos proches ? etc...

Autant de questions (et bien d'autres !) que vous vous posez journellement et auxquelles ce livre essentiellement pratique vous permettra de trouver des réponses précises, simplement par l'analyse et l'interprétation de l'écriture et de la forme du visage de votre interlocuteur.

Il existe un parallèle profond entre l'expression graphique et l'interprétation psycho-morphologique que bien des psychologues connaissent et utilisent couramment avec succès. Ce cours pratique, abondamment illustré d'exemples concrets et issu de plus de 30 années d'expérience vous dévoile les fondements de cette méthode particulièrement efficace qui vous permettra d'accéder à la parfaite connaissance de l'être humain, de ses motivations, de ses ressorts secrets et de son comportement. Il s'adresse à tous ceux ayant le goût des rapports humains : parents, enseignants, animateurs, chefs de personnel, cadres, médecins, etc... et plus simplement à tous ceux désireux de vivre en parfaite harmonie avec leur entourage.

Dans la vie quotidienne, la profonde connaissance des autres procure une supériorité considérable dans le « grand jeu de la vie ». Ne négligez pas cet atout important !

Du même auteur, dans la même collection:

Docteur André PASSEBECQ

L'ENFANT. Guide pratique.

De la naissance à l'adolescence, toutes les réponses aux problèmes de l'éducation : psychologie, orientation, activités, scolarité, sexualité et santé.

Format 15 × 21 ; 344 pages ; illustré (photos)

Un livre de plus sur l'enfant !

Oui... parce que ce sujet mérite d'être réexaminé en dehors des stéréotypes conventionnels trop répandus en psychologie et en médecine.

En effet, comment exiger du jeune énergie, courage, vivacité, endurance, stabilité, concentration, qualité du jugement, créativité et efficience si, depuis sa naissance — et même auparavant — il est drogué, irradié, intoxiqué, dégradé et amoindri tant dans son corps que dans son esprit ?

L'équilibre des enfants et adolescents dépend de très nombreux facteurs que bien souvent les parents et éducateurs méconnaissent, ou veulent volontairement ignorer pour se conformer aux « avis autorisés », aux règles bien établies et ne surtout pas déroger aux « habitudes ancrées » dont beaucoup, devenues préjudiciables, devraient être définitivement oubliées. On ne s'étonnera donc pas de ce que ce livre soit résolument non conformiste sur bien des points essentiels. Il « dérangera » car il remet en question nombre de concepts couramment admis en matière d'éducation et de santé, et apportera également une vision nouvelle et profondément plus humaniste de l'éducation de vos enfants. Il s'insurge contre les techniques médicales et éducatives actuelles souvent en contradiction avec les besoins authentiques de l'être humain.

Ce livre vous aidera à mieux armer vos enfants pour cette âpre lutte qui les attend et dans laquelle ils devront mobiliser toutes leurs énergies acquises durant l'enfance.

Parents, enseignants, éducateurs, animateurs, responsables de collectivité, conseillers sociaux, psychologues, médecins, diététiciens, hygiénistes y trouveront des informations d'un intérêt fondamental.

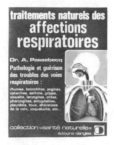

TRAITEMENTS NATURELS DES AFFECTIONS RESPIRATOIRES. Rhumes, bronchites, angines, catarrhes, asthme, grippe, sinusites, laryngites, otites, pharyngites, amygdalites, pleurésies, toux, altérations de la voix, etc...

Format 13,5 × 18 ; 160 pages ; illustré .

Les maladies de la gorge et des poumons — avec leurs prolongements au niveau du nez, des oreilles et des yeux — sont malheureusement de plus en plus répandues de nos jours, tant parmi les jeunes que les adultes. Ces affections débutent souvent dès la petite enfance, et prennent rapidement une forme chronique, jusqu'au stade de la dégénescence.
Pour juguler ces troubles de santé, d'innombrables remèdes et appareils ont été proposés. Après une amélioration transitoire, des complications plus ou moins graves interviennent généralement, altérant parfois fortement l'état général du patient, avec rechutes de plus en plus graves, jusqu'à la maladie chronique.
Quant aux méthodes naturelles de santé, elles proposent des solutions alternatives qui ont fait leurs preuves et sont exemptes de nocivité. Cet ouvrage pratique vous les expose d'une manière précise, d'abord en synthèse (2e partie) puis de manière détaillée à propos de chaque trouble considéré isolément (3e partie).

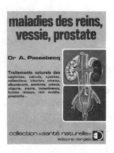

Docteur André PASSEBECQ : MALADIES DES REINS, VESSIE, PROSTATE. Traitements naturels des néphrites, calculs, cystites, colibacillose, infections urinaires, albuminurie, kystes rénaux, prostatite...

Format 13,5 × 18 ; 144 pages ; illustré.

Le bon fonctionnement des reins, de la vessie et de la prostate est d'une importance capitale dans l'optique de la santé intégrale. Mais le surmenage imposé à ces organes par une alimentation défectueuse, par les multiples toxiques de notre vie quotidienne (chimie agricole et alimentaire, pollutions de l'environnement, stress, médicaments et drogues, hygiène de vie défectueuse...) aboutit à des **troubles fonctionnels** qui, souvent mal soignés, dégénèrent en **altérations de structure.**
Quelles sont les **causes** de ces maladies ? Faut-il incriminer les microbes, virus, germes ? Quel est le rôle des facteurs pathogènes dans la dégradation de ces organes ? Les médicaments peuvent-ils guérir ? Faut-il recourir à la chirurgie, et si oui, dans quelles circonstances ?
Quels sont les **soins naturels d'hygiène vitale ?** Pourquoi permettent-ils de retrouver la santé, même dans des situations considérées comme très graves ou incurables ?
Telles sont les questions auxquelles cet ouvrage **pratique** répond. Après une étude anatomique et pathologique de ces organes, de leurs fonctions, des causes de leurs maladies et de leur évolution, l'auteur vous indique l'éventail des traitements naturels à suivre (épuration, désintoxication, jeûne, hygiène vitale, diététique, revitalisation...). Enfin, un **lexique thérapeutique** des maladies vous indique, affection par affection, leurs symptômes, diagnostic, causes et surtout les traitements spécifiques à suivre (tant allopathiques que naturothérapiques) en vue d'une guérison durable.

L'ARGILE POUR VOTRE SANTE. Toutes les applications thérapeutiques et esthétiques de l'argile. Dictionnaire de naturopathie indiquant l'ensemble des traitements naturels à associer à l'argile.

Format 13,5 × 18 ; 136 pages ; illustré (photos).

Les vertus thérapeutiques de l'argile (tant en usage externe qu'interne) ne sont plus aujourd'hui à mettre en doute.
L'auteur, dont la renommée n'est plus à faire, en véritable praticien de la naturopathie, ne s'est pas borné à la simple description des applications elles-mêmes. Dans un large esprit de synthèse, il a rappelé, pour près de **140 affections** parmi les plus courantes (classées alphabétiquement), les causes de base, les mesures d'hygiène alimentaire à adopter, les contre-indications éventuelles et surtout l'ensemble des traitements naturels complémentaires à associer à l'argile pour une parfaite efficacité : magnésiothérapie, aromathérapie, hydrothérapie, etc...
Ainsi construit, ce livre se présente sous la forme d'un **VERITABLE DICTIONNAIRE DE NATUROPATHIE**, pratique, clair et précis, vous permettant de résoudre rapidement nombre de problèmes de santé. Un petit guide qui deviendra votre conseiller de chaque jour.

RHUMATISMES ET ARTHRITES. Traitements naturels des : algies, arthrites, arthrose, épicondylite, lumbagos, goutte, ostéoarthrites, ostéoporose, polyarthrites, rhumatisme articulaire aigu, sciatiques, tendinites, etc.

Format 13,5 × 18 ; 176 pages ; illustré.

Les statistiques médicales font état d'une recrudescence du rhumatisme et de l'arthritisme : 4 millions de Français en sont atteints ; un invalide sur dix est rhumatisant !
On recherche un microbe ou un virus ; on recourt à des médications et à des interventions chirurgicales de plus en plus agressives et, comme dans bien d'autres domaines, la médecine a échoué dans sa tentative de juguler la maladie au lieu de chercher à connaître les **causes profondes** des troubles de santé.
La médecine naturelle présente une conception alternative d'une rare efficacité. Grâce à elle, de nombreuses personnes prétendues incurables ont pu voir leurs troubles s'estomper et même disparaître. Des paralysés ont pu marcher. Une expérience de plus de 30 années (y compris celle de sa propre guérison), appuyée sur une formation médicale et naturopathique, permet à l'auteur de présenter ici une synthèse d'une large portée.
L'arthrite et le rhumatisme, dans leurs différentes formes, sont curables dans la plupart des cas.
Oui, dans leur immense majorité, les rhumatisants et arthritiques peuvent se **guérir par des moyens simples, peu coûteux et non dangereux.** Ils peuvent presque tous jouir d'une vie normale s'ils acceptent tout simplement de modifier leur hygiène de vie.
Cet ouvrage est de ceux qui annoncent une révolution dans l'art médical, pour le plus grand bien des individus, des collectivités... et des finances publiques. La première partie traite du **processus pathologique** des affections rhumatismales. Ensuite, les **thérapeutiques naturelles** sont étudiées en détail et, enfin, la troisième partie est un **index thérapeutique** dans lequel sont étudiées minutieusement les diverses affections rhumatismales, avec tous les conseils pratiques pour rectifier les causes des troubles et obtenir ainsi leur rémission.
Un **message d'espoir** pour de nombreuses personnes.